窃天书

QIE TIAN SHU

I 上　逆水行舟　著

江苏凤凰文艺出版社
JIANGSU PHOENIX LITERATURE AND
ART PUBLISHING, LTD

图书在版编目（CIP）数据

窃天书：全2册 / 逆水行舸著. — 南京：江苏凤
凰文艺出版社，2018.5
ISBN 978-7-5594-1935-4

Ⅰ.①窃… Ⅱ.①逆… Ⅲ.①长篇小说－中国－当代
Ⅳ.①I247.5

中国版本图书馆CIP数据核字（2018）第074707号

书　　　名	窃天书：全2册	
作　　　者	逆水行舸	
责 任 编 辑	丁小卉　姚　丽	
选 题 策 划	李　娟	
出 版 发 行	凤凰出版传媒股份有限公司	
	江苏凤凰文艺出版社	
出版社地址	南京市中央路165号，邮编：210009	
出版社网址	www.jswenyi.com	
经　　　销	凤凰出版传媒股份有限公司	
印　　　刷	三河市中晟雅豪印务有限公司	
开　　　本	880毫米×1230毫米　1/16	
字　　　数	600千字	
印　　　张	47.5	
版　　　次	2018年5月第1版　2018年5月第1次印刷	
标 准 书 号	ISBN 978-7-5594-1935-4	
定　　　价	69.80元	

江苏文艺版图书凡印刷、装订错误可随时向承印厂调换

目　录

◎ 窃天书之三
画皮

鬼眼浮屠

窃天书之一

楔子 升棺发材

"快，打开！"

墓室中央，一口巨大的棺椁被抬出墓穴，一个白发苍苍的黑衣蒙面人指挥七八个手持鹤嘴锄的壮汉，正合力撬起棺上铆钉。四面壁画上的妖魔鬼怪张牙舞爪，似要破壁而出。惨绿的灯火随风摇曳，晃得墓室里更加阴气森森。

这时，正在旁边打下手的另一个黑衣蒙面人打了个手势，从棺材天上揭下一张封条，递给那老者。这位蒙面黑衣人头发都是黑的，看起来比较年轻。

白发蒙面人接过封条，借着晦明不定的灯火一看，只见上面有一道用朱砂画的符箓咒印，盘着一行篆书：

"五殿阎罗王包拯神位，开棺者死！"

他冷笑一声，说："历来达官显贵害怕死后被盗墓，常用这一招来吓人。民间传说包黑子是五殿阎罗王转世，没想到他还真就好意思认了，吓鬼啊。"

黑发蒙面人应该是个哑巴，用手语问那白发蒙面人："我看书上说包公额上有一月牙，月牙中藏一鬼眼，阴阳两界恶人鬼事无一能逃其洞察，所以日审阳夜断阴，判案如神，是不是真的？"

白发蒙面人叹口气道："唉，这样的神话你也信？"口气中明显恨铁不成钢。

黑发蒙面人继续打着手语问："那现在你可以告诉我了吧，我们又不是没钱，为什么要来盗墓？"

白发蒙面人嘿嘿一笑，道："前些日子我翻看古籍，无意间看到一条记载，说包拯破了长安百鬼夜行案，得到秦始皇的藏宝图，但他怕惹祸，不敢将藏宝图传给后人，想必是带进了棺材里。只要找到了这张藏宝图，江山唾手可得，钱根本就不是事，哈哈哈！"笑声如鸦噪枭啼，回音激荡，震得四壁灰尘扑簌，格外诡异。

笑声未停，忽听得吱呀呀一声，好似禽兽磨牙，铁链顿时萎落一地，棺材天被打开了。虽隔着数层衣帛，众人依旧感到阴风袭体，吹起一身鸡皮疙瘩。那白发蒙面人声音也发颤了："鬼神之事，信则有不信则无，先找宝物要紧。"取来烛火，扑到棺材边，向里细看，根本没有什么包公遗骸，也不见珠宝陪葬品，倒是密匝匝摆满了一座座木塔模型。

白发蒙面人正愕然，呃啊一声怪叫猝然响起，吓得他手一抖，险些把油灯失手跌落——只见身边一名手下突然扔掉鹤嘴锄，双手扼住自己喉咙，五官扭曲，面目狰狞，口中呃呃有声！接着又是几声怪叫次第响起，所有盗墓者如鬼魂附体，拼命扼住自己喉咙，口吐白沫，面目青紫骇人，似是不能呼吸。有一个更像疯狗一般，龇牙咧嘴向白发蒙面人扑来。白发蒙面人吓得三魂出窍，转身想跑，腿却像灌了铅般挪不动。

千钧一发之际，那黑发蒙面人抄起一把洛阳铲，将那疯了的手下拍倒。余下几人亦先后扑倒在地，四肢抽搐，七窍流血，眨眼工夫相继毙命。墓室中顿时死寂一片。

过了半晌，白发蒙面人才艰难地说出话来："此、此地不宜久留！"声音干涩无比，好像从十八层地狱里冒出来一样。

黑发蒙面人哆哆嗦嗦凑上前，将拎着的封条递给白发蒙面人看，并打着手势道："开棺者死！诅咒应验了！"

白发蒙面人脸都白了："那咱们……"

黑发蒙面人又打手势道："咱们还没死。包公明察秋毫，不会错杀好人的。"

白发蒙面人吸了口气，强自镇定："不管他杀不杀人，是非之地，赶紧走！"奋力拔腿便跑。

没两步，迎面撞上一硬物，顿时鼻血飞迸。抬头一看，一圈鬼俑，成半月形围住去路，什么夜叉恶鬼、钟馗判官，个个举铜执鞭，龇着锯齿獠牙，狞笑着俯瞰众人，似作势要扑过来将人撕碎吞下。白发蒙面人吓得一屁股跌坐在地，油灯失手坠落。好在那黑发蒙面人出手奇快，一把接住油灯。

白发蒙面人浑身发颤，说："这、这些鬼俑怎么移位了？"刚进来时这些鬼俑明明是倚壁而立的。

黑发蒙面人也愣了一下，才打手势问："是不是我们触动了机关？"

一老一少大着胆子挪动鬼俑，并未发现有机关引线。白发蒙面人更恐惧了："莫非真的有鬼？"

黑发蒙面人转身从棺中取出一座浮屠宝塔，递给那白发蒙面人。白发蒙面人接过宝塔，凑近油灯仔细观看，只见棺材色的塔身，共有十八层，层层飞檐。突然，白发蒙面人的眼睛定住了——塔下那道门上有几行血字：

"奉天承运，阎君诏曰：方今阳间遭逢乱世，奸邪秉政，百姓遭凌，朕心难安。为恶者当知人心可欺，鬼眼难蒙。今有罪犯某某，祸国殃民，家藏龙袍，意在谋逆，罪在不赦，按律处以毒刑。丧钟记时，时刻归零，朕亲往执刑，善者生，恶者死。开启此门，有将功补过券一封，按券上所书悔过自新，尚有一线生机，否则天谴必至。钦此。"

白发蒙面人一看，魂飞天外。家藏龙袍一事，除了天知地知己知，无人知晓，难道包公阴阳眼真能洞烛幽微？本来他对鬼神之说嗤之以鼻，否则也不敢冒天下之大不韪盗掘包公墓，只是此刻手下莫名惨死，棺中怪塔又未卜先知，不由得他不疑神疑鬼，只能照办了。

再一细看，塔门上有一轮盘，轻轻一拽，门便打开了，里面好像有什么东西，伸手进去一摸，取出一本残书，封面上印着四个阴文鬼篆："鬼眼浮屠"。他翻开书页，借着灯火看罢，不禁长身而起，仰天怪笑，磔磔有声，惊得墓鼠乱窜。

那黑发蒙面人打着手势："爹，你疯了？"

"原来如此！哈哈，我是疯了！我疯了！哈哈哈！"白发蒙面人双手乱挥，把黑发蒙面人手中油灯打落，摔得粉碎。

最后一丝光亮泯灭前，那黑发蒙面人回头看去，残灯冷焰，暗影幢幢，那些鬼俑似乎也跟着疯了，一个个手舞足蹈，疯狂狞笑起来。

谁也没看见，在他们背后，一只干瘪的鬼爪扒住棺材沿，慢慢地，一张骷髅般的怪脸顶着一顶糟烂乌纱摇摇晃晃探了出来，接下来是虫蛀蠹霉的寿衣……

变生寿宴

当朝太师府。

正是太师武清风寿诞之日，宾客如云，寿堂上彩灯高悬，喜气洋洋。前来祝寿的宾客都聚在青玉案旁，指着次第摆上的寿礼评头品足。每年都这样，太师的寿宴成了一场赛宝会，有资格前来祝寿的达官显贵们争先恐后献上寿礼，珍珠论斛装，赤金以斗量，珠光宝气，把在场来宾的眼睛都晃花了。

太师府管家武阿福高声唱礼，落笔如飞，娴熟地填写礼单，着仆人一一收讫。太师武清风端坐正座，接受众人祝寿，阿谀之声此起彼落。

正热闹之时，门官又高声唱道："顺天府尹到——"

唱声未落，只见顺天府尹钟三昧迈着四方矩步，引着两乘红呢软轿，分开众人，顺明石甬道来到寿堂，拱手施礼："下官恭贺太师千秋之喜，祝太师福如东海，寿比南山，特奉上两件寿礼。"

谁都知道顺天府尹钟三昧是太师当前红人，他送来的寿礼自是与众不同，众人都屏息静气，等着看轿子里是什么宝物。

钟三尹倒不急，瞥一眼左右堆积如山的金银珠宝，道："太师乃当朝泰山北斗，爱民如子，两袖清风，京城百姓托下官转送您的万民伞、清明旗、廉政谱车载斗量，下官代为上呈一二，望太师笑纳，以慰百姓之心。"说着来到第一顶轿前，掀开轿帘——

"冤枉啊！"轿里突然爆出一声凄厉的哀号，跟着扑出一个鹑衣百结的老丐来。老丐趴在地上，咣咣磕头："府尹大老爷，太师府恶奴强拆我房子，强占我土地，纵马踩死我儿子，抢走了我儿媳，气死了我老伴，我那才十岁的小孙女也被卖进了万花楼！小老儿有鸣冤状，你青天大老爷可要给小人做主啊！"呜咽哀号，不绝于耳。

　　这一幕太突然，太师府家人看到了那老丐的脸，个个脸色大变。钟三昧如遭雷劈，险些晕厥过去，厉声喝道："你这刁民，什么时候钻进了我的轿子？"飞起一脚，将老丐踢个倒仰。再看轿里，箱子还在，一打开，里面的万民伞清明旗廉政谱却不翼而飞。

　　钟三昧只觉天旋地转，一腔怒火无处发泄，回身举腿又踹那老丐。

　　武清风气得胡子乱颤，手指着钟三昧："你你你，你是来给老夫祝寿的还是来让老夫折寿的！"

　　那老丐仰天惨笑："你这装聋作哑的贼老天，咋就不睁眼哪！包青天啊，你在哪里！"

　　太师府一帮下人连轰带打，将那老丐撵出门去。在场众宾客大气不敢出，都知道这时候说什么都是错的。本来其乐融融的寿宴，现在成了一场闹剧。武清风脸色铁青，浑身颤抖，要不是今天寿宴没佩剑，他早就拔剑杀人了。

　　钟三昧唯知连声告罪，磕头如捣蒜："太师请息怒，太师请息怒！下官本来备好了万民伞等物，一路亲身护送，实在不知道为什么会、会变成一个刁民。请太师看到下官平时对太师忠心耿耿份上，饶了下官。下官还有第二件寿礼，望太师给下官一个谢罪的机会，笑纳则个。"说着，连滚带爬抢到轿前，一把掀开轿帘，伸手自其中托出一个烫金漆盘，盘中一物，高约三尺，一领红纱蒙着，看不出是何物。

　　钟三昧托着那物，在武清风面前跪下，颤巍巍道："太师日理万机，为民操劳，下官为表敬意，特献上祖传夜光宝玉玲珑塔。此塔乃南阳夜光玉所雕，玲珑剔透，置于室中，冬暖夏凉，最妙的是入夜则大放光明。太师有了此塔，必然寿祚绵延，福海无边！"

　　武清风哼了一声，亲自接过烫金盘，放在青玉案上。在场宾客的视线都集中过来。红纱掀起，现出一座宝塔，塔身高约三尺，涂着棺材一样的紫褐色，斗拱挑出十八级八角卷檐，顶端塔刹亦是十八层相轮，覆以华盖，刹顶装饰着一把鬼头弯刀，刀刃上血痕蜿蜒如蛇，环绕着一只鬼眼，大如婴拳，皂白分明，白眼球中布满血丝，黑瞳仁处一个血淋淋的"杀"字浮凸而出，摄人魂魄。最底层莲花座基承托着一尺高的四方塔墙，一方有一拱券门洞，门扉闭合，正对着武清风的脸。武清风伸颈细看，门上写着几行朱砂血字：

"奉天承运，阎君诏曰：方今阳间遭逢乱世，奸邪秉政，百姓遭凌，朕心难安。为恶者当知人心可欺，鬼眼难蒙。今有罪犯武清风贪赃枉法，纵奴作恶，草菅人命，当处毒刑，罪不可赦。丧钟记时，时刻归零，朕亲往执刑，善者生，恶者死。钦此。"

武清风气得快爆炸了："钟三昧，这这这就是你的夜光宝玉玲珑塔？"钟三昧再次如遭雷击，扑通一声又跪了下去："这这、哪个狗日的偷了我的宝塔！这不是我的塔，我的塔是夜光白玉……"武清风怒叱一声："真的不是你的塔？"钟三昧把额头都磕出血来："借下官一万个十万个天大的胆，下官也不敢哪！"武清风面色狰狞，略一沉吟，道："谅你也不敢！"向人群里瞟了一眼："肖捕头来了没有？"

"卑职在。"随着一声有气无力的轻咳，一个瘦削的身影从人群中挤出来——正是顺天府总捕头肖不平。来宾中有闻名未见其面的，一看之下都有些许失望，这位有天下第一神捕之称的肖不平，面色苍白，举步迟缓，似有沉疴未愈，难怪江湖上有外号"多病书生"。

正在此时，一声娇嗔从内府传出："不平，你来了也不先来找我。"

随着声音，一个十七八岁的少女如一阵春风拂过众人之脸，飘到肖不平面前，一只纤美的红酥手扶住他。只见那少女绾灵蛇髻，佩明月环，蠕首蛾眉，瑶鼻绛唇，直似琼雕雪镂的仙子。在场诸人俱是达官显贵，阅尽美色，也被这女子摄住心魄，一时间都呆了。

常来太师府上落的，知道这少女便是武太师掌上明珠武玲珑。年前武玲珑丢了一支白玉麟管龙须笔，那笔是古今十四大名笔之一，向来视为至宝，丢了后终日茶饭不思，没想到肖不平只一天半时间便将笔找回。从此武玲珑芳心一缕便系在了他身上，有事没事总往他那跑。武清风出身武林，不拘小节，对肖不平也青眼有加，数月前忽然主动提亲，太师许婚，肖不平岂有不应之理。是以两人虽未成婚，已有婚约。

见肖不平现身，武清风阴恻恻道："老夫寿诞，竟有人偷梁换柱戏弄老夫。肖捕头，都说你办案如神，今日你便给老夫查个水落石出！"

武玲珑也拽着肖不平的胳膊撒娇道："对对对，快帮我爹查一下，到底谁在捉弄我们。"

肖不平不语，转身向钟三昧询问。钟三昧本是他的上司，此刻见了他如抓到了一根救命稻草："不平啊，你可要给我洗冤昭雪，还我清白啊！万民伞、宝塔都是我亲自送进轿子里的，一路也是我亲随，卫士护送，根本没人能调包，真是活见鬼了！"

肖不平眉头微蹙，仔细询问。钟三昧将装宝护送走过什么路，穿过几重门，拐了几道弯，遇了几个人，说了几句话一一说明，不见什么破绽。

肖不平眉头紧皱，背着双手踱步。一眼瞥到鬼塔门上，但见阎罗圣旨字下有一圆盘，上嵌大小四个轮盘，却是佛教的六道轮回盘。最顶层圆心小轮画有鸽、蛇、猪，代表贪、嗔、痴三毒。第二轮半黑半白，寓意生死。第三轮分为六格，刻有天、人、阿修罗、地狱、畜生、饿鬼六道字样。最大一轮分为十二小格，分别是无明、行、识、名色、六入、触、受、爱、取、有、生及老死，佛教中的十二因缘。在这十二因缘轮上除了十二因缘名外，又分别刻有零到十一字样的十二时辰表。顶心小轮上时分秒三枚指针滴滴答答，不紧不慢地走着。方才吵吵闹闹，谁也没听到这细微声音，此刻鸦雀无声，钟声入耳，不啻沉雷滚过。此刻时针处在十一时，还有两刻钟便要归零。

"时刻归零，善者生，恶者死。"肖不平咳嗽一声道，"调包的人既然能偷天换日，又如此大张旗鼓，恐怕不仅仅是为了吓人。为太师安全起见，现在寿宴暂罢，太师请回归内宅，马上派武士护卫，以防不测。"

太傅隋狂楼一直冷眼旁观，一副幸灾乐祸的模样。这时他轻捻黑髯，不阴不阳道："武太师乃武当嫡传，一身浩然正气，几个毛贼虚言恫吓就龟缩内宅，岂不贻笑大方。肖捕头，你也忒危言耸听了。"

武清风和隋狂楼为当朝左右宰相，兼领太师太傅，官职颉颃而意见相左。当今天下并不太平，北方鞑靼屡屡犯边境，武清风是主战派首脑，隋狂楼是主和派领袖，双方一直争执不下，势若水火。但武清风寿诞，隋狂楼既碍于身份，也不希望两人不和表面化，所以还是带着礼物来祝寿。只是此时隋狂楼见武清风出丑，心中暗爽，免不得出言讥讽。

　　武清风瞟他一眼，心中暗骂，嘴里却冷冷道："隋太傅乃太极门徒，随风转舵的功夫盖世无双，老夫怎敢与你相比。"说着仰天狂笑三声，"按这塔上所言，再有半个小时老夫便将命丧黄泉，好，好，好！老夫倒要瞧瞧，这天下人有谁敢给老夫送终，谁敢！"转身对肖不平道："肖捕头，你的好意本太师心领了。我若是在寿宴上被螽贼吓得退回内宅，岂不成了天大的笑话！寿宴继续，该怎么热闹怎么来，今天大家一定要尽兴，否则便是不给本太师面子！"

　　负责唱礼的管家武阿福察言观色，见武清风并无停止寿宴之意，于是按礼序唱道："曲水流觞，请各位大人移步后花园。"

按时而死

假山之上，一亭翼然。亭中有一石桌，鬼塔正安放在桌上，指针滴滴答答转个不休，眼见还有一刻便要归零。

假山周围一圈绿地，阔有三亩，周围修篁联翩，虬松杂然，围成天然屏栅。里面鹤舞鹿鸣，嫩草茸茸，娇花点缀。一条小溪引自园外活水，蜿蜒如蛇穿桥过山，盘旋三匝，又自东泻出园外。溪水清明如镜，溪底白沙卵石，游鱼水草，历历可数。

此时，众宾客沿溪迤逦而坐，太师府仆人婢女取了特制的酒觞，盛以酒食果脯，放入上游溪中。酒觞随波逐流，曲曲折折下流，在谁面前逗留打转，谁便即兴赋诗饮酒。不成者，罚酒三觥。这种儒风雅俗，名为"曲水流觞"，乃是三月初三上巳节的习俗，传自晋时的王羲之兰亭集会。武清风寿诞恰值上巳节，便附庸风雅以此习俗宴请宾客。座中虽是达官显贵，但多是买来的官，暴发的富，肉食者鄙，懂什么吟诗作赋。只是表面功夫还得做，便摇头晃脑，满嘴胡诌顺口溜，官小的还得扮知音，捻须挑指作惊诧状："大人好诗！"

武清风一脸淡定，内心却忐忑不安。毕竟朝野之中仇人太多，肖不平说得对，对方能够这样偷梁换柱，肯定不仅仅是为了吓人。又想万一杀手不下毒，再次施展移花接木计，或躲在暗里偷放冷箭，那就防不胜防了。因而暗暗将浑身真气运到毫巅，眼神如电，眼观六路耳听八方，像一只受惊的狼，随时准备反击猎人。

古时以东方为尊，所以主人也叫"东家"，主人请客便叫"做东"。园中溪水自西向东，西为上游，东为下游，武清风便坐在了最下游。

这时轮到肖不平作诗。肖不平看到有几个丫鬟侍童在旁边用青瓷碗斗蟋蟀，便抱拳道："各位大人见笑了。卑职以蟋蟀为题，聊一应景：我本书中一蠹虫，是非场上斗群雄。侠气冲天才半尺，美名早有入云龙。"

才吟完，邻座的梨园教坊坊主钱归泽便叫道："不好不好，蟋蟀如何能叫蠹虫呢？又如何能在书中呢？在下不才，斧凿一番，献丑了：我本碗中一昆虫，温柔乡里斗娇龙。红莲初滴花心泪，美其名曰女儿红。哈哈哈！"

这诗改得极其拙劣也就罢了，语中还涉淫亵，肖不平眉头一皱，说道："我是粗人，诗作得不好，认罚！"端起酒壶，自罚三觥。

接下来酒觞停在太傅隋狂楼面前。隋狂楼作诗后，自罚三觥，将酒觞又推入溪中。那酒觞晃晃荡荡拐到了湾角，打起了旋，恰巧停在武清风眼前。隋狂楼鼓掌起哄，大声道："太师，该你大发诗兴，我等洗耳恭听喽！"

武清风出身草莽，武功修为在百官中数一数二，诗词曲赋也是数一数二，不过是倒数而已。他斜眼看看天色，想来时辰已到，自己仍然活得好好的。周围人虽然饮酒作诗，心里肯定也挂着鬼塔之事，想知道我究竟会不会按时死去……想到这里，武清风仰天大笑，伸手抓起酒杯，微一摇晃，眼珠一转，将觞中酒满了一杯，仰脖干掉："哈哈，说什么勾魂索命，看你这鬼塔怎么勾走老夫的命！阎罗祭出勾魂塔，好人留下恶人剐。行贿受贿俱无用，全我天地公平法。哈哈，看来老夫还是好……"

"人"字哽在喉中，右手酒觥左手酒觞同时翻落水中，脖子猛地往后一折，仰面摔倒。这一下太过突然，宾客纷纷离座，抢将过来，七嘴八舌，呼唤抢救。却见武清风嘴角流出黑血，四肢抽搐两下，眼仁上翻，哪里还救得回来。

肖不平脚步趔趄，直扑凉亭，低头一看，塔上时分秒针正好归零，咯噔一声，寂然不动。肖不平伸手轻拨，指针不动，里面的擒纵器显然已咬死。

肖不平提起鬼塔，走下凉亭，高声叫道："各位大人，命案发生，所有人不得妄动，请配合在下勘验现场。"声调一高，牵动心肺，免不得又是一阵咳嗽。

若在平时，这些朝廷大员岂将一个捕头放在眼中，但此时出了人命，死的又是武太师，破案缉凶乃其职责所在，所谓县官不如现管嘛，因此互看一眼，呼啦啦退出圈外，留出数丈方圆。

"爹！爹！"武玲珑跪伏在地，连哭带喊，拼命摇晃武清风的胳膊。

肖不平眼睛眨也不眨盯着武清风，伸指探探鼻下，号号脉搏，摇头道："小姐节哀，太师已经驾鹤仙游了。"连说几遍，武玲珑仿佛才听到，颤巍巍站起，一张俏脸梨花带雨。她抹了一把眼泪，猛地揪住缩在人群中的钟三昧，叱道："你为何杀我爹爹？"

钟三昧脸色煞白："小姐不要血口喷人，太师对我有恩，就算刀架在脖子上，我也不可能杀害太师啊！这鬼塔肯定是凶手调包的！"

肖不平伸指抹了一点武清风嘴角的血，凑到鼻端细闻，道："小姐稍安毋躁，太师是中毒归天。这鬼塔言明了，处以毒刑。找到毒源，顺藤摸瓜，是不是钟大人，自会水落石出。"

钟三昧双手合十，好像在求菩萨保佑："救苦救难的肖老弟，你可得还我一个清白啊！"

肖不平面无表情，淡淡道："大人放心，肖某平生办案无数，从不冤枉一个好人。"

此时酒筋酒觥俱都落入水中，待捞上来时，已被流水冲刷干净，有毒无毒已无从稽考，肖不平大伤脑筋。

钟三昧提醒道："方才太傅饮后安然无恙，看来这毒是太傅喝完酒后有人下在杯里的。"

户部侍郎胡全第凑过来道："这期间并无人接触酒杯，怎会有人下毒？"

肖不平缓缓道："武太师饮酒之前，最后一个接触酒杯的人嫌疑最大。隋太傅，你作何解释？"

隋狂楼气得暴跳如雷："欲加之罪，何患无辞！以我的武功，想杀武清风，何必用此卑劣手段？何况这酒杯中并未验出毒药？怎知凶手不是以别的手法毒死太师的？"

肖不平忽然想起一事，道："方才闹事的老乞丐呢？快去抓回来！"

武府立刻撒开人马四处找寻，但街上人流如织，哪里找去，倒是抓回几个乞丐，经钟三昧及在场众人辨认，都非闹事的老丐。

肖不平环顾诸人，道："大家注意没有，方才自轿中钻出的乞丐是个什么打扮？"

众人极力回想，旁边的梨园教坊坊主钱归泽晃了晃肥头大耳，道："满身肮脏，跟土里钻出来的一样。"

户部右侍郎胡全第脑中灵光一闪："上面好像有些五福捧寿的图案，啊，是寿衣！"

所有人面面相觑："难道他是个死人？"

肖不平脸色凝重："不错，而且他那头上戴的帽子就是个乌纱帽，只不过帽翅烂掉了。而且你们看，这塔的缝隙里还有白浆泥，一股腐败气息，当也是从坟洞里挖出来的。"有人附和道："我也闻到了。"

肖不平长叹一口气："不但如此，瞧他面如死灰，骨瘦如柴，整个一死人模样。最恐怖的是额头还有道月牙形伤疤，只不过被泥垢遮住了看不清楚。更可怕的是，这塔上写得明白，'朕亲往执刑'，看来，唯一的解释，就是五百年前的包青天复活了，以非常手段毒死了太师，只怕所有的罪人都逃不掉他的惩罚了！"

"啊！"周围登时一阵骚乱，恐怖如春草，在每个人心里疯长。

无处可逃

冰冷的夜色好似魔鬼张开的羽翼，渐渐吞噬了残阳。远山，大河，郁郁碧树，粼粼屋瓦，整座京城都沦陷在它的魔爪之下了。

酉时三刻，万花楼极品花房。雕梁画栋，四壁藻麝涂椒，不点灯烛，穹顶上镶着一颗鹅卵大夜明珠，映照得房中亮如白昼。房中横着一张檀木大床，上面铺着春兰坊御制的绣有三十二春宫图蜀锦被褥。这般奢华房间，睡一晚便要一千两银子。

此刻，京城四少只穿犊鼻短裤，仰躺在褥子上。鼻中吸着兽鼎内的催情香，蠢蠢欲动。

大少不耐烦地翻个身："妈的，怎么这么长时间了，妞还不送来！汪老鸨子这妓寨是不想开了吧！"

二少道："你他妈叫什么春？不洗得干干净净的，你他妈又啃又舔的能是好味道么？"

三少淫笑道："老大就喜欢骚味！"

老四接茬道："不知今天这些妞怎么样？一万两银子别他妈白花了！"

老三道："放心吧，都是乡下来的新鲜货，没破瓜的。一人三个，谁也别争。"

老四道："汪老鸨子偷盗劫掠处女，不花一个大子儿，妈的，钱都让她赚了。"

老二道："她是隋老儿的姘头，哪个敢管她。有能耐你也开个妓寨，只怕你像钟三抓错了武老儿的闺女，你爹也救不了你。"

说到武玲珑，老四来了精神："武老儿那妞倒是水灵得很，要是能……"

老三淫笑道："确实，咱哥们要是跟这妞……"

老二道："做你妈的春秋大梦去吧！武清风的女儿，你敢动她一根毫毛？这妮子和肖不平出双入对，若不是武老儿死了，只怕过不几日便要成亲了。"

老四舔舔嘴唇："妈的，便宜那病痨鬼了。今天兴致好，多玩几个花样。我就稀罕看那些小姑娘哭哭啼啼的一副欲仙欲死的模样，真他妈刺激！"其他几人淫笑着附和。

老大忽然道："别他妈叫唤了。我总觉得有点不对劲，白日里武老儿被毒死一事颇为诡异，难不成真有什么鬼塔包公？"

老二冷笑一声："什么鬼塔包公？骗人的把戏。这毒八成是隋老儿下的，不然，为何偏偏隋老儿饮完酒武老儿便被毒死了？必是他在酒中做了手脚。北边战事吃紧，武老儿主战，隋老儿主和，这两个老家伙在皇帝面前争风吃醋已久，积怨已深，鬼塔不过是个幌子而已。"

老大迟疑道："不可能吧。肖神捕都说了，不是隋老儿下的毒！"

老二笑道："老大你春药吃多了吧，怎么连脑袋都肿了？肖不平明察秋毫不错，但是这些年来他办了多少错案？胡全第的圈地屠民案，梅匡竹的盗卖铁矿案，哪个判刑了？这些大老爷他能惹得起谁？只能揣着明白装糊涂，收点贿赂敷衍了账。武老儿一死，隋老儿便独揽朝纲，他姓肖的巴结还来不及呢，敢得罪么？他在验毒之时不许别人插手，必然是暗中做了手脚，将毒药痕迹抹掉，又假言鬼塔勾魂的鬼话，向隋老儿示乖卖好。妈的，过不了几日，兴许这兔崽子又勾搭上隋老儿的闺女了呢！"

老大想了想道："这倒也是，肖不平胆小如鼠，顺风转舵这事倒也做得出来。"

老四道："那武家小妞咱们不是又有机会了？"

老三没心思听他俩唠叨，喃喃道："妈的，今个是有点怪了，怎么妞们洗浴还没洗完？"

便在此时，门外脚步声踢踏响起。老大精神一振："来了！"

"吱呀！"酸牙的门枢摩擦声在静夜中传出老远，好似令人心悸的鬼叫。梨木雕花门无风自启，一股腥风刮进屋中，几人只觉肌肤起栗，汗毛倒竖，立时翻身坐起，身子未稳，便听得呼的一声，一物自外飞来，落在榻上。四人定睛看去，吓得面如土色——

一座三尺高的鬼塔，下面朱砂批着四人名号，指针即将归零。

一股死气扑面而来，四少骇然抬头，明珠映照之下，一个人影赫然立在榻前。但见他头戴破烂乌纱，身挂百蠹寿衣，面目青气缭绕，看不清辨不明，好像是风气光影邂逅结下的一团鬼影。鬼影肩头扛着一口三尺长狗头铡刀，冷森森的刀刃上鲜血点滴而下。

四少都是武术世家，身手不俗，一吓之下，如惊鹿蹿起，纷纷扑向壁上挂着的宝剑。

哗啦！炫目的刀光压住了夜明珠光，如巨龙盘旋狂舞。罡风四射中，浊血四溅，残肢乱飞，屋中铜镜壁炉兽鼎逍遥椅碎成齑粉……

刀光收敛时，四少变成了肉酱，污血碎肉涂得满地满壁都是。那鬼影早已消失不见，夜风吹打着翕张的门扉，吱嘎吱嘎宛如鬼叫。门外，老鸨龟公恶奴死了一地，整个万花楼都被血染红了。

戌时整，侍郎府。高墙屏护，飞檐凌空，宛如蹲伏黑暗中伺机捕食的饕餮怪兽。街门两旁一溜气死风灯好似鬼眼闪烁。

便在此时，后门无声开启，豆复娄随着侍从轻车熟路，三拐两绕钻入密室。

门扉紧闭，户部侍郎汪大发跷着二郎腿倚着太师椅，闭着眼品着极品君山银针，也不睁眼瞧他。豆复娄谄笑连连，一顿溜须拍马，随即推过一只信笺。汪大发是官场老油条，拿眼一瞟，根据那信笺长短厚薄便断定里面是面值一千的银票五张，不由眉头一皱："你这是什么意思？"

豆复娄道："没什么意思，意思意思。"

汪大发道："你这就不够意思了。"

豆复娄道："小意思，小意思。"

汪大发脸色一沉道："小意思就不用意思了。"

豆复娄汗水淋漓："其实我不光一个意思，还有两个意思。"说着又递上两封红笺。

汪大发脸色阴转多云："你这人还有点意思。"

豆复娄擦擦汗水："其实也没有别的意思。"

汪大发将两封信笺往自己眼前一搂："那我就不好意思了。"

豆复娄陪笑道："是我不好意思。"识趣地往外便走。

汪大发起身道："唉，不怕下面的意思，就怕上面的意思。"

豆复娄心中暗骂，嘴里却道："其实我不是这个意思，是那个意思。"

汪大发道："你不懂我的意思。我的意思就是我的意思不够上面的意思。"

豆复娄暗自咬牙道："你的意思就是我的意思。"又递上两封红笺。

汪大发这才笑逐颜开："这才够哥们意思。放心吧，只要你够意思，我也够意思。"

事已办成，豆复娄步出门外，不防脚下一绊，一个倒栽葱，一头磕在青石台阶上，一声惨叫，顿时脑浆迸裂，一命呜呼。

汪大发听得外面异响，正想跑出来看，没想到那铁梨木门扇被一股巨力掀起，一下便把汪大发撞到墙上，木门咣当一声摔在地下，汪大发呈大字形贴在墙上，整个人都被撞扁了，油脂油膏软骨丰髓都被挤出，粘了一墙腌臜齑酱，剩一张空落落人皮萎顿而下。

密室摇曳的灯光下，一座鬼塔凭空出现在案上，塔下压着那三沓银票。鬼塔上朱砂逐条罪状批得明白：

"豆复娄承建桥梁民居，偷工减料，致使桥塌楼倒，十年间共致死三千九百七十二人，伤四千六百八十人。汪大发主持土建工程，私收贿款三百八十万两。俱处极刑。"

亥时一刻。李乡绅宅第。后宅绣楼。小姐刚刚歇灯就寝，整个宅院都进入了梦乡。唯有树叶沙沙，虫声喓喓。忽然，一道黑影借着夜色遮身，伏到窗下，左右瞄了一眼，自怀中取出一支细管，轻轻捅破窗棂纸，鼓起腮帮向里吹出迷烟。

不消半刻，里面传出细微鼾声。黑影掏出尖刀便要去拨门闩——突然觉得裆下一凉，跟着一阵剧痛，尚未反应过来，嘴巴已被塞住，接着被四马倒攒蹄牢牢捆绑，又被一只冰冷手掌提着悬到门楼之上。同时，身旁一只灯笼陡地亮起，照到旁边悬着的一座鬼塔。那人忍着剧痛，看到塔上血字，不由得心胆俱裂：

"李乡绅，白天人模狗样，夜间屡屡变身采花大盗。屡犯大案。黉夜迷倒继女，欲行不轨。罪该万死。处以宫刑。"

李乡绅身下鲜血不停奔涌。

……

蓦然一声春雷，闪电如斩妖利剑撕破暗黑冰冷的苍穹，狂风挟着暴雨喷薄而下，似要把这污秽世界涤荡干净。

这注定是一个不眠之夜。从子时开始，顺天府前鸣冤鼓便不断被敲响，顺天府尹钟三昧深夜升堂，不过一时三刻，门槛都被报案人给踏扁了。

肖不平深夜查案，直忙到天亮，数十具尸体拉到殓房，仵作开始验尸。

翌日上午，顺天府大堂。

钟三昧一夜未眠，满面愁容。昨日太师被害，皇帝已下旨，责成顺天府尹钟三昧十日内缉拿凶犯。如今一夜之间，又有众多大员富贾被杀，龙颜大怒，可想而知。

"报：仵作验尸完毕，武太师系中毒而亡，尸体无外伤。其他尸体多为利器切断肢体，切断面光滑平整，疑为大刀巨斧所伤……"仵作老周验完，尸体由亲属拉回家中盛殓。

肖不平面色苍白，神情憔悴，委顿在太师椅上闭目品茗。似乎是思索了一会儿，才抬头说道："综上所述，如果排除鬼魅，那么凶手的身份特征是：身负绝世武功，力大无穷，行动如飞，兵器为大刀或巨斧。被害人在不同地点被杀，间距较长，也许是团伙分别作案。不过鉴于被害人在不同时辰被杀，也有可能是一人作案，只是此人行动如飞，可能是轻功绝顶。此外，在案发现场发现的鬼塔上都有这么一句话：'开启塔门，有将功补过券一封。'这就是说，若能将塔门打开，被害人也许就不会死。但是这塔门，我鼓捣了半天也打不开。"

钟三昧道："直接砍开不行么？"

肖不平道："塔内若有机关自毁装置，强行打开适得其反。这六道轮回盘时分秒针俱全，实际上是个自鸣钟。自鸣钟自意大利传教士萨乌敌传入我国不过数载，向为皇帝珍宝，尚无国人能够制造，若凶手不是包公复活，必然和萨乌敌有关。属下愿去一探究竟。"

肖不平提了一座鬼塔刚出衙门，便碰到了武玲珑来询问破案情况。她眼带血丝，神情憔悴，看来父亲之死对她打击不小。两人相看一眼，结伴而行，沿街策马疾驰，一面吆喝行人，心神起伏不定。

过了西直门大街，肖不平刚一转弯，不想对面蹄声杂沓，迎头撞上一人，亏他反应迅捷，猛地一勒马缰，坐马希律律一声暴啸，人立而起。对方身手也不俗，同时勒马，马蹄落地时，马头相距不过咫尺，险险避过一劫。

"肖捕头！""隋太傅！"两人几乎异口同声叫出对方。

肖捕头打眼一瞧隋狂楼，见他短衣襟小打扮，满头汗水，身后背着一只长方形檀香木匣，不知装的何物，不免心生疑惑："隋太傅哪里去，弄的满头大汗？"

隋狂楼神情颇不自然："去校场遛马。"

肖不平咦了一声："校场在东，太傅怎么从西直门回来？"

隋狂楼更是尴尬："转了一圈，人老了不活动筋骨就僵死了。"肖不平淡淡一笑："那太傅背后匣中装的何物？"

隋狂楼脸色一沉："一具古琴而已，肖捕头，你管得太多了吧！哼。"拨转马头，一溜烟走了。

肖不平对武玲珑道："快走！也许萨乌敌有危险！隋太傅来的方向正是萨无敌的住所！"

武玲珑一脸狐疑，道："难道隋狂楼是阎罗王？或者是被包公附身了？"

肖不平道："现在还不能肯定，不过看他满头大汗，后背匣子长短恰能装下一把大刀，而且说话时躲躲闪闪，多半没有好事。"

步步杀机

　　方圆里许的白漆木栅栏，在大明国土上圈出了一块独立的番属之地。一座哥特式教堂依山傍水矗立其间，高耸的尖塔，威严的十字架，五彩斑斓的马赛克花窗，在朝阳下沐浴着光辉。

　　每当面对这西方神圣教堂时，肖不平都有一种朝觐膜拜的冲动，受洗的感觉让他身心一尘不染，他老远便下马，以示恭敬。

　　一年前，便在这门前，萨乌敌曾经对他说："信奉我主吧，献出灵魂，年轻人，你将得到永生！"

　　肖不平微微一笑，道："我就算信奉主，也不会信奉你。"

　　武玲珑也跟着下马。两人将马匹拴到树上，却见栅栏门紧锁，肖不平叫了几声，无人应答。这样的静不是安静，而是死寂。武玲珑挽着肖不平的胳膊，飞身掠进。

　　两人抢到教堂门前，刚想破门而入，便听吱呀一声，萨乌敌探出半个黄毛脑袋，微微一愣，略显惊慌，用生硬的汉语道："肖捕头有何贵干？"

　　肖不平和武玲珑对望一眼，不禁疑窦横生，萨乌敌居然没死？

　　肖不平淡淡道："有一事相求教士。"

　　萨乌敌赶紧挤出门缝，马上又将门关好，一边系纽扣，一边道："好好，到我的寓所。"

　　肖不平更疑惑："在教堂便好。"说着出其不意拉门便进，进去得快，出来得更快。

　　武玲珑奇道："里面怎么回事？"

　　肖不平尴尬一笑："没事。"

　　没事才怪。原来里面男女信徒一大堆，个个衣衫不整，眉眼含春，看来便不是好事，肖不平只好把话题岔开。

三人到了萨乌敌寓所，但见墙上挂着自鸣钟、万国坤舆图，桌上摆着圣经，墙角架着地球仪，陈设颇具西方色彩。

肖不平将来意说明，萨乌敌道："不信主的，必将堕入地狱。除了信奉我主，别无他途。"但对开塔一事，却是百般推却。

肖不平无奈，提起鬼塔便要走，忽然鼻子一吸："怎么有股土腥味？"

武玲珑和萨乌敌左右顾盼："哪里？哪里有土腥气？"

肖不平吸吸鼻子，一步抢到床头，撩开幔帐："啊，这也有一座鬼塔！"

两人转过身来，只见肖不平从幔帐中取出一座鬼塔，放于桌上。但见这座鬼塔形制较他手中鬼塔略小，上面文字也不同："萨乌敌，假天主之名，行不轨之实，借受洗之礼，行淫乱之事。另诱拐贩卖中国妇女与西洋妇女数以千计。罪大恶极，罄竹难书，处以斩刑。开启塔门，有将功补过券一封。"

肖不平方才在教堂里堵个正着，对于鬼塔所言心中明了，塔上指针滴滴答答，还有半个时辰不到便归零。

昨日太师被鬼塔勾魂之事早已传得满城风雨，加上刚才肖不平绘声绘色一番现场惨状描述，萨乌敌吓得脸都绿了，急忙试着打开鬼塔。可是鼓捣半天也没弄出眉目。

肖不平也急，便在旁打下手。也不知触到了哪个机关，忽听咯噔一声，鬼塔门竟然开了，一封卷轴掉出，几人同声惊呼。肖不平捡起卷轴，打开一看，只见里短短写着几句话：

"助人打开所有鬼塔，饶你死罪。否则立斩不饶。"

午时，大街小巷贴满了顺天府的告示："凡收到鬼塔者，务必到府衙开塔。"

又是一个不眠夜，衙门、酒馆、盐贩子、破落户等各色人家中，都出现了鬼塔的踪影。有人不信邪，用刀劈开鬼塔，用火焚烧鬼塔，抑或丢入地窖，结果全都无济于事，该死的都死了。因为塔上所言各人所犯之罪确凿无疑，若送到府衙岂不等于晓谕天下，即便不被鬼塔勾魂，只怕也难逃法网。

直到第三天，禁军统领沙通天偷偷将鬼塔送来，却把批写自家罪状的地方给勾抹掉了。

萨乌敌开塔，肖不平打下手，因为每个鬼塔设计的机关都不相同，忙活半天，又瞎猫碰死耗子给打开了。

沙通天打开内里卷轴，只见上面写的是："将你所犯罪状贴满全城，饶你活命，落下一条，定斩不饶！"眼看指针还剩半个时辰，还是保命重要，沙通天马上拟下自己十八条大罪，什么欺男霸女、盗户掘坟，哪一条都够死罪了，将它贴满大街小巷。

神奇的是，时间已过，沙通天真的没死，像捡回了一条命，看来鬼塔所言非虚。虽然罪过深重，但都不是忤逆叛国的重罪，便是官府深究，只要上下打点，保命无虞。至于民怨，不过一时一事，热点一多，谁还记得你沙通天干过什么。

鬼塔赦免了沙通天一事不胫而走，后来者有样学样，一时顺天府前门庭若市。萨乌敌负责开塔，塔里的将功补过券五花八门，有的让书写自己的罪行，有的让揭露别人的罪行，有的让自宫，有的让戒荤一生……于是，京城里奇闻丑事花样百出。比如一群百姓在街上围拢看猴戏的时候，突然一个万民心中的清官大老爷痛哭流涕挤进人群，声嘶力竭公布自己怎么贪赃枉法的罪状。还有在大庭广众下痛揭别人阴私的，许多谜案悬案冤案假案得以大白于天下……

京城百姓义愤填膺，原来真个是庙堂之上朽木为官，殿陛之间禽兽食禄。一时间民怨沸腾，暗流涌动。

第三日。寅时整。户部侍郎府。

京城血案频发，朝野之间风声鹤唳。户部侍郎胡全第也不例外，除了在宅第周围密布暗哨保镖外，自己每晚都衣不解带，搂着宝刀蜷缩在被窝中睡觉。正是寅时整，胡全第忽然啊的一声，从噩梦中醒来，翻身坐起，冷汗湿透重衣。自从主事户部、主管全国的钱粮田赋户籍以来，胡全第借此便利强拆民居，增税圈地的事可没少干。尤其河北廊坊霸县的圈地案中，当地民众抗法，他一纸令下，屠杀数百村民，毁尸灭迹。不想此事被皇帝风闻，立派钟三昧彻查此案。胡全第走投无路，密会刑部捕头肖不平，许以黄金千两，让其帮着制造伪证，这才保住乌纱。方才一合眼，便梦见浑身是血的乡民，凄厉哀号，忽而又化作那老丐包阎罗模样，挥刀向他头顶砍来。吓得他猛然惊醒，还好是南柯一梦。

这时窗纸略微发白，他起了床，掣出宝刀，出了房门。明岗暗哨见了他，立刻抱枪捉刀，打躬施礼。见护卫兢兢业业，胡全第心下稍慰，穿廊过厦，拐进佛堂，想来个晨祷求佛祖保佑。不料，第一眼看到佛龛，就像见到死神，眼睛都直了——佛龛里的观音像不见了踪影，取而代之的赫然是一座鬼塔！

寅时一刻。梅家豪宅。占地里许，重楼叠阁，主宅更是豪奢，以青玉砖砌壁，琉璃瓦盖顶，紫檀木镂雕的窗牖，蓝田玉刻画的门扉。此刻宅主梅匡竹早将家人打发到另一处，自己躲在门后，靠在太师椅上闭目养神。他周身至少藏了十五件暗器，宅第前后左右安排了十二条藏獒，屋顶更是歇着十三只驯熟的海东青。便是天下第一高手，也很难靠近房门半步。

梅匡竹是京东大贾，靠开采铁矿发了大财。他贿赂胡全第买下了京东乌羊山，挖掘出玄铁矿，矿渣极少，炼出的钢硬度极强，乃是罕见的造兵良材。为怕官府收回，梅匡竹花了大把银子上下打点官员，偷挖盗采，以天价卖给鞑靼人，从中牟取暴利。这可是通敌叛国的大罪，自从鬼塔现身，梅匡竹如坐针毡，寝食难安。眼见晨光透窗，又是一夜平安过去，他这才长呼一口气，亲自下厨，将木桶装满猪羊肉，提到院中，慰劳这些畜生卫士。藏獒吃饱后，他又打呼哨招呼房顶的海东青，当最后一只海东青落下时，他的心也跟着扑通一颤——只见鹰爪上叼了一物，正是一座鬼塔！

梅匡竹犹豫片刻，骑上马，提着鬼塔向胡全第府而去。

寅时三刻。傅家私宅。其豪华程度不亚于梅家宅第。这是傅尔戴的私宅，他老爹是山西首富，在京师置有地产钱庄药铺商号百余家。他本身不学无术，结交狐朋狗友，蓄养艳姬美妓，声色犬马，无所不来；欺男霸女，无恶不作。

曾在大街上赛马，踏死过三名无辜百姓。至于欺行霸市，斗殴伤人，致死人命更是不计其数。每次犯案，不是花钱买通官府，便是找人顶包替罪。一直是在长安街上横着膀子晃的主，没人敢惹。鬼塔搞得人心惶惶，他却不以为然。在他心中，弄死个把平头百姓，算得什么罪过。

自从在武太师府有幸目睹佳人芳姿，傅尔戴便色心大起，对武玲珑牵肠挂肚，以至食不甘味。昨日无事，正巧门口有卖书的吆喝，傅尔戴买了一本《锦囊妙计》，里面全是智计故事，忽然看到一章"移花接木"，灵机一动，一个妙计浮现脑中，立时躲入密室，鼓捣了一夜，直到天明才出来，喜上眉梢，唱着淫词浪调，准备换上一身新衣，谁知刚打开衣橱门便呆住了——衣橱里挂着一座鬼塔，塔上鬼眼正恶狠狠冷森森瞧着他！

卯时整。福记茶楼。隋狂楼一杯早茶刚刚喝完，出门牵马，谁知马槽中凭空多了一座鬼塔！隋狂楼不惊反笑："老夫终于也有幸得到鬼塔了，哈哈！"

卯时二刻。钱府。九重回廊的内室之中，焚香燃麝，春意盎然。香衾暖被中，一脸大胡子满头白发的梨园教坊坊主钱归泽傍着京师新名角粉西施，脸上春色未褪，睡梦正酣，红颜白发相映成趣。

这钱归泽虽无官职，却是京师家喻户晓响当当的人物，所结交者非权即贵，黑白两道手眼通天，堪称是白衣王侯。每逢公子王孙大贾富商红白喜事，都请他手下的梨园弟子粉墨登场献艺。座下优伶经他捧出，立成名角，红透半边天。多少少女为了出名求爷爷告奶奶入他门下，而他更是毫不客气，来一个睡一个，否则便扫地出门，这已经是不成文的规矩了。这么一来，不知坏了多少良家女儿的名节。身边这粉西施便是新晋的入幕之宾。

曙光透过窗纱照在床头，钱归泽惬意地翻了个身，下意识去搂美人，嘴里呓语道："宝贝，我又来了。"不想触手之物冰凉梆硬，心下一惊，急睁眼看时，不禁大惊失色——他和美人之间已被一座鬼塔隔开了一道鸿沟。

卯时三刻，钟三昧手提一座鬼塔，慌慌张张走进府中刑房肖不平的住所，用力叩门。

肖不平这几日查案日夜劳乏，加上宿疾未愈，身子虚弱，正自拥被高卧，听到敲门声，不耐烦地翻身而起，伸个懒腰，趿拉上鞋，启开门扉，将头探出，问道："来了，谁呀？"

谁知门刚刚启开，一物便从天而降，不偏不倚正砸在肖不平的头上。肖不平哎哟一声，跌倒在地。钟三昧也吓了一跳，急忙扶起肖不平，好在只是头顶磕出一个包来，并未受大伤。

"什么东西掉下来了？"两人注目看时，不禁齐声惊呼："鬼塔！"

从天而降的真是又一座鬼塔，塔上要勾魂的人正是肖不平！原来鬼塔给一条细绳打了活结悬在屋檐上，细绳另一头却拴在了门上边。当门一打开，拉动细绳，活结脱扣，鬼塔便掉了下来，正砸在肖不平头上。

肖不平捡起鬼塔，只见上面写的是："罪犯肖不平，贪赃枉法，收贿受贿。"罪状逐条写得明白。肖不平苦苦一笑："这回可好，我也收到鬼塔了，看来是善有善报恶有恶报了，为人哪，真不能昧着良心。"言下颇有悔意。肖不平身为顺天府总捕头，一方面破了无数民间奇案怪案无头案，为人称道；另一方面又巴结逢迎权贵，贪污受贿，办了无数冤假错案，颇为人所诟病。只是他后台够硬，谁也扳不倒他。

钟三昧叹了一口气道："现在说什么都晚了。唉，我早上去茅厕，也捡到一座鬼塔。不平啊，你要帮我想办法，我既不想死，也不想打开鬼塔出乖露丑，这该怎么办好？"

垂死挣扎

正商议间，忽有宫内太监飞马而来，传旨道："皇帝诏曰：所有官民人等，收到鬼塔一律不准开塔，抗旨不遵者斩！"

太监前脚刚走，接到鬼塔的人便提着鬼塔陆陆续续赶到顺天府衙。只是不约而同都将自家罪状勾抹掉了。当听到皇帝下旨不准开塔这个噩耗时，一时都乱了阵脚，真如热锅上的蚂蚁团团乱转。

用罢午膳，顺天府外戒备森严，府尹的公案上密匝匝摆了七座鬼塔，七个人在堂中摆了座椅坐下。一坐下就开始吵闹，有说还是得开塔的，有说皇帝旨意不能违抗的，吵了一番毫无结果，吵累了寂静下来，塔上指针滴滴答答，计算着他们最后的生命。

沉默许久，肖不平站起身来，将案上鬼塔按所剩时间由短到长一一排列出来，第一个是胡全第，接着是梅匡竹、傅尔戴、钱归泽、钟三昧、肖不平，最后是隋太傅。

户部侍郎胡全第满脸横肉，目光中露出阴狠之色。

商界大鳄梅匡竹脑满肠肥，双手拢在袖中，一双小眼滴溜溜乱转，不知在打什么主意。

傅尔戴身材瘦削，和肖不平仿佛。他倚在太师椅上，跷着二郎腿，眉挑着眼斜着嘴撇着牙龇着，一副桀骜不驯的狂样。

梨园教坊坊主钱归泽一脸大胡子，黑眼圈，满头大汗，坐在那里手足无措，腿不自觉地打着颤。

顺天府尹钟三昧苦眉苦脸，长吁短叹。

太傅隋狂楼道貌岸然，一副凛然不惧的神色。

　　萨乌敩教士给人开塔，尚未离开，便陪坐在钟三昧身旁，两手不停画着十字，嘴里嘟囔着上帝保佑。

　　肖不平宿疾缠身，每日里痛苦难当，鬼塔勾魂对他来说未必是坏事，是以神色如常。他顾盼一圈，揣摩着每个人的心思，咳嗽一声，缓缓说道："大家有什么观点，不妨说出来，这时不说，只怕没机会再说了。"一句话更是踩了众人痛脚，引得群情汹汹。

　　傅尔戴年少气盛，说话不经脑子："皇帝不让开塔，不就是置我们于死地么？"

　　钟三昧斥道："胡说，你没看出这是凶手想扰乱天下的诡计么？正是皇帝英明，才避免你等丑行大白于天下。"

　　隋狂楼哼道："事到临头，抱怨有啥用，抓出凶手一切不就迎刃而解了么。我先抛砖引玉，分析一下凶手的特征。从大家的叙述来看，鬼塔出现的地点不一。胡大人的塔出现在佛龛中，梅大人的塔是被海东青叼来，傅公子的塔藏在衣橱中，钱老板的塔放在床上，钟大人的塔丢在茅厕里，肖捕头的塔挂在房檐上，我的塔出现在马槽中。这说明了什么问题？"

　　傅尔戴撇着嘴道："这不秃子头上的虱子明摆着呢么，说明凶手轻功绝顶，进入戒备森严的府邸如入无人之境。"

　　胡全第插嘴道："也不能说是戒备森严，我府守卫都在主宅，发现鬼塔的佛堂疏于防备，让凶手钻了空子。"

　　傅尔戴接茬道："本少爷一个护卫都没用，若是那包老鬼敢在太岁头上动土，本少爷就让他尝尝生不如死的滋味！"

　　梅匡竹小眼睛骨碌碌乱转，道："看来凶手有驯兽的本领，不然我的海东青怎么会无端叼来那座鬼塔。但这也说明，凶手怕我的藏獒，不敢接近我身边。"

　　钟三昧颔首道："如此看来，凶手也不是神。我的塔在茅厕中，不平的塔在房檐上，只要是轻功高明的人避开岗哨，都能办到。"

　　隋狂楼击掌道："各位推断有理。凶手不敢冒犯我的宅第，只能在我吃茶的茶馆外做手脚，此等宵小，何足惧哉！"

钱归泽独坐一隅，一脸肥肉乱颤，自顾自道："除非是鬼！要是人的话，将鬼塔放在我床上我怎会毫无所知！若是那凶手顺手一刀，我这脑袋岂不、岂不……"

隋狂楼不屑道："钱大老板艳福齐天，夜夜春宵，睡得跟死猪一般。凶手没杀你，真是便宜你了。什么鬼杀人，我看是人扮鬼！这几日夜间都有风雨，凶手趁黑神出鬼没，正好销声匿迹，而且容易得手。"众人均颔首同意。

隋狂楼道："如此看来，凶手是人非鬼已成定论。"

肖不平一阵猛咳，忽然道："太傅还落了一点，那就是凶手必然武功奇高。根据仵作验尸结论，除了武太师是被毒杀以外，其他人均被利器斩杀，被害者不乏技击高手，但是跟武太师比起来，都大大不及，这是为何？"

梅匡竹脑中灵光一闪："这说明凶手的武功在这些被害者之上，却又敌不过武太师，所以只有对武太师采取了毒杀！"

肖不平击掌道："不错，当今天下，武功在那些被害人之上，却又在武太师之下的又有几个呢？"

在座诸人面面相觑，脑中电光火石一闪："我们这些人都在这个范围之内！"

梅匡竹一拍桌子，怒道："肖捕头是怀疑凶手就在我们其中了？"

肖不平淡淡一笑："在案件未真相大白之时，一切皆有可能。"说着无心听者有意，众人对视一眼，各起戒惧之心，彼此距离在无形中拉开了。

肖不平续道："还有一点，凶手肯定深谙西洋钟表机械之术，不然怎么能制造出如此多的钟表轮盘。不知萨教士可曾向人传授过钟表制造术？"

萨乌敌连连摆手："没有，没有。"

肖不平道："谁和你接触多呢？只要和你接触多了亦可偷艺。"

萨乌敌没反应过来，连指在座几人："和我是朋友，都是，在座的。你也是，年轻人。"教堂以礼拜之名，白日聚众宣淫，在座诸人都参加过，只是心照不宣而已，听了他的话都觉得尴尬。

肖不平似笑非笑道："只要和萨教士接触得多，便有机会窃得钟表制造术。这么说来，在场的只有肖某没有嫌疑了？"

傅尔戴嗤的一笑："你一个痨病鬼，便想去做礼拜，只怕也是太监娶老婆，有名无实吧，又有什么可得意的。"

这话歹毒异常，肖不平却不以为忤，打个哈哈，岔过话题道："最重要一点，凶手杀这么多人，作案动机为何？大家可曾想过。"

钟三昧道："塔上不是说了么，阳间污秽，凶手要惩恶扬善，光大正义。"

肖不平道："这只是表象，凶手大张旗鼓搅得举国不安，民怨沸腾，国基动摇，这样一来受益者是谁？"

隋狂楼道："这受益者可就多了，在野者可趁势鼓动乱民蜂起，揭竿造反；在朝者可借机发动政变，篡位夺权；在外者可趁势挥兵，吞城略地。哪一个能够坐实？肖捕头，现在我等已是朝不保夕，你还是谋一良策对付凶手，不要在此摇唇鼓舌，浪费时间了。"

肖不平看他一眼，摇头道："既然隋太傅心急，我就不废话了。我等不能抗旨再启鬼塔，但也不必束手待毙。鬼塔上都写有凶手行刑的手法，比如武太师的毒刑，采花郎的宫刑。"说着拉过属于自己的那座鬼塔，"肖某的塔上写着斩刑，这样一来，我只要注意手持凶器之人便可，至于饭菜有毒无毒之类便无须提防。如此防范，事半功倍。只可惜各位都将塔上字迹勾抹掉了，但想必大家都记得凶手行凶的手法，现在不妨说出来，肖某据此为诸公谋划破解之法。"

众人一听，都觉得他言之有理，但此事属于个人隐私，不好宣诸于口，正犹豫间，隋狂楼哼了一声："鬼塔上所言自是鬼话，岂能当真！若是凶手借此偷梁换柱，明写斩杀，暗中下毒，我等岂不中了凶手的圈套。肖捕头故意引人入毂，是何居心！"这番话连消带打，端得厉害。众人听在耳中，更觉有理。

肖不平一阵猛咳，咳罢冷笑道："在下每指出一条明路，太傅便将大家领入另一条岔路，也不知是何居心？头一日凶案发生的凌晨，我到教堂去找萨教士，正巧碰见太傅从那里出来，行色匆匆满头大汗，随即我便在教士的寓所里发现了那座鬼塔，这未免太巧了吧。而且太傅背后的檀木匣子颇有古怪，可否打开让我等一观？"这番话犹如竹筒倒豆子，噼里啪啦砸下来，不给隋狂楼一丝喘息空间。众人猜忌的眼光纷向隋狂楼投来。

武太师一死，隋太傅已独揽朝纲，鬼塔行凶，受益最多的便是他。被鬼塔所杀之人，多是武太师一系，太傅一系虽也偶有被杀者，但焉知不是他在刻意转移视线。况且他是主和派头脑，与鞑靼可汗交善，若搅得大明内乱，然后与鞑靼内外勾结，篡夺江山，便可分茅列土，称王称帝。再说武太师喝的那杯毒酒，也是隋太傅饮酒之后……况且他武功奇高，夜半行凶偷放鬼塔实非难事。难不成他就是包阎罗？一念及此，众人看他的眼光不免复杂起来。

隋狂楼恼羞成怒，额筋突起："你敢怀疑老夫？"

旁边的萨乌敌急忙打圆场道："那日，你来之前，从教堂出去，隋太傅，未到寓所，鬼塔不是他放的，我以主的名义保证。"

肖不平似笑非笑盯着隋狂楼："太傅去教堂有何贵干？莫非……"

隋狂楼暗骂萨乌敌帮倒忙，哼了一声："去教堂能干吗？无非去作弥撒。肖捕头不想看看老夫匣中何物么？"三下五除二解下木匣，打开，众人一看，但见里面横卧一具桐木琴，琴尾尚有火灼焦痕，琴颈刻有"焦尾"二字，乃是琴中神品焦尾琴。隋狂楼将琴取出，匣底空无一物。又将琴放入匣中，背在身后："每当烦躁之时，老夫便抚琴自乐，不知有何不妥之处？况且诸位身上皆佩利刃，大刀斧钺等随处可见，肖神捕以此判定凶手，未免太过武断了吧？"

肖不平冷笑一声，刚要开腔，忽然门口有人叫道："肖大哥，我来了。"声音清脆甜糯，众人循声望去，眼前都是一亮，傅尔戴和萨乌敌眼睛都直了——但见武玲珑一身白襦素裙，身后背着一尺见方的画板，如风中摆柳，袅娜跨过门槛，直接跑到肖不平身前，说道："肖大哥，你忙完没有？忙完了教我画画。"父亲新丧，她眉眼间还是隐含哀伤。

肖不平微微一笑："马上就好。"看着隋太傅说，"按照塔上所示时辰来看，太傅是最后一个死的，自然不屑在下的剖析，只是这第一个死人，却不能不急啦。"说着又是一阵撕心裂肺猛咳，嘴角咳出血来。众人见他如此，都疑心他有肺痨之症，纷纷避让开去，生恐被他传染。武玲珑不退反进，取出手帕，轻拍他的后背，为他拭去嘴角血迹。

按鬼塔时间计算，第一个死的是胡全第。他自然比旁人更加恐惧，站在老远，叫道："肖捕头，你可要尽快查出凶手，下官有一祖传秘方，专治虚劳沉疴，你若能救下官一命，我愿违背祖训将秘方献上。"

肖不平止住咳嗽，缓缓道："在下病入膏肓，除了……便无药可救，不劳胡大人费心了。我有一句忠告，大人须谨记在心，小心凶手用塔上所言的手法行凶。凶手在暗，我们在明，我一时也无法窥其真容，所以大家须万分谨慎。为免被各个击破，大家今日便委屈一时，在府衙里的厢房住下如何？"人多力量大，众人早有此意，何况各人宅中凶手任意出入，更不安全。当下点头应允。

肖不平转头向钟三昧拱手道："大人，请调集一千甲士将府衙团团包围，没有您的手谕，任何人不得进出，晓谕将士互相监督，若有违令者格杀勿论。后厨备下晚饭后，立即遣散所有闲杂人员。大家用膳之时，一定要先以银针家犬试毒。我就不相信，在我肖不平的眼皮底下，凶手还能继续杀人！"

瞧着肖不平和武玲珑联袂出门的亲密背影，傅尔戴霍地握紧拳头，阴鸷的目光中掠过一丝杀意。

连环陷阱

光明与黑暗的轮回周而复始，浓酽的夜色一如打翻的砚台，将大地染黑，也给夜行的人们戴上了真假莫辨的诡异面具。

一千甲士弓上弦刀出鞘，将顺天府衙围成铁桶般，真个是飞鸟难逾，泼水难进。

酉时三刻。起风了，乌云如同出洞的毒蛇，翻滚着撕咬着，爬上天穹。梅匡竹从茅厕出来，打个冷战，披紧了衣襟。天井中冷冷清清，连虫鸟都感觉到了不安，噤声不语，偌大庭院死气沉沉，压抑得紧。只有廊檐下一点昏昧的灯光在风口里挣扎着，兀自不肯熄灭。梅匡竹没回自己的屋子，趄身拐向了胡全第的门前。

此刻，众人用罢晚膳。依肖不平的主意，大家全部聚在大堂里，也好有个照顾，但众人疑心重重，心想聚在一起的话，若凶手就在几人之中，趁机施放暗器，绝难逃脱。是以各找理由，都要单独安歇。

府衙坐北向南，按大二三堂格局布置。大堂月台下，立有光明牌坊一座，两侧依次是三班六房。为免凶手混进来，相关人员尽皆遣散，除了钟三昧还在大堂上秉烛夜读，萨乌敌陪坐一旁外，其余六人都被安排在六房之内居住。

胡全第所居是户房，据鬼塔上时钟计算，他是第一个死的，死亡时间是戌时一刻，现在仅剩两刻钟。他反锁房门，急得如热锅上的蚂蚁，一刻不得安宁。

桌上沙漏不停下流，生命正一点点走向死亡。这一刻他终于体会到了，等死比死亡本身还可怕。

哔剥的敲门声响起，胡全第像惊弓之鸟，拔出宝刀，颤声叫道："谁？"

"我！"

"哦，是梅老弟啊，有事么？"

"我有事和你商议。"

胡全第眼中闪出一丝狰狞寒光，略一思忖，飞快从怀里取出一个纸包，往八仙桌上自家的酒杯里倾出少许药粉，这才回身开锁，将门启开一条缝隙，梅匡竹挤进来，胡全第又将门闩插上。两人相交莫逆，也不寒暄，梅匡竹开门见山道："胡老弟，再有三刻，哥哥便要归西了，特来和你见最后一面。"

胡全第瞥了一眼沙漏，苦笑一声："梅大哥，老弟比你还要先走一步，只剩两刻了。"

梅匡竹神秘一笑："胡老弟，以你的武功，我不相信你会坐以待毙。"

胡全第被他一句话激得豪情陡发，一拍肋下宝刀："想当年修建耶稣教堂，征占京师第一狂徒燕三拳的祖宅，燕三拳不允，多少人制服不了他，最后胡某出马，一刀断其强项，赢得了胡一刀的美名。我胡一刀岂是坐以待毙之人？"

梅匡竹一挑大指："胡老弟，哥哥相信你这次也能一刀劈了包老黑，一举成名，也顺带救哥哥一命。"

胡全第苦笑道："我虽不怕，却也要防万一。"桌上四荤四素八盘佳肴，本来另开小灶，想慰劳一下自己，聊作断头酒的，只是实在无心情，一筷子也没动。此时忽然胃口大开，说道："不如我们同饮几杯，商议对策，你我兄弟从小玩到大，现在我能相信的人只有你了。"

梅匡竹正有此意，欣然应允，拉把凳子坐下。胡全第道："就一只酒杯，只好委屈兄弟用海碗了。"说着端起酒壶，给他满斟一碗，又给自己斟了一杯。

梅匡竹道："老弟，你又不是不知道我量窄，还是你用碗，我用杯为好。"说着不容分说将杯碗换过。

胡全第眼中一丝不易察觉的奸笑闪过，嘴里客气道："那兄弟我就却之不恭了！"两人端起杯碗，各自小酌一口。

胡全第低声道："大哥你觉得谁是凶手？"

梅匡竹声音细若蚊蚋："我觉得……小心隔墙有耳。"

胡全第会意，悄足离座，启开门扉，将头探出左右顾盼一番。趁这当口，梅匡竹袖里乾坤，指甲弹处，一点白色粉末飞入胡全第酒碗之中，瞬间化开了无痕迹。

胡全第插好门，转身回来，见梅匡竹正端着酒杯，深啜浅饮，不觉脸露笑意，重新落座，摇头说道："没人。"接着压低声音说："我觉得肖捕头推测得对，隋太傅最可疑。"

梅匡竹道："不可能。隋太傅武功高强，想杀人偷偷行事便可，何必弄个鬼塔，搞得这么复杂，让所有嫌疑都指向他，这也太傻了吧。"

胡全第道："也有道理。那你觉得谁最有可能？"

梅匡竹不露声色："我觉得，凶手若不是鬼，最有可能的便是钟三昧！"

胡全第有点意外："咦？"

梅匡竹举杯道："先喝，听我慢慢跟你说。鬼塔初现便在钟三昧的轿子里，想那周围武士环绕，众目睽睽之下，便有通天本领也不可能偷龙转凤一点痕迹不露吧？"

胡全第道："这是一个疑点没错，但钟三昧若是凶手想送鬼塔，这般明目张胆岂不自曝身份？他是官场老油条，不至于这么蠢吧？"

梅匡竹点头道："也对，这正是我百思不解的地方。咦，现在还剩不到一刻钟了，胡老弟，你要千万小心哪！不知凶手要你如何死法？"

胡全第叹口气道："被我自己的刀砍死。想来晦气，本想将这宝刀放置家中，只恐是凶手疑兵之计。若将宝刀毁掉，又无疑自断一臂，只好硬着头皮带着它。我真担心这刀感染了鬼气，无缘无故跳出鞘外斩我一刀！唉。梅老弟，你是怎么个死法？"

梅匡竹叹了口气："我是被……"一语未毕，忽然咕咚一声，胡全第从凳子上仰面栽倒，嘴角喷出白沫："这、这酒中……"

梅匡竹起身狞笑道："是我骗你出门后，下了无毒无味的软筋散。"

胡全第目眦欲裂："你……"

梅匡竹咬着后槽牙，一字字低声道："本来你我总角之交，一起混迹官场商道，如鱼得水。说是气味相投也好，狼狈为奸也罢，交情匪浅。可你千不该万不该不该觊觎八达岭铁矿山，那是我的，知道不？现在我就送你去征占阎王爷的森罗殿。"说着俯身拔出胡全第肋下宝刀："看来鬼塔所言不虚，你千真万确死在自家刀下，我杀了你，再将刀塞入你手中。肖捕头来破案，肯定会断定你是自杀的！嘿嘿。"

. 胡全第舌头僵直，含糊说道："你也别想活着，你的酒里我下了断肠散，我就猜到你个狐狸会换杯，呵呵。"叽里咕噜梅匡竹一句也没听清，也懒得再听，挥刀便要砍其脑袋。忽觉腹痛如绞，一跤跌倒，再也没爬起来。

便在此时，房门无风自开，一股土腥气漫过，一人头戴烂乌纱，身裹寿衣，肩头扛着一把铡刀，脚步僵硬步入屋中。他面目隐在阴影里，看不清楚。到得屋中，便挥起铡刀向胡全第颈中砍去。蓦然间，胡梅二人死鱼般的身子同时弹起，两人配合默契，浑然一体，胡全第左袖中射出五支毒弩，右袖中扬出一蓬毒针，攻取来人上盘。梅匡竹手中宝刀毒蛇吐信，截向来人下肢……

人鬼难辨

　　戌时整。刑房客房内，蜡烛高烧，照得四壁雪亮。顺天府刑房是特为肖不平设立的居所，面阔三间，分为客房、书房、睡房。房中没有刑具法器，满室都是书香画色，墙上挂满画轴。壁橱衣柜案台箱箧尽是横排竖摞的书籍，除了寻常纸书，更有石陶金银砖瓦龟甲文，简策帛书琳琅满目。

　　此刻，案上支着画板，肖不平教武玲珑画完一幅《江山精魂图》，正手执画笔倚着靠椅，蹙眉批改。本来鬼塔勾魂的凶险时刻，钟三昧想打发武玲珑回府，免遭不测。但是武玲珑执意不肯。钟三昧一想也是，若是今日肖不平惨遭不测，临死前能与未婚妻多待一刻便是一刻吧。能死在未婚妻怀里，对他也是个临终安慰，于是破例准许武玲珑留在府衙。

　　一只绿色小鸟停在肖不平肩头，也学着他的姿势，歪头看着画板。武玲珑则站在书橱前挑拣书本看，一时翻到了一本《古游侠传》，书是线装古本，翻看几页，但见蛋清色纸张已泛黄，内里蠹粉片片，随着书页起落簌簌扬起，几只绿色书蠹大摇大摆啃食侠骨情肠激昂文字。她玩心正盛，见到虫豸，嘴角噙笑，伸指捉了几只放在砚台中玩耍，忽觉鼻子被蠹粉呛得发痒，便用手揉，不想一只书蠹缘着她手指钻入鼻腔。她也未在意，随手又翻了一本《古佞臣传》，里面又有几只黑色书蠹，她忽发奇想，若将黑蠹也捉来与那绿蠹打一仗，却不知谁赢谁败？正欲捉时，手腕忽被肖不平擒住。肖不平还是第一次主动拉她的手，她一时心慌气促，脸红颈粗，心中却有无限欢喜。

　　却听肖不平道："这黑虫名为佞蠹，有奇毒，你以后可要少碰。"武玲珑小嘴一撇，哼了一声，溜到内间看书去了。

　　肖不平随手取了本《游侠诗》，坐在画板前，抑扬顿挫朗诵起来。

快到戌时一刻，钟三昧出来解手，经过肖不平的房间，听见他正在朗诵唐代施肩吾的《壮士行》："一斗之胆撑脏腑，如磔之筋碍臂骨。有时误入千人丛，自觉一身横突兀。当今四海无烟尘，胸襟被压不得伸。冻枭残蛋我不取，污我匣里青蛇鳞。"

钟三昧摇头自语道："病入膏肓，手无缚鸡之力，居然也读这等豪迈诗句。"转身便走。忽然眼前一花，似乎有个影子从户房旁经过，一闪即没。借着廊下昏暗灯光，远远瞧去，那影子佝偻着身子，好像是武太师寿宴上那从轿子里钻出的老丐。他心下一惊，急忙紧走几步，孰料用手一推，房门在里闩着，推不开。他急忙回身招呼其他人出来，一起闯入户房中，这一看不禁大惊失色，大叫一声："杀人啦！"转身跑出，冲向肖不平房外，大叫："不平！梅大人胡大人被杀了！"

户房内，两具尸体横陈于地，胡全第尸首两分，手中却握着钢刀。梅匡竹面色青紫，嘴角流血，仰卧在不远处，地下杯盘狼藉。肖不平勘验完尸首及现场遗物，眉头蹙起："大人，几时发现的？"

钟三昧跌足道："便是方才，我出来解手，突然发现在武太师寿宴上闹事的老乞丐从户房中出来，便急忙赶来查看情况，谁知门在里面闩着，推不开。便找来其他人撞开门共同查看，却发现两位大人都已死在里面了。"

隋太傅补充一句："而且这窗户完好，都在里面闩着呢。"

傅尔戴忽然撇嘴冷笑道："是鬼！是包老黑的鬼魂杀了他们两个，只有鬼才能穿墙逾壁，来去自如，鬼呀鬼！"他这一鬼叫，众人都毛骨悚然。

肖不平淡淡道："这回不是鬼作案，是人。我方才验过杯碗中残酒，酒中都有毒，杯和碗中的毒却不是同一种。这首先说明是两人在饮酒。门窗完好，说明饮酒的就是屋中两人，而且两人都有中毒迹象，中的毒恰好又非同一种毒。若是第三者要害死两人，只用一种毒药即可，何必用两种？若我推测不错，多半是两人互相伤害。"

众人面面相觑，不知所以。隋太傅冷笑道："肖捕头你可真能信口胡言，胡大人是自杀的，你看他手里攥着刀呢，而且刀上有血。"

　　肖不平一笑："自杀多为切断喉管，很少有一刀斩首者。太傅不信，挥刀自斩试试？"

　　隋太傅冷笑道："这可是削铁如泥的宝刀啊！"

　　肖不平似笑非笑道："隋太傅一把年纪，怎么会问出这么愚蠢的问题！"

　　隋太傅老羞成怒："你……"

　　肖不平解释道："挥刀自杀，腔血喷出，不可能不沾染衣袖，你看胡大人衣袖上无甚血迹。而且自杀时弯肘抬臂，颇不得劲，刀锋很难端平，断颈处该是斜茬，可胡大人的脖颈断处却如此平整。这两点足以说明这刀是别人塞入他手中的，而这人多半便是梅大人。而梅大人做完这些后，也毒发暴毙。"

　　钟三昧疑惑道："他二人一向交好，怎么会自相残杀？"

　　肖不平道："不用我说大家也知道，前些时日，胡大人早放出风来，要征占八达岭铁矿山，而这山梅大人也觊觎多时了，为了利益，两人都有理由干掉对手，这时候下手，还能将屎盆子移花接木扣给包阎罗，还有比这更好的机会吗？"

　　此事旁人也有耳闻，联系现场，只觉肖不平的推论合情合理。在场诸人互有恩怨，见此场景难免兔死狐悲，内心的恐惧更上一层。

　　肖不平提起鼻子闻闻："不过这屋中确乎有股土腥味，难不成包阎罗真的来过？"

　　众人一惊，都觉颈后冰凉。隋太傅冷笑道："哪有什么土腥味。没想到神机妙算的肖捕头如今也是风声鹤唳，草木皆兵了。"

　　肖不平沉吟不语，四下察看，忽然道："你们看头顶！"众人循他手指望去，越过房梁，却见头顶一片屋瓦略微错开，漏下一线天色。肖不平道："这几日夜间都有风雨，若是这瓦片早就有缝隙，屋中必然漏水，但这地方一点水渍也无，说明这瓦才被错开。难道真有人进来过，揭开瓦片从屋顶遁去。只是苫瓦时着急或大意没有盖严，这才留下一丝破绽？谁上去看看，屋梁上是否有足迹！"

　　傅尔戴飞身掠上房梁，而后飘身下来："梁上灰尘里确有新鲜足迹，不过残缺不全，辨认不清，似乎被人抹过了。"

肖不平自顾沉吟道："看来这里除了胡、梅两位大人之外，确有第三人来过。"

钟三昧嘴角抽动："就是我方才看见的那个老乞丐！"顿了一顿，"不过傍晚的时候整个府衙已经彻查一遍，并无一个闲人。若外人擅自闯入，也躲不过那府外禁军的成百上千只眼睛，统领至少会有警报传来。而今一切如常，难道那凶手真是包公的鬼魂幻化，来去无踪？"

肖不平摇头道："除了武太师一案悬而未决，其余案件毕竟有迹可循。鬼魂之说，终属妄诞。正如大人所言，府外守若铁桶，绝难有人进出而不被发现。若不是鬼魂作祟，那就只有一个答案了——我们之中有人扮鬼！"

隋太傅冷笑道："那老丐身材瘦小，驼背弯腰。而在场的钟大人钱老板都是肚大腰圆，傅公子虽然身材瘦削，脊梁骨却是直的，老夫与萨教士更不用说，身材魁伟。武小姐姑娘家身材婀娜，都可排除，只有肖神捕身虚体弱，一副软骨头，若是穿上寿衣，活脱脱便是那老丐啊！"

肖不平遭人诬陷，不怒反笑："那却未必。我听说太傅有一独门绝技缩骨功，能任意缩小身体，改换体型。不知是真是假？"

隋狂楼一时语塞，脸红颈粗："你！"心中却暗自纳闷，自己的独门绝技向不外露，这肖不平如何得知？

左右察言观色，便知肖不平所言非虚。钟三昧心里打鼓，冷汗直流："戌时到戌时一刻，大家都在哪里？可有证人？"

隋狂楼不悦道："钟大人真把老夫当成凶手审问了？老夫一直独自在房中小憩，养精蓄锐要擒拿凶手，哪有什么证人！"

据各人回忆，那个时候，钱归泽在房中练剑，傅尔戴在房中饮酒，肖不平在刑房外间读书，武玲珑在刑房内间看书，萨教士在大堂上祷告，钟三昧去茅厕大解。除了钟三昧听见肖不平读诗，能为其作证外，余者都无证人，包括他自己。夜色深沉，视物不清，想要掩饰身形也非难事。这么看来，多数人都不能排除作案嫌疑。

钱归泽胖脸上满是汗水："不如散了，各回各家还保险点。"

傅尔戴道："也许这正是凶手的离间计，要我等分开，分而击之。谁愿意回去谁回去，反正我不走。"钱归泽也怕落单被害，只好留下。

从鬼塔计算来看，亥时整，傅尔戴死。肖不平对他千叮咛万嘱咐，傅尔戴出奇平静，意味深长地一笑，声音细若蚊蚋："戌时三刻，茅厕见，我帮你捉拿凶手。法不传六耳。"

众人各回各屋，肖不平惦记傅尔戴那诡诈神秘的眼光，眼见戌时三刻到了，和武玲珑打个招呼，借口方便，溜出房间，悄悄来到院落北面的茅厕。厕门虚掩着，肖不平轻轻唤道："傅兄，傅兄。"一只灰影如猛鹰攫兔，从暗处闪出，骈指向肖不平一点点。肖不平愕然道："傅……"话音未落，已被傅尔戴点中哑、麻、瘫三处大穴，拖入茅厕。半炷香工夫，傅尔戴摸着脸颊闪身溜出茅厕，神不知鬼不觉钻入自家房间。

亥时整，钟三昧坐在堂上，伴着咯噔一声钟响，他的心也咯噔一下。借烛火瞧去，不禁大惊失色，傅尔戴的鬼塔依然走着，只是慢了许多。而肖不平的鬼塔不知何时已归零，寂然不动。

钟三昧急忙携着萨乌敌敲开肖不平的门。却见武玲珑正在看书，询问才知，肖不平出恭去了，许久未归。钟三昧顿生不祥之感，招呼出众人，点起火把，寻到厕所，从里面抬出肖不平的死尸。却见他衣着完整，胸口刺着一把匕首，没柄而入。武玲珑一声悲叫，扑上前去。

傅尔戴赶紧抢上一步，扯住她衣袖，俯身去探肖不平鼻息，叹口气道："武姑娘节哀吧，肖捕头早已往生极乐了。对于他来说，没了病痛折磨，倒也未尝不是好事。"拔出匕首，深入半尺，穿透前心，血迹殷然带出一片。

肖不平在众人心中矗立如神，他这一死，大家顿觉天塌了，一片哀号。又知道他身患肺痨，时常咳血，都怕传染，不愿和他接触太近，如今虽然身死，众人也是避之不及。还是钟三昧顾念旧情，用一领席子将尸身裹了，傅尔戴帮忙，两人将其抬到殓房。

武玲珑悲伤不已，跑回房中，却发现绿鸟"绿绿"也不见了，急忙出来询问钟三昧，钟三昧正火烧眉毛之际，哪有闲心理会。

　　三具尸体停在殓房，被鬼塔诅咒者无一能逃。死亡的恐怖如阴云，沉沉压在幸存者的心头。

　　钟三昧垂头丧气道："本来按鬼塔计算来看，是傅公子先死。岂知那钟设计得诡异，傅公子的忽然变慢，肖捕头的忽然变快。若非如此，以肖捕头的精明，怎会轻易落入彀中？"

　　隋狂楼眼珠不错盯着肖不平的尸体，冷笑道："连肖捕头都难逃法网，看来我们的一切都在凶手掌握之中，就老实等死吧！"

　　下一个死者便是钱归泽，这时愈发暴躁："隋太傅，你是站着说话不腰疼，下一个死的要是你，你便不这么说了。"

　　隋太傅冷笑道："鬼塔已不准时了，下一个死的不一定是谁呢。"

　　傅尔戴更加暴躁："不行不行，不能待在这里了，这里房舍太简陋，别人随便出入，给凶手太多可乘之机。"

　　隋太傅捻髯道："傅公子害怕何不打道回府，又没人拦着你。"傅尔戴一时张口结舌，回到家中只怕更加危险。

　　钱归泽急得汗珠噼啪直掉："傅公子说得对，必须找一个绝对安全的地方。"

　　钟三昧眉头紧锁："若要安全，只有本府的死囚牢了。"

密室绝杀

　　顺天府死囚牢位于后堂死角处，紧邻殓房，专为要犯所设。分为天地玄黄宇宙洪荒八间，门首贴有门牌。呈环形分布，不设窗栅，墙壁屋顶地面皆以三尺厚青石砌成，房门一锁，虫蝇难逾，水火不侵，是名副其实的石棺材。

　　钟三昧给四人按天地玄黄各安排一间，傅尔戴接口道："不行，这里是你的地盘，说不定你就是凶手，在房间内安上机关，置我等于死地。要选我们自己选。"他选哪个都觉不妥，最后闭眼摸了洪字间，钱归泽和他同嫖共赌一向交好，便要了宙字间，和他相邻。钟三昧选了地字间，隋狂楼选了黄字间。

　　隋太傅道："除了我们，你们别忘了府中还有两人，萨教士和武玲珑，这两人未必便不是凶手。"

　　钟三昧道："武玲珑一个弱女子，何况父亲又被鬼塔所害，怎会是凶手？萨教士远渡重洋，才来中土不过两年，怎会对官场内幕如此清楚？"

　　隋太傅冷笑道："府尹大人别忘了，多少谜案，最不可能的人最后才是真凶，何况那鬼塔上钟表的设计正是萨教士专长。"

　　钟三昧犟不过他，只好将两人各安排了一间牢房，也在门外上了锁。

　　死牢的房门都是铁梨木外包铁，坚固异常，并配有转轮密码锁。因兼做密室，里外皆有门别可锁。这种锁形若圆筒，套有五个拨轮，每轮刻四个汉字："丧尽天良，罄竹难书，罪不可赦，杀一儆百，镇恶诛邪。"最妙处便是可自设密码，将五个拨轮上的四个汉字任意拨转，组成一句五字密言，一旦密言设置好，只有晓得密言者将拨轮拨到相应的组合，才能打开锁头。钟三昧将使用方法告知其他三人，然后各人打开各自房间，拍墙顿地，仔细检查了一遍，确认里面并无机关地道夹墙等，杜绝了凶手藏匿所在。

为保万无一失，钟三昧要求几人在今夜决不能再出房间。为了避免在房中腌臜，几人先去茅厕解手，隋太傅、傅尔戴次第解完步入房间。钱归泽纵欲肾虚，心情紧张，尿水淋漓不尽，连上两遍，刚出茅厕，还想再去第三遍。钟三昧不耐烦道："真是骒马上套，连拉带尿。也忒不成器。有尿在房中解决吧。快走。"

钱归泽悻悻然离开厕所，踅摸到宙字间，钻了进去，在里面将房门锁好。钟三昧随后也解了手，将这死牢外面的锁也都锁上，这才躲入地字房。

一盏茶工夫，地字房门忽然一开，钟三昧偷偷溜出来，蹑足潜踪，想去叩萨教士的门。才走两步，忽听得侧首房中瓮声瓮气似有动静。只是房间密闭，隔音效果极佳，听不真切。他借着廊下灯笼昏黄的光看一眼门牌，是宙字号，钱归泽的房间。左右看了一下，周遭骏黑，觉得似乎有什么不对，却又想不出是哪里不对。急迫之下，他拔刀在手，将外面锁头启开，无奈里面还上着锁，推之不开，只好连叩门环，大声呼叫。里面惨叫打斗声虽然像被鼓皮蒙住，闷声闷气，却似乎更激烈了。里面究竟发生了什么？每人房里只有一人，怎么会有打斗声？难道是和鬼打架？难不成包黑头的鬼魂穿墙逾壁来杀人？

此刻钟三昧脑中只有一个念头，赶紧找帮手。于是回身便去敲旁边傅尔戴的门，敲得手骨生疼，里面人像死了一般，无人应答。原来先前几人早约定好了，为避免给凶手可乘之机，不管外面发生什么，里面的人都不出来。这时，这项约定却变成了作茧自缚。

正想着，宙字房中打斗声骤然停止。钟三昧只觉得心脏也跟着骤停了，大着胆子将耳朵贴在宙字间门上向里倾听。里面一片死寂，钟三昧真有点怀疑是不是自己耳朵出问题了……正胡思乱想间，啪！冷不丁肩膀被人拍了一下，吓得他如惊弓之鸟，向左飞窜而出，同时手中刀一式"旋风斩"向后劈出。后面那人扭腰转胯，避开这招，喝道："钟大人，是我！"隋狂楼的声音。

钟三昧转身看时，果真是隋狂楼。钟三昧心思急转："房门外锁头我没打开，你怎么出来的？"

隋太傅冷笑道："不能开锁，不等于不能开门！"从背后取下焦尾琴，两指一按玉徽，但听嚓的一声细响，一把柳叶弯刀从中弹出。

猝见异变，钟三昧脑中电闪，忽然想起肖不平问过的话来，不禁腿肚子转筋，舌头打卷，色厉内荏喝道："你、你是凶手？"单刀横胸，摆好架势。

隋太傅手抚刀锋，冷笑道："我若是凶手，你现在还能站着说话么？"顿了一顿，"惊雷斩只是我保命的武器而已。不过它也能划开凶手的面具！"一指宙字间的房门，"我出来有一会了，也听见里面有声音。现在必须打开此门，也许包阎罗的秘密就会大白天下！"说着对着铁门横削竖斩，足足斩了百刀，但听嚓嚓声中，坚固的铁门已被剁成一堆废铁。

钟三昧惊讶得合不拢嘴："你这刀？"

隋太傅得意扬扬道："老夫刀名惊雷斩，乃北极陨铁所铸，什么干将莫邪都不及它十分之一。方才我的门就是这般砍开的。"

一股浓郁的血腥气从龇牙咧嘴的破门洞中钻出，宙字房中烛火已灭，黑咕隆咚，看不清物事。

哧啦，钟三昧点亮火折，在门首照去，门里躺着一具死尸，膏血涂地。再照四壁，并无异样。两人对望一眼，各擎兵器，小心翼翼踏入屋中。钟三昧观察尸体，隋太傅查看周围。地下死尸正是钱归泽，尸首面目狰狞，尤其下体支离破碎，显然生前遭受过巨大痛苦。牢中不过数丈方圆，一览无余。隋太傅上下左右瞧个遍，却不见凶手何在。不过他隐隐觉得有些不对，但究竟是哪里不对，却摸不到一点头绪。

隋太傅目光如炬，若凶手便在屋中，绝不可能在他眼皮下遁形。难道真是包黑头的鬼魂穿越墙壁杀了钱归泽？正疑虑之际，忽听耳畔啾啾一声鬼叫，唬得他冷喝一声："什么人？"回身之际，身畔噗噜一声，似有一条黑影掠出房去。隋太傅怒喝一声："哪里走！"垫步飞身追出屋外。鬼影却已不见，鬼叫声已越过柴房，最少在十丈开外。

什么人的轻功竟能如此之快？难不成真是鬼魂！

隋太傅纵身上房，奋力追去。鬼叫声时断时续，蹿房越脊，渐走渐远，一直引着他追到前堂。隋太傅用尽全力，赶到天井，鬼叫声忽然不闻。正丧气间，后面脚步声响，钟三昧也追了过来。

隋太傅问道："方才那是谁？"

钟三昧擦擦额上汗水："没看清，好像是一团鬼影，在空中漂浮毫不费力，莫非真是鬼魂？"

隋太傅心中一动，喝道："快到堂上看鬼塔！"

堂上烛火幽微，钱归泽和傅尔戴的鬼塔指针俱已归零。隋太傅叫声："不好！"

两人运起轻功，旋风般扑入后堂，来至死囚牢洪字间，却见门锁依旧，旁边的宙字间中钱归泽的死尸依然还在。

看着周遭景物，钟三昧疑心又起，心中那一线灵丝萦绕不去。借着灯笼昏昧的光仔细望去，忽然顿悟，不禁大惊失色，脱口说道："凶手原来是他！"

机关算尽

"谁？"

"傅尔戴！"

原来钟三昧发现，宙字间本应在左，洪字间在右，此刻看门牌却是洪字间在左，宙字间在右，位置整个调换了。房间绝不可能移动，但是门牌却能摘下。钟三昧恍然大悟："一定是傅尔戴偷偷调换了门牌，每间房门形制又一模一样，加上钱归泽在黑夜中只瞅门牌，不辨方向，错进了傅尔戴的房间，因此被傅尔戴杀了！"

隋太傅皱眉道："此门里外皆有锁具，门也未遭破坏，凶手杀人之后如何逃走的，为何里面空无一人？"

钟三昧也是百思不得其解："我进到屋中总觉得有什么地方不对，但究竟是什么不对，一时还想不起来。"

隋太傅道："打开这个假的洪字间，一看便知。"

如法炮制，又用利剑破开了牢门，再看里面，两人大吃一惊！就见傅尔戴陈尸于地，胸口被刺数刀，早已气绝身亡，只是血流不多。隋太傅俯身摸摸尸体，已有些冷了。他忽而想起了什么，捏了捏傅尔戴的脸，仔细辨认了一下，确实是他无疑。两人又拍墙顿地，甚至连屋顶都检查了一遍，并无任何异常。

隋太傅长吁一口气："以尸体的温度来看，似乎比钱归泽死的更早，若要说他是凶手，只怕不能了。只怕这傅尔戴才进屋中便已被杀。但凶手是如何杀完人又逃脱这密室的呢？已经有两个密室凶杀难以破解了。"

钟三昧大伤脑筋："会不会是武玲珑和萨教士所为？"两人打开门外锁钥，用力叩门，和里面的两人通话，证明武玲珑和萨教士都在里面，又将门外上了锁。

钟三昧思忖道："除去死掉的五人，关起的二人，加上你我二人，一共九人，似乎都没有作案嫌疑。难道真是包阎罗铲奸除恶来了？"

隋太傅思忖道："你别忘了，方才还有个鬼影。也许这里还有第十个人！"

两人将钱归泽傅尔戴的尸体运到殓尸房，但见一溜五张殓床，放着五个死人。钟三昧哀叹一声："若非肖捕头死得早，也许能瞧出一些眉目来。"隋太傅惨然一笑，撇了撇嘴。两人回到堂上，但见属于两人的鬼塔，指针依旧在滴滴答答转个不休。两只塔指针匀速转动，相较而言，还是钟三昧的离零点近些。因而他更为害怕，坐卧不安。

隋太傅淡淡道："怕也没用，老夫再检查一遍案发现场，或许能瞧出些许眉目。"转身出了大堂，赶到了死囚牢，先来到傅尔戴死亡的那间屋子，四周查看无甚异样。又来到钱归泽毙命的那间，点亮火折仔细观看，四下也无异常。忽然，他发现向里右面墙壁上有半截细线垂下，向上一望，细线是系在紧贴房顶的一根铁钉上的。左边也有一根铁钉，两根铁钉遥遥相望，看来这根细线是曾经连接它们，形成一个搭绳，当是用来挂什么东西的？用来挂衣物？牢房里似乎没有这个规矩，何况晾衣绳也没必要架到屋顶那么高？难道是当作窗帘隔开某些东西？一念及此，他的心忽地一跳，仿佛抓到了狐狸的尾巴。他伸指抓住细线，线上粘有一角布帛，和石壁颜色仿佛。

隋太傅长吁了一口气，眼中露出不可思议的神色："难道是这样？怎么会这样？"

就在隋太傅检查洪宙两间牢房的时候，钟三昧偷偷溜到了萨乌敌教士的牢房外，打开外面的锁，用暗号召其出来，两人鬼鬼祟祟来到大堂。

钟三昧低声道："将我的鬼塔打开。"

萨乌敌为难道："有旨皇帝，开塔，不准！"

钟三昧道："如今四下无人，只有天知地知你知我知。开塔之后，再关上即可，谁也瞧不出来异样。你若能救本官一命，美女少不了你的。运往西洋，你又能赚大把的银子，何乐而不为呢？"

萨乌敌心动了，眼冒蓝光："武姑娘，我要，行不？"

钟三昧暗自咬牙，脸上却笑纹横生："可以，完全可以。"

萨乌敌心花怒放，马上开塔，说来也怪，往常开塔费尽九牛二虎力，这回三下五除二便启开了塔门。拿出里面卷轴，钟三昧迫不及待打开，只见只写了聊聊几个字："在府中找一个最安全的地方藏身。"再无别的提示。

萨乌敌心急火燎地道："塔打开了，武姑娘呢？"

钟三昧眼珠一转："我们马上就去找武姑娘。"

萨乌敌喜出望外："快走，我们！"便在他转身之际，钟三昧掣出佩刀，一刀搠入他后心，用力一绞，萨乌敌吭也没吭，倒地毙命。

钟三昧收刀骂道："妈的洋鬼子，爷爷再不是人，也不会给你洋鬼子玩弄自家同胞！"关上塔门，将尸首扯到墙角。也不必掩饰，有人问起，推给莫须有的包阎罗便万事大吉。

可是哪个地方是最安全的呢？密室都不安全，大堂上更不安全，盏茶工夫，钟三昧已把桌下凳旁兵器架后翻看了十八遍，但是只要眼睛一离开，便觉得那地方有人隐身。

只有这个地方了！

前些时日为了藏匿贪赃来的珍宝，钟三昧曾请公输巧手在花园的花池中设下了一座机关屋。一时主意已定，趁着夜色遮身，抹黑溜边，神不知鬼不觉来到池边。沿着漆成木色的铁桥步入池心，拧转假山上一只铜鹤的翅膀，先左后右，前七后八，嘎哒一声机关轻响，水声哗哗响起，深夜听来尤为瘆人。

蓦然间一道利闪亮起，吓得钟三昧激灵灵打个冷战，偶一瞥眼，但瞧天上风回云聚，幻化成妖魔怪兽，狰狞可怖，直欲扑下啖人。顿时脖颈发凉，心跳如鼓。便在此时，又是一道利闪劈下，霹雳一声震天动地。闪电亮起的瞬间，但见水面下赫然浮出一只房屋状的庞然大物。这便是公输巧手打造的机关屋，通身铁制，壁厚半尺，便是炮火齐轰，也难撼动分毫。内藏九九八十一道机关消息，攻守兼备。早在月前，钟三昧便在其中机关重新设置了，即便是制造机关屋的公输巧手亲来，也别想打开机关。钟三昧再按鹤眼三下，机关屋门缓缓打开，里面探出一只铁板搭在桥上。

他点亮火折，小心翼翼踏着板上暗记步入屋中，只这板上便有三道机关，踏错一步便是粉身碎骨之祸。他先按下门上一个菱形按钮，机关开启，屋顶四角旋出八颗夜明珠，屋内照如白昼，他未见异样，便关上铁门。

屋中靠墙摆着八只箱子，他打开箱盖，取过一支刺马针，挨个刺入珠宝之中，检查里面是否藏人。挨个检查一遍，还觉不放心。靠墙挂有一领以北海玄铁制成的太岁甲，乃是公输巧手耗时三年制成，全身遍布机关，可发弩、针、索、烟沙等数十种暗器。他穿上这领甲胄，仍旧不放心。屋中靠墙还镶有一只乾坤铁椅，坐在上面，按动机关，椅背可探出八只手臂，分持八种兵器攻击来敌。这只椅子也是机关总枢，可以控制整个机关屋升降变形。钟三昧坐在椅子上，手扶椅背，按动机关，想要将机关屋沉入水下，确保万无一失。谁知一按之下，嘎噔一声，一道铁箍从椅背中弹出，将他拦腰缚住，动弹不得。

先前试验的时候却没有这种情况，心急下两手乱按，便听嘎嘎声响不绝，数十道铁箍相继探出，蒙眼封嘴绕颈缠腰拦腿绑胫锁臂箍腕，将他牢牢锁在椅中。他想要喊，无奈嘴被封住，想要挣扎，身子也被缚牢。

便在此时，屋外风声大作，乌云如排山倒海涌入天穹，闪电似要把这宇宙割裂撕碎，沉雷滚动震得大地瑟瑟发抖。猛然间一道利闪正劈中机关屋顶一支向天竖起的三尺高的铁矛，登时一溜火花钻入屋中。这支铁矛正连着屋中的铁椅，钟三昧只觉身子倏地一麻，便再也没有任何感觉了。

大雨滂沱而下，天老爷似乎也为这漫长焦灼的郁怒压抑得够了，一往无前无所顾忌痛快淋漓地放纵了一回。

隋太傅冒着大雨闪电回到大堂上，发现萨乌敌不知何时又死在了堂上。钟三昧已然不见，而属于他的鬼塔已然归零！看来钟三昧也是凶多吉少。隋太傅仿佛洞悉了某种秘密，眼中一丝诡笑一闪而没。

如今鬼塔只剩他自己的还在转动。隋太傅的眼光又落在了鬼塔下的几个字上："开启塔门，有将功补过券一封。"等死绝不是办法，若能开启鬼塔，寻到免死之法，或能侥幸逃生。皇帝虽然下旨禁止开塔，但此时府中人死个干净，此事天知地知己知，怕者何来？萨乌敌业已莫名横死，为今之计，只能自己亲自开塔了。他向来喜欢钻研机关消息，虽非行家，却也不陌生，心里清楚，若按照五行八卦天干地支生克配合之理，细细推敲，按点扭转其上的轮盘指针，开塔应该也不难。

　　他将鬼塔提到死囚牢自家待过的黄字间，将牢门在里锁死……一顿饭工夫，忽听里面惊天动地一声巨响，震得大地颤抖，门缝中慢慢渗出缕缕烟丝来，混合着火药味。好在外面雷雨交加，倒未惊动府外守军。

真相大白

过了许久，风歇雨止，雷声远遁。一个人影幽灵般浮现在黄字间门口，轻轻推门。门在里面锁住，推不动。他从身后解下一具琴来，宫商角徵羽变宫变徵，七弦一一拨动，发出古怪的喑哑之声。随着乐声响起，屋内咔嚓嘎啦，应律而动连响七声，然后是啪嗒一声，门锁坠地。那人影束琴推手，铁门应声开启，一缕烟雾从中逸出。

待烟尘散尽，那幽灵点亮火折，缓步踏入。火折映照下，但见他头戴烂乌纱，身裹寿衣，面如橘皮，死气沉沉。额头中间则嵌着一只月牙，宛如鬼眼，俯看着肮脏阳世。

转轮锁已裂成八半，锁片销簧散落在地下，屋里地面上散落着焦黑木屑和残余齿轮，呈辐射状蔓延四周，依稀可以看出是鬼塔爆炸后的痕迹。碎屑中间俯卧着一人，身上衣物破烂不堪，但还是能认出，那正是隋太傅。

幽灵俯身便向隋太傅身后背的琴匣抓去。就在似碰未碰的一瞬间，一道电光蓦地从隋太傅腋下暴起，直刺幽灵前心！幽灵咦了一声，身如闪电急撤。隋太傅如旋风搅起，手中惊雷斩连劈七刀。间不容发之际，幽灵从身后琴中也掣出一把弯刀，挥刀相迎。叮叮叮，火星在空中连串迸发，惊雷斩去势已竭，两道人影乍合又分，双方已掠出牢门，对峙在天井当院中。

隋太傅双手一搓，两团火焰飞出，廊下灯笼灭而复明。昏黄的灯光映在幽灵的脸上，显出一种不真实的虚幻来。

隋太傅冷冷一笑，道："事到如今，还不露出你的真面目么？要不要我去殓房验明正身啊，肖神捕！"三个字如重锤，比雷电还暴裂。

"哈哈哈，不错，是我！"幽灵双肩一抖，甩帽褪衣，露出一身捕头装束，赫然是已经死去的肖不平。此刻他精神好了许多，不复往时沉疴缠身的赢弱模样："姜果然还是老的辣，被你猜到了！"

隋太傅得意一笑，道："哈哈哈，你这鬼把戏瞒得了别人，怎能瞒得了钟道！从鬼塔出现，老夫就开始注意你了。除了你这个捕头，接触过无数秘闻举报，又有谁能对朝堂大员的内幕洞若观火？见到你尸体的那一刻，虽然浑身冰冷呼吸俱无，老夫却怀疑你是假死，只是顾忌你有肺痨，不便上前查看。想你一个神机妙算的神捕，如此轻易便被杀死，而没留下一丝线索，这是不是有点不正常了？宙字间和洪字间牌子被换，凶手马脚尽露。若是包黑子的鬼魂杀人，何必使这伎俩？必是有人捣鬼。换牌的目的是杀人，在匆忙之中，绝难临时起意，必是凶手精心策划的。凶手必须熟悉这里的环境，那么就只有钟三昧和你。钱归泽在屋中被杀时，钟三昧已在外面叫嚷多时，虽然也有可能是贼喊捉贼，但我再次检查宙字间的时候就彻底否定了这个推论。因为我在死牢里发现了这个——"

说着左手张开，指间捻着一根细线和一角布帛，"死囚牢里向壁那侧紧挨屋顶的上端，距里壁两尺处，左右相对钉有两根铁钉。其中一根铁钉上挂有半截晾衣绳，绳上还粘着撕掉的布条，这说明曾有人在那里挂起过一领幔帐，隔开了一个小空间，那空间的大小，刚好容下一人站立。我刚劈开牢门进来的时候就感觉房中有些不对，发现布条的时候我方才恍然大悟：原来这个牢房的空间较之我住的房间狭小了一些，而这布条的颜色又和那墙面同色，我脑中忽然蹦出了一个念头，会不会是凶手贴墙挂了一领幔帐，而在幔帐上画出了石头墙壁的纹理，伪装成墙壁？但当时我和钟三昧被鬼叫声误导，匆忙离开。用此匪夷所思的方法制造密室，凶手必是一个丹青妙手，才能以假乱真。而我们这些人中，只有你擅长丹青。我虽知一定是你潜入钱归泽傅尔戴房中将他们杀死，但不知你究竟是如何潜入的。如今你已死到临头，何不将你的布局说出来，让老夫也景仰一下？别埋没了神捕名头。"

肖不平淡淡笑道："太傅果然非同一般的心细。既然如此，我便和盘托出。其实无非是一些小把戏而已，与隋太傅卖国求荣的大奸大恶相比，我真是小巫见大巫了。我为吏三年，每天都有无数蒙冤百姓上告，都有无数贪官行贿受贿。我想秉公办案，怎奈官场污浊，多少达官显贵向我施压，有要撤我乌纱的，有扬言取我性命的。我选择了忍气吞声，佯作同流合污，把那些犯案官员寅时捉卯时放，还赔着笑脸称兄道弟，说什么不打不相识的屁话。我目睹了多少家破人亡的惨剧，彻夜难眠，以致疾病缠体，沉疴难愈。"

隋太傅道："哼，大奸大恶这名号还是让给肖神捕吧！老夫虽然主和，却也没弄个鬼塔，搅得举国上下乱成一锅粥。肖捕头可曾想过，若异族乘乱来攻，你岂不成了千古罪人，留下万载骂名！"

肖不平正色道："顽疾需猛药。若无清明吏治，势必官逼民反，再蹈前朝覆辙。这世上的包阎罗不是多了，而是少了！"

隋太傅冷笑道："黄口稚子，又懂得什么兴亡之道，你以为反腐就能天下太平？一厢情愿罢了！我再问你，你又未曾接触过萨教士，是如何窃得钟表制造术的，制造如许多鬼塔的？"

肖不平牙齿一咬："我救过教堂的修女阿梨娜的性命。阿梨娜被教士当作礼物献出，被你们这些达官显贵集体奸污，她宁死不从，逃到野外意欲上吊，我刚巧路过，救了她的性命。她为了报答我，传授我钟表制造术，我又偷学过机关知识，细加钻研，才制造出了这些鬼塔机关。"

"这么说，也是你在萨教士寓所放塔，栽赃给老夫了？"

肖不平笑道："不错，那日我提着一座鬼塔去找萨乌敌，那是只特制的连环塔，塔中套着一塔。我将鬼塔放在他床上的时候，以身子遮掩，将小塔从大塔中取出，偷偷放在床上，又当着他的面将大塔拿出来。我制作的塔大小不等，所以没引起那西洋狐狸的疑心。"

隋太傅："你小子很聪明，可惜用错了地方。我再问你，给武太师送三件大礼，是你和钟三昧狼狈为奸演的把戏吧？"

肖不平道："我和钟大人道不同不相为谋。那老丐是我装扮的，寿宴之上，肖某官爵不显，谁也没注意到。是那老丐走了之后肖某才来的。若是有人注意到了，前后一联想，肖某的把戏可能早就露馅喽。鬼塔也是我调包的，只不过我使了一点巧计，也是所谓的西洋幻术，加上民间戏法，他们眼睁睁地看着我调包却毫无察觉。"

隋太傅冷笑道："给武太师下毒也是用这种手法了？"

肖不平道："没有，寿宴上曲水流觞之际，武太师离我甚远，戏法变不成。当然我可以用很多方法让他中毒而死，比如发射比牛毛还细的蚊须针。不过那样就太小儿科了，也不能栽赃给你。我是把无色无味的毒药冻在一小块冰块里，在我罚酒的时候以袖子遮掩放在了酒壶里。你与武太师相邻，你们虽然胸无墨，却又都自恃才高，必定胡诌作诗，抢一风头，而作诗之后，势必还要饮酒助兴。我计算了大概的时间，使用了大小适量的冰块，使得在你饮酒的时候冰块尚未化净，毒药未能渗入酒中，所以你饮了就没事，而酒壶漂到武太师那里时，冰块化尽，武太师自然中毒而亡。"

隋太傅笑道："可惜你聪明反被聪明误，若是你先毒死老夫，又何来今日前功尽弃！"

肖不平淡淡道："骄兵必败，太傅高兴得太早了。"

隋太傅心头一凛，暗生戒备。肖不平继续道："朝廷中最难杀的便是今夜陷入府中的六人。你们或狡诈如狐，或凶残如虎狼，或守卫森严。而且你们皆罪大恶极，若简单杀掉，起不到震慑效果。为了杀得惊动天下，我筹划了半年，寻找你们的喜好，对症下药，给你们设计各种死法。钟三昧终究于我有知遇之恩，我不忍亲自动手，便邀请公输巧手制作了机关屋，而我借打下手为名偷偷改装了乾坤椅，只要启动椅上机关，机关屋上便会竖起一支引雷针。如果钟大人心怀鬼胎，真的钻入机关屋避难，便有机会被雷劈死，但如果那一天没打雷他便不会死，没穿上太岁甲他不会死，没坐上乾坤椅他也不会死。方才雷声震耳，花池那边闪电横飞，只怕已经没有如果了。唉，老天不留他，我也没有办法。

"胡全第和梅匡竹两人貌合神离，所以我在两人鬼塔上分别写了将功补过法，那便是杀死对方。我知道这两只狐狸久历官场，狡诈无比，遇此特殊情况，必然合谋对外。果不其然，两狐狸将计就计，演了一出引蛇出洞的好戏。他们在屋中谈话我一直偷听，两人演得可真像，连下药都没有一丝作伪。等他们倒下后，我进屋查看的时候，他们突然暴起一击，本以为能杀了我，只可惜还是功亏一篑。"

隋太傅一惊："你制服了他们两人？你不是不会武功么？"

肖不平淡淡道：“我虽藏拙，身有武功而不显露，却不是我杀的他们，是他们互相杀死的对方！”

隋太傅更是惊讶：“这又为何？”

肖不平道：“这两只狐狸合谋杀我，本来约定都下假药，却在房外并未发现敌人的情况下，突变主意，给对方下的药都换成了真的。所以当我躲开了他们的致命一击后，他们药性发作，就倒地真死了。”

隋太傅一拍大腿：“两个草包，一对蠢货。”

肖不平继续道：“我花了三个月时间，查明傅尔戴曾跟一个异人学过易容术。而我的身材和他相仿，所以我把我的死亡时间设置到最后。又在言语中有意无意提醒他，引导他心生一计，要将我杀死，然后剥下我的脸皮，易容成我，而他早就事先做好了他的脸皮，到时戴在我的脸上，让我替他先死。我早就看出他对玲珑图谋不轨，易容成我，还可以骗取玲珑。一箭双雕，傅尔戴无论如何也要和我易容变身了。所以他便约我去厕所见面，想杀我易容，而我早就做好了他的面具，在他想杀我的时候，我先发制人杀了他，把我的面具给他戴上，而我戴上了他的面具，成功互换了身份。之后我便以傅尔戴的身份出场，调换门牌，让钱归泽走进了我的房间，我也顺利将他杀死。等你们进来的时候，正如你推测的，我用事先画好的幔帐伪装成墙壁，躲在里面。等你们出现的时候，我便学了一声鬼叫。接着放出我的鸟儿绿绿。绿绿是一只鹦鹉，是钟大人吃野味时，我从他手上救下来的。它能学舌，乖得很，也聪明得紧，该说的时候说话，不该说的时候不说。是我驱使绿绿学着鬼叫引诱你们追去。”说着啾啾一唤，一只鸟儿从夜色中飞来，落在他肩头。

隋太傅讶然道：“原来我追的是一只鸟儿，怎么我看到的影子比这鸟儿大得多？”

肖不平道：“很简单，我在绿绿尾巴上扎了几块绸布条，黑夜之中看不清楚，便觉是一片飘忽的鬼影。我趁你们追鸟的时候出了房间，回到殓房，将傅尔戴的面具揭下，扛到本应该是钱归泽的房间，布置成杀人现场，然后又走出房间，回到殓房装死尸。这样既嫁祸给傅尔戴，又迷惑了你们的判断。即使你们到殓房查看，也不会发现问题。”

隋太傅道："那房间早已经锁了门了，你是怎么进去的，进去之后又是怎么锁上外面的锁头的？"

肖不平道："我至少有十种方法开锁。但是想要隔门上锁却是不易。寻常人撬门破户总要纠缠于锁头，其实换个思路一切便迎刃而解——我只不过事先在门枢上做了手脚，安上了简单的十字锁，关上门后，用钢丝探入门隙，找到隐匿的锁眼，便能将机关拨开，门枢自落。不从锁具那边开门，而从门枢这边进出，轻而易举便进门去，回手合门，门枢上的锁具自相嵌合，一般人不注意，根本发现不了破绽。"

隋太傅道："那你进我的房间怎么不用这个方法？"

肖不平摘下背后的琴："还认得这琴么？"隋太傅定睛瞧去，但见此琴形若枯木，拨弦却有金声玉振，不由得脸色一变："枯木琴！"

肖不平咬咬牙道："不错，你还记得二十年前的琴剑双侠余情禅姚梦雪吧？焦尾枯木本是一双，惊雷怒电原为一对。是你夺走了姚梦雪，让余情禅伤心而亡。余情禅和我有忘年之交，亦有授业之恩。枯木琴就是恩师的灵魂，我要让恩师亲自向你讨回公道。"

隋太傅老脸青红变换："原来你还是姓余的弟子，难怪。不过，是那姚梦雪贪图富贵，怨不得我。废话少说，说你怎么开锁的吧！"

肖不平微微有些得意："我花半年的时间研究音律，按琴弦七音的韵律制造了转轮锁的七片锁簧关节，一旦琴弦拨响，锁簧便会共振弹动，从而解体分散，锁头无钥自开。"

隋太傅简直不敢相信自己的耳朵："这真是异想天开，不是你编造的吧？"

肖不平道："此乃同声相应之理。《庄子·杂篇·徐无鬼》中说：西周人鲁遽，把两把瑟分别放在两个房间，将其中一瑟某弦弹一下，隔壁那把瑟上同样的弦也会发声。这就是音律相同之故。王说编撰的《唐语林》记载：唐朝洛阳某僧，房中挂有一只磬，经常自鸣作响。僧人以为有鬼魅作祟，惊恐成疾。他的友人曹绍夔，是朝中乐官，闻讯特去探望。这时正好听见寺里敲钟声，磬也作响。于是曹绍夔掏出一把铁锉，在磬上锉磨几处，磬再也不作响了。僧人很觉奇怪，曹说：'此磐与钟律合，故击彼应此。'我也是偶然发现枯木琴这个神奇现象，因而苦思冥想，研制了特殊的转轮密码锁。制作这些锁头耗费了我半生心血，头发都熬白了许多。这也是恩师英魂不昧，合该报此大仇。"

隋太傅仰天嗟叹："你花费这般心血，使出各种方法杀人，又让开塔者免除一死。只怕便是为了最后在鬼塔里装上炸药，引我入彀，杀死老夫吧？"

肖不平笑道："不错。不过你是怎么知道我要用鬼塔杀你的？鬼塔已经爆炸，你又是撞了什么狗屎运，逃了这条狗命的？"

隋太傅不屑道："老夫当初便想，凶手痛陈罪状，杀人示威，只需一纸信笺即可，何必弄个鬼塔，携带不便，且易露出马脚。必是这鬼塔上做了手脚，喷迷烟射毒弩或藏炸药，因而老夫内穿宝甲，加了二十分小心。但为了引出凶手，又不得不涉险开塔。为了隐秘，我选择了这个死囚牢。我先用剑掘开地下大石，挖了一个地洞藏身其中，然后抛出一块碎石击打鬼塔，没想到鬼塔真的爆炸了。之后我钻出地洞，又将泥土石块回填进去，将衣服划破趴在上面装死。因为我料到凶手必会来查看情况，到时我暴起一击，大功可成。没想到被你侥幸躲过了。肖老弟，你若能将你掌握的全部秘技传授给我，老夫可以饶你一命。这买卖两不吃亏，你看如何？"

肖不平笑道："还不一定是谁饶谁呢？"

隋太傅面色一变："可惜啊可惜，既然你自己找死便怨不得老夫了！"

"了"字还在舌尖上跳跃，隋太傅早已暴跃而起，一匹流光直取肖不平。眨眼间，惊雷三十二斩连环发出。肖不平也不示弱，手中怒电殛，奋力反击。两人功力悉敌，双刀挥舞，凛冽的刀风如急湍如狂飙，狂野不羁，激得地下积水飞溅，四周树叶飞卷……

惊天逆转

千钧一发之际，宇字间牢房的门忽然碎成蝴蝶，武玲珑窜进门来，背后画板嘎啦一响，从中开裂，销簧脆响声中，本来四方形木板忽然变形嵌合成一把长方形铡刀，刀锋犀利，在夜风中激起一片湍流，朝隋太傅汹涌而至。

那刀来得太快，隋太傅全力攻击肖不平，想避已然不及。生死攸关，墙头上忽然镝声猝起，一支重箭激射而来，荡歪铡刀。隋太傅趁机一个鹞子翻身避在一旁。刹那间，周围墙头无数兵丁翻入院中，执刀围住几人。隋太傅回眼看去，不禁目瞪口呆，白昼见鬼一般愣在当场——原来一群朝堂大员众星捧月围定一人，锦袍玉带，手挽强弓，借着廊下灯火望去，却是已被毒死的武清风！

武清风厉喝一声："肖不平，你的阴谋诡计各位同僚早在外面听得清楚，你罔顾王法，滥杀朝廷命官，老夫向日便有察觉，这才假意结亲，遣玲珑作为内应，调查你的恶行。今日你原形毕露，老夫必要将你绳之以法，给同僚报仇，为皇上分忧！玲珑，快去杀了他！"

武玲珑跺足叫了一声："爹！"

肖不平淡淡笑道："武大人不必枉费口舌了。玲珑已入侠道，不是官二代了。"

武清风勃然大怒："放屁！我女儿自幼读列女传，忠贞贤淑，岂是你这恶贼蛊惑得了的！"

肖不平哈哈笑道："自从仓颉造字，盗取天地灵气，这股灵气便化而为虫，附身竹简纸书之间，以文字为食，名为书蠹。啃食佛经正典者传播正气，可名善蠹；蛀食淫书邪史者感染邪气，当名恶蠹。不巧的是，在下收藏的书中便有这般蠹虫。武姑娘喜看游侠烈士之书，手不释卷，书中侠蠹不知不觉从七窍钻入脑中，控制人心。武姑娘为天地间侠气所感，已从一个官二代变成了江湖儿女。"

武清风怒吼一声："好你个肖不平，竟用如此卑鄙的手段控制玲珑！隋太傅，你我一起动手，杀了这个罪魁祸首，向皇帝邀功请赏！"

隋太傅半信半疑道："你不是被毒死了么？"

武清风道："自从接了鬼塔，我便服了三种解毒圣药，误打误撞，竟有一点效果。僵死过去三天后，又慢慢苏醒，只是功力已剩下不到三成。幸亏家人未把我入殓，这才捡了一条老命。今夜我醒来之后，听说大家都接到了鬼塔，被聚在顺天府，放心不下，便飞马请旨，招呼诸多同僚一起来救援大伙，没想到皇恩眷佑，倒救了隋大人一命。"

说罢拔出宝剑，欺身而上，一式"九星连珠"，剑尖挑出九朵剑花，飙射肖不平九处大穴！

隋太傅眼珠一转，哈哈笑道："老夫抚琴一曲，给太师助兴！"言罢摘下焦尾琴，手挥七弦，轻拢慢捻，移宫换羽，琴声汩汩而起，宛如浅溪划过明石，韵律悠长恬淡。蓦然间，轮指一拨，入商调，做变徵之声，声调蓦地拔高。紧接五指轮拨，连作剔拨滚猱撞崩弹之法，登时弦声大作，如急管繁弦，春冰炸裂。周围众人只觉脑中如被针刺，不自觉抱头后退。

蓦然间，裂帛一声，琴声戛然而止。武清风跳出圈外，左手捧心，饶是他功力深厚，也被琴声震得气血沸腾，肖不平则哇的一声喷出一口鲜血。

千载良机岂能错过，隋太傅收琴拔刀，狂攻而上。武清风也不甘落后，长剑一引，斜刺里攻将上去。肖不平无奈只有接战，三人霎时又战在一处，初时如走马灯般分得清楚。越打越快，渐渐如三朵乌云被狂风裹挟，绞在一处，分不清彼此。

武玲珑被琴声所扰，只觉两耳轰鸣，眼冒金星，爱莫能助。

激斗中，武清风忽然啊了一声："我的手？狗贼，竟敢放毒针！"宝剑失手落地，与此同时，隋太傅也啊了一声，倒了下去。

肖不平得隙，脚步踉跄着抽身便逃。武清风如猛鹰攫兔，跃到他身后，左手箕张抓向他肩头，喝道："哪里走！"肖不平沉肩坠肘，肩头避开。武清风不依不饶，腕子一翻，手指划其耳根，但听"嗶"的一声，竟把肖不平的整张面皮揭掉了！

武清风一愣，肖不平似乎也是一惊，不经意回头和武清风瞅个对脸。那张脸映进了武清风眼里，直吓得武清风魂飞魄散——

揭下了面具的肖不平，赫然是当今皇帝！

就在他一愣之中，肖不平身形一闪，已如一抹轻烟融入夜色之中。

武玲珑呆了一呆，发足追去。

此时月上中天，云开雾散，只见一溜危墙险道，两排古柳幽林，刚下完雨的道路，并无一星半点足迹。唯有凄风惨雾，传出寒蜇碎语。寻寻觅觅，哪还有那人的半点痕迹。

武玲珑不知追了多久，从黑夜追到天明，又从日出追到日落。每到有人烟处，便向人打听一个消瘦少年的踪迹。

忽一日，她开窍了，或许肖不平并没有走，还留在那间书屋中，逗着绿绿，给它也给她，念那些激昂豪迈的游侠诗呢。她买了快马，日夜兼程往回走，足足走了一个月，才回到了那间书屋。书屋中已没有书，没有绿绿，更没有肖不平。取而代之的是刑具，藏獒，和趾高气扬的捕头。她疯狂地向人打听肖不平，却没有一个人知道曾经有过这个人。

走出屋外，阳光晃得她睁不开眼睛，回顾前尘，究竟是真是幻？她伸出手，只抓到了一片虚空。

武清风站在七座鬼塔前。七座塔上计有九个"武"字，那个弋旁无一例外都多了一撇。他迈着僵硬的脚步回转府邸，站在府门外，大门金匾上皇帝御笔题着"武太师府"四个大字，深深刺痛了他的眼睛。那个"武"字也多了一撇，这是皇帝独特的书写习惯，无人敢指摘，且奉若圭臬。走入府中，眼前桌上摆着属于他的那座鬼塔，不出意外，那个"武"字也多了一撇，先前竟未注意到。武清风如散了架子般，一屁股瘫倒在地。

侠史遗香

啪！醒木一声猝然敲响，年轻的说书匠收起烂折扇，慢条斯理道："一部《鬼眼浮屠》到了这里，话本说彻，权作散场。"

"喂喂，说书的，你不能虎头蛇尾啊！还有很多事情交代不清呢。比如开篇那挖墓掘坟的老者和那年轻蒙面人到底是谁？结尾交代肖不平所用的怒电殛狭长如电，那么先前杀死京城四少的是他，还是用铡刀的武玲珑呢？"

稀稀拉拉几位听众，你一言我一语道出心中疑惑。

说书匠呵呵一笑："开篇那老头和那年轻蒙面人，便是武太师父女。盗墓者有个规矩，女子阴气太盛，忌讳入墓。而武玲珑非要跟着，武太师便禁止她说话，以防阴气泄露，引发鬼魂骚动。武太师打开鬼塔，发现了一本绝密的历代谜案汇编《鬼眼浮屠》，里面记载了上千种奇绝的杀人手法，其中便有这鬼塔杀人记时的手段。只是武清风乃是唐朝人，同名同姓而已。本朝派系纷争激烈，武太师得到此书如获至宝，当下便想以书中方法神不知鬼不觉除掉对手。但他又不想以身犯险亲自动手，便想找个替罪羊，暗中物色目标，选来选去，只有一人符合，那便是刑部捕头肖不平。于是他将这本书以及祖传绝密变形兵器璇玑盒放置在一个古洞中，让肖不平在寻幽探险时无意中发现。正苦于无法伸张正义的肖不平当然也如获至宝，便化身地下判官，针对那些朝堂大臣弱点死穴，精心选择了书中的若干种杀人手法，开始实施杀人计划。

"冰块下毒便在其中，给武太师用上了。武玲珑是武太师安插在肖不平身边的眼线，暗中窥得了肖不平的杀人草图，回去告知乃父。武太师对症下药，特制了寒铁冰壶，这种壶能隔热，冰块放入其中，十个时辰不化，即便在酒中，也能挺五个时辰。为防万一，武太师针对肖不平的毒药又先服了解药，饮酒后闭气假死，瞒过了众人。至于书蠹侵入脑部能蛊惑人心一说，也是《鬼眼浮屠》中的记载，肖不平信以为真。他偶然发现武玲珑尽得其父真传，武功绝顶，于是便逗引她翻读那些被蠹的书籍。武玲珑将计就计，佯作被侠蠹所迷，神智尽失。每当入夜，肖不平便让她读书，以侠蠹迷其心智，装扮成包阎罗的模样，提着璇玑盒变形的铡刀四处杀人。本朝战祸连连，国库空虚，必然剥夺权贵利益，文官贪财，武将怕死，是以近年来太师一系多数暗中投诚太傅，和太师是貌合神离。武玲珑此举既能为父亲扫平障碍，又能博取肖不平信任，一箭双雕。"

"武太师和隋太傅结局如何？"

"武太师与隋太傅混战肖不平，却暗中偷放毒针暗算隋太傅。不料隋太傅也是一般心思，暗放毒针暗算武太师，都谎称是肖不平下的手，结果两人都着了道。幸亏抢救及时，隋太傅得了个口眼歪斜之疾，再也不能给皇帝献绥靖之策，祸国殃民了。武太师得了个蜷手难伸之症，也暂歇了反叛之心。虽然武太师专横跋扈，家奴又害了那老丐一家，但因他有戍边之策，御寇之心，肖不平杀了那家奴后，也不想真心杀他，给他个教训也就罢了。他尚以为肖不平便是皇帝所扮，整日惴惴不安，也算他纵容家奴的一个报应吧。"

"我有个疑问，隋太傅对战肖不平时何不用毒针呢？"

"因为隋太傅想生擒肖不平，得到他的生平绝学。"

"肖不平真的是皇帝装扮的么？武玲珑还能找到肖不平么？"

"我也希望肖不平是皇帝所扮，可惜真的不是。这不过是肖不平脸上戴的九张面具中的一张而已。肖不平那张脸也不是他的真脸，如果他露出了他的真脸，他还能活得下去么？"

"那么肖不平究竟是谁？"

"肖不平化身千万，每一个侠肝义胆者，有意削尽天下不平者，都可以成为肖不平。所以肖不平可能是你，也可能是我，也可能是他。"

听众七嘴八舌问到此处，忽然侠客书坊脏兮兮的帘栊被一只苍白的手挑起，一位背着画板的女子步入屋中。那女子布裙荆钗，面容姝丽，正当妙龄，只是颜色憔悴，眼角已隐生鱼尾，依旧梳着闺中发式，看来还未出阁。她走到书架前，照例取出一本书来细看。这段时间她几乎天天来，只看不买，说书人——书坊主人王侠美也不在意，任其去留。

众听众得知了结局，便觉得没甚意思，有的说："这书好没意思，便是三文听一本我也觉得亏了。我说写书的，你若写个《金瓶梅》《肉蒲团》的，咱们便是舍去几顿肉几坛酒也来捧你的场。如今这人心不古世道荒淫，侠客几文钱一斤？再出一个肖不平，能杀得了这些贪官污吏么？只怕他连府衙的台阶也踏不上去，还能当上捕头？你说的这书这不是糊弄世人么？请高抬贵手，别再毒害无知稚童了。再说卖粮的缺斤短两陈粮充好粮，卖药的全是假药，吃死人不偿命，官家不管，律法不究，这才是世上最高明最厉害的杀人技法。你那《鬼眼浮屠》中的狗屁招数破绽百出，哪能赶上现实的万分之一。达官显贵、不法奸商们杀了人还赚着钱，你瞧瞧他们哪个不穿绸裹缎，吃香喝辣，住高楼骑大马威风八面。你倒老实，小本经营，好书好纸，本小利薄，遇到没钱买书的你还倒贴，对了，还有蹭书的。嘿嘿，这小娘们不错啊，陪哥几个喝花酒去啊，喝一顿，够你买上十个书坊一千本破书的，哈哈！"说着，便有几个色胆包天的鼓噪着一起上前去拉那蹭书的姑娘。

王侠美冷哼一声，信步而行，不经意间护住了那姑娘，也不见他如何动作，那几个无良听众便纷纷跌出门去，摔得鼻青脸肿。待他们爬起来，揎拳掳袖，准备再扑上来的时候，一座鬼塔从门内飞出——恐怖的棺材色，要命的旋转指针——那几人刚听故事入神，猛然见此，心中大惧，面面相觑，使个眼色，脚底抹油溜之大吉。

王侠美出门捡起了那座鬼塔，走进门来，自语道："没想到闲来无事仿照书里雕着玩的玩意，倒真派上了用场。"呵了呵冰凉的手，将那个鬼塔放到书橱下。

这时那女子盈盈转身，手里拿着一本《鬼眼浮屠》，劈头问道："胡全第和梅匡竹被杀的时候，钟三昧路过肖不平的房舍听到他在读《壮士行》，那么他又是如何分身到了胡梅二人的房间呢？因为我知道，武玲珑并没有去过胡梅二人的房间，当然不是她杀的。"

王侠美淡淡一笑，尚未回答，忽听屋梁上有声音叫道："杀人的是肖不平，念诗的是绿绿。"声音却和王侠美一般无二。那女子猛地抬头，却见梁上歇着一只红羽小鸟，正张着小嘴一本正经地回答她的问话。

"绿绿？"

"不，我现在叫红红。"

那女子禁不住芳心颤抖，眼睛氤氲了："肖大哥？我以前叫武玲珑，现在还叫武玲珑。"

王侠美鼻子一酸眼眶一辣，泪如倾盆而出："真是感动，姑娘读了在下的小说竟然走火入魔，把自己当成了书中人。这书我也是道听途说而来，略加编纂，书中人物皆是化名，如有雷同，纯属巧合。"

咔啦，那女子素手一点，背着的画板瞬间裂开，变形镶合成一把铡刀，恶狠狠向王侠美头顶劈来！王侠美猝不及防，顿时呆住——

铡刀在他头顶一寸二分三毫处顿住。

"你、你不是肖大哥！"

"其实我写的肖不平并非真人，而是这江山凝聚的一缕精魂，是以蠹虫遍地啃食着他的时候，他便病入膏肓，当蠹虫被一只只除掉后，他的病便渐渐好了。但是蛀虫是不断滋生的，如今这江山已是体无完肤，你肖大哥怕也早已魂飞魄散了。"

"不会的，绝不会的。"

"其实，武太师所读的那本古籍中记载的包公墓的藏宝图，便是你肖大哥杜撰的，为的是引武氏父女上当。想那宋代的包公墓里，怎么可能有本朝才传入中土的西洋钟表呢？那些鬼塔，都是肖不平制作的。由此可见，你肖大哥不是什么好人哪！"

"此事我早就知道了，便是没有肖大哥，我也要除暴安良，做一个侠女！"

"可是我不认识你肖大哥啊。"

"我不管，我就要见到我肖大哥！"

"若这世上多了些公平正义，多了些侠肝义胆，你肖大哥也许便回来了。"王侠美瞧了一眼自家破旧的店面，腌臜的衣物，深深叹了口气。乐善好施已让他家徒四壁，寅吃卯粮。"我也不知道，写这些书、讲这些故事究竟是救人还是害人。"

自那以后，花朝月夕，晴天雨季，有洗衣的农妇在河边看见，有遛弯的老人在花园看见，有嬉戏的孩童在草坪看见……看见一个素衣女子捧着古旧的书籍在花草间漫步，目不转睛地看着，拨弄着书页上的蠹虫，一声声低声呼唤着："肖大哥，你还不回来么？"桃花红了的时候她在看，荷花开了的时候她在看，桂花黄了的时候她在看，雪花来了的时候她还在看……

早春的时候，一朵雪花从遥远的天穹跳着欢快的舞蹈，像精灵一般投入书的怀抱，似乎也被这字里行间的侠骨情肠感动，化作了一滴晶莹剔透的泪。泪渍洇开墨色字体，一行红色字体慢慢凸显在扉页上：

"肖不平在秦皇陵。"

看到这一行字，武玲珑如被雷轰，霎时呆住。下一秒中，她飞起一脚，将路旁一个踏雪寻梅的阔少踢落马下，翻身掠上马鞍，打马便走，溅起一溜风雪，眨眼便没了踪影。

尾声

又一个鸟唱蛙鸣的季节来临的时候，侠客书坊埋在那一堆白云也似的梅花林之中，王侠美的一身百搭衣也埋在那一袭白襦素裙下。

"我本书中一蠹虫，是非场上斗群雄。侠气冲天才半尺，美名早有入云龙。这藏头诗连起来就是'我是侠美'！这是肖不平在曲水流觞会上念的诗，肖不平就是王侠美，王侠美就是肖不平！你这大坏蛋，骗得我好苦！"

"这、这不是考考你是真读书了还是假读书了么？"

"这回不用给绿绿染毛了吧。"

"不了不了。"

"把衣服脱下来！"

"啊？"

"脏死了，也不知道洗，从明天开始不洗衣服不准写书。"

"不是吧？"

"你若写一部书，我就给你洗一次衣服，怎么样？"

一片馥郁的香气充盈斗室，是花香、书香、女儿香？还是那铮铮侠气彻骨香？

喔喔喔雄鸡三唱，王侠美从梦中醒来，圈开帘外风雨的还是那破旧的书坊，搭在椅背上的还是那脏乱的衣物，摊在桌子上的还是那本残破的书籍，红红绿绿呢？梅花香呢？武玲珑呢？他用力地回想着，却怎么也想不起来。或许，那只是春花朝露邂逅而成的一段梦吧。回顾前尘，究竟是真是幻？他伸出手，只抓到了一片虚空。

从怀中抽出一本泛黄的残卷，但见封面写着三个霹雳文《僭天书》。翻开扉页，是目录卷，原来这是一本故事集，目录上密麻麻排满故事名称。第一个故事，赫然就是《鬼眼浮屠》。王侠美笑了笑，捉起一支秃笔，翻开《僭天书》中的第二个故事《阴宅血咒》，自语道："《鬼眼浮屠》中，我改写了自己的命运，《阴宅血咒》中，我也一定能改写你的命运！"

然后将紧要的书籍装了满满一箧，束起行囊。推开门，牵出一头蹇驴，将箧囊搭在驴背上，然后横跨而上，半倚半卧，唤起红红。蹇驴慢悠悠踱过木桥，踢踢踏踏一路向西而去。

日轮渐高，熏风醉人，晒在身上懒洋洋的，王侠美觉得有些热了，伸手向脸上一撕，却把这王侠美的面具也撕了下来，露出的竟是一张倾国倾城的容颜。他握着书卷，写了两笔，摇摇头，将笔噙在口中，喃喃道："王侠美啊王侠美，你在哪呢？"

有成双成对的蜻蜓横过他的眼睛。伴着叮当銮铃声，蹇驴走入一片青翠的竹林中，两旁绿柳成荫，春风习习。遥远的另一个天下，是否也有这一片翠竹绿柳？而那扑面不寒的杨柳春风啊，又能否走入那一颗枯寂的心？

窃天书之二

阴宅血咒

楔子

汉武时，苍梧贾雍为豫章太守，有神术。出界讨贼，为贼所杀，失头，上马回营，营中咸走来视雍。雍胸中语曰："战不利，为贼所伤。诸君视有头佳乎？无头佳乎？"吏涕泣曰："有头佳。"雍曰："不然，无头亦佳。"言毕，遂死。

薄云瓦灰，斜日蜡黄。乱山尽处还是乱山，松竹蓊郁，岚气氤氲，沾衣欲湿。山坳处，一道小溪曲折东流，溪上一架木桥霉苔朵朵，滑不留足。空山阒寂，偶尔一两声鸟啼，方显一点生气。

一位书生骑了一头白尾蹇驴，肩上歇了一只碧羽鹦哥，绕过山麓，自南向北嘚嘚行来。书生一路上任那驴儿自行，蹙眉扣手，神思恍惚，喃喃自语："有头佳乎？无头佳乎？"那鹦哥也跟着"有头嫁吾，无头嫁吾"地乱叫凑趣。

蓦然间，寒气如针直袭眉峰，书生一惊，将身一侧，身后背着的一方画板倏地横过额头……寒气消弭，画板上密麻麻粘着十六枚细若蚊足的三寸长细针，针柄呈六角星芒状。

"鬼芒，有忍者！"书生抬头，前面细草茸茸，两侧竹林相去甚远，桥下溪水清浅，桥上空无一人。"出来！"书生轻叱，扭头看左侧树林。手却突然一动，画板掷向桥上第三根桥栏。那画板在空中嘎啦一声，机括转动，瞬间变形为一把铡刀，眼见切中栏杆，那栏杆忽然动了，如鳞木皮忽地爆开，化作一名和服女子，纤腰向后一折，坠下桥梁。不想那铡刀跟着变向，如同附骨之蛆追踪而去。女子从桥另一侧珍珠倒卷帘翻上，那铡刀也跟着飞来，女子躲避不及，扑的一声，一颗头颅飞旋而起，颈血喷起三尺。

书生一惊，五指箕张，遥遥伸出，铡刀绕个圈子，飞回手上，锋刃间血液如缕，腥味浓郁。书生面露戚容："哎，忍者都这么不堪一击么？"正自嗟怨，那无头女尸忽然从腰间抽出一把倭刀，腹中发声道："还我头来！还我头来！"拖刀一步步向书生走来，脖腔中鲜血汩汩冒出，染得雪白和服上桃花点点。

"鬼呀！"书生大叫一声跌下驴背，转身欲逃，那鹦哥也抖翅飞起，大叫："鬼呀！"不料一双木屐拦住书生去路，抬头一看，那无头女子不知何时到了眼前，脖腔中骨头肉茬狰狞可怖，冒着热气淌着血。

书生似乎吓呆了。那无头女子忽然用流利的汉语说道："战不利，为贼所伤。君子视有头佳乎？无头佳乎？"书生福至心灵，脱口说道："当然有头佳，无头怎么能活？"

无头女子笑道："无头当然不能活，不过我有头。"裂帛一声，和服碎若蝶翼，飘然坠地。一个小巧玲珑的女子现出真身，着一袭绯色和服，梳着银杏髻髻，蛾眉纤细，杏眼流波，瑶鼻樱唇，美艳不可方物，只是肤色惨白好似孝布，让人看着不太舒服。

这时候，绵密的雨丝如牛毛飞散，将满山澄碧蒙上了一层轻纱。那女子素手一伸，一把湘妃竹伞凭空出现，将书生笼在伞下。女子盈盈笑道："今天是你的生日，我的礼物如何？"

两人相距咫尺，那女子吐气如兰，钻入书生鼻窦。书生眉头蹙起："你是谁？你知道我是谁？为什么给我送礼？"

那女子哑然失笑："天下第一神捕不知道天下第二神捕，天下第二神捕可不能不知道天下第一神捕。老天无情你有情，削尽人间道不平——你是肖不平。我，东瀛女，大冢灵花。今天送你这道难题答案，就是我的嫁妆。"

当今天下四大名捕：洞烛乾坤肖不平，幽冥鬼捕大冢灵花，天眼妖瞳鬼谷女，手到擒来鱼梦痕。肖不平名列榜首，大冢灵花屈居第二。其实四人手段颉颃，难分轩轾，只不过肖不平有官方身份，沾了朝廷的光。他也听说过，大冢灵花是地狱里的捕快，一身鬼气，冒出阳世，周游列国，专门拘捕在阴间犯案逃出地狱的鬼犯，还是少惹为妙……

想到这里，肖不平道："原来是大冢捕头，失敬。我还有事，权且作别，后会有期。"

大冢灵花道："肖公子太着急了吧，若嫌这嫁妆菲薄，我这有本故事集《窃天书》，不知可入得法眼？"

肖不平又一惊："《窃天书》？你也有？"

大冢灵花小鼻子皱起，狡黠一笑："如果没有，能知道你现在为什么事情犯难么？你在想第二个故事《阴宅血咒》里面的史万夫将军为什么断头还能活，又为什么会凭空消失。怎么样，我的答案你满意么？"

肖不平吃惊不小，装作整理衣襟，偷偷摸下怀里，那本《窃天书》还在。于是说："你能否将你的窃天书借我一观？"

大冢灵花针锋相对道："我们的婚事，你能否先答应？"

肖不平从百宝囊中取出一面菱花镜，揽镜自照："瞧我其貌不扬，病骨支离，为何天天桃花劫不断呢？"

大冢灵花嘻嘻笑道："因为你是肖不平嘛。"

肖不平把手一晃，一柄同样的湘妃竹伞魔幻般出现在手中，正色道："恕难从命，告辞。"掉头走进雨里。

雨中飞来一只赤羽鹦鹉，落在大冢肩头，啄羽梳翎，顾盼自怜。肖不平那只鹦哥绿绿久无玩伴，瞧那鹦鹉美貌，动了凡心，也不理主人召唤，觍脸过去搭讪，"有头嫁吾，无头嫁吾"地乱叫。

大冢灵花一跺脚："哼，不知好赖！"皱眉嘟嘴，浅嗔薄怒，别有风情。她那只鹦鹉学着主人腔调对着绿绿叫道："哼，不你好坏！"

眼看肖不平越走越远，大冢灵花忽道："哎，《阴宅血咒》里苦命的史天骄呀，你是逃不出魔手了……"

肖不平猛地止住脚步："你说什么？"

"你能改史天骄的结局，难道我就不能改史天骄的结局么？"

肖不平这回是真呆住了，竹伞啪地坠地："你究竟都知道什么？"

一把伞撑在他头上："前面有个草庐，我们进去说话。"

一座豁牙漏嘴的破烂草庐，一圈东倒西歪的柳枝栅栏。檐下七八个麻雀窝，墙根三五个老鼠洞。屋前有几垄豆棚，结几簇碧绿豆角；房后是几树瓜架，缀几只金黄香瓜。屋中居然有锅碗瓢盆，大冢灵花像个三日入厨下的新媳妇，满脸洋溢着幸福，忙着洗手做羹汤。

不过片时，一瓮白生生的米饭，一盘绿莹莹的炒豆角，一盘黄澄澄的炝土豆丝，一盘红莹莹的生切鲜瓜依次端到红木雕蟠桃宴圆桌上。崭新的竹筷，明净的瓷碗，对面摆好，两人入座。肖不平呼唤绿绿，那傻鸟有了情人，哪里还顾得主人，和那只红鹦鹉觅个树荫，鸟嘴鸟舌，谈情说爱去了。

肖不平气不打一处来，却没处发泄。大冢灵花心中窃笑："有红红陪着绿绿，你放心吧。"

肖不平长吐一口浊气。大冢道："书呆子不解风情，连只鸟都不如。"

肖不平懒得理她，夹了一筷子豆角大嚼，啧啧叹道："鲜辣香韧，味道不错。听说东瀛人都吃生鱼片，没想到你还会炒菜。"

大冢灵花言笑晏晏："你吃这么急，不怕我在菜里下毒？"

肖不平笑道："怕下毒就不是肖不平了。"

一时饭毕，撤去碗筷。肖不平抹抹油嘴，道："这深山老林的，预先安排相遇，预先安排菜蔬，你下了不少工夫吧？"

大冢灵花嘻嘻一笑："我又不是谶纬士，又不会马前课，怎能知道你什么时候来，你想什么？只因我得到了那本书，书里说你在今天将路过这里，于是半年前我便来到这里，正好有这么一间废弃草庐，我便加以修缮，伺弄园蔬，等着你来。我平时可是一点脏活累活不做的，为了你我啥都做了，有妻如此，夫复何求？"

肖不平眉头拧个疙瘩："为什么你的书和我的书不一样呢？你的书里的故事我的书里没有。你究竟怎么得到这本书的？"

大冢灵花道："你的问题我都回答了，我的问题你却不迁就，这样公平吗？"

肖不平道："肖不平做事最讲公平，你回答我什么问题，我便回答你同样问题，如何？"

大冢灵花拍掌笑道："好。有一天我扮男装去京师侠客书坊听书。那说书的叫什么王侠美,讲的故事寡然无味,听得我昏昏欲睡。"

肖不平尴了一尴:"我就是讲书的王侠美。"

大冢灵花一吐舌头,续道:"不好意思,我不知道是你,其实你讲的书也、也挺不错的。说到哪了,对,我正打盹时,一只黄毛小狗跑来咬我裤脚。我赶它不走,踢它也不走,只顾呜呜叫唤。我觉得奇怪,低头细看,那小狗脖子上挂着个竹筒,筒里卷着一册书,我抽出来一看,上面写着三个字:篡天书。"

"黄犬寄书!我的《窃天书》也是一只黄犬送来的。究竟黄犬的主人是谁,我至今也找不到。不过你的怎么叫《篡天书》?不是《窃天书》么?"

"我的《篡天书》里,包括了你的《窃天书》。"

"怎么回事?"肖不平瞪大了眼睛。

大冢灵花诡谲一笑:"我带着这本书离开了书坊,回去翻开一看,原来是一本故事集。一共有三十三个故事,一个故事讲一个侠客。按照时间顺序排列。最让我惊讶的是,这些故事里的主人公竟然都是当世之人,有几个还是我认识的。第一个故事《鬼眼浮屠》,讲的是铡刀侠武玲珑的故事,原来前些日震动京师的鬼塔勾魂案,凶手竟是你肖大捕头。故事的结局是武玲珑死,你也死。但是你修改了结局,救了你们俩,对不对呀,我的大捕头?"

肖不平倒吸一口凉气:"不错,我得到了那本书后,翻开一看,里面竟有我自己的故事,那时我正在筹备鬼眼浮屠中的杀人计划,这书里写的和我筹划的一模一样,这让我吃惊不小。翻到结局,竟然是我被隋太傅将计就计杀死!"

大冢灵花笑着接茬道:"然后你便疑神疑鬼,暗中调查这本书的来历,可惜却毫无头绪。你寝食难安,害怕这书的主人洞悉了你的阴谋,对你不利,你苦思良策却一筹莫展。有一天你发现这部书的后面还有好大空白处,你忽发奇想,便提笔将你和武玲珑的结局勾掉,然后改写了一个你满意的结局。结果在你战战兢兢的等待中,故事竟然真的按你的结局发展,你得救了。于是你欣喜若狂,再翻看后面的故事,你认为那些故事中的侠客都是好人,但是结局都很惨,你觉得老天太不公平,于是你笔走龙蛇,一一修改了这些人的结局。对不对啊,我的大捕头?"

"呀!"肖不平站了起来,"你怎么知道得这么详细?我修改结局的时候都藏身密室，无人知晓。"

"这是我这本《篡天书》讲的，我的书比你的多个楔子。讲的是有一个捕头叫肖不平，从前是个说书匠，但是所说的书枯燥无味，一天他忽然得到一本黄犬寄的书《窃天书》。但他不满意书里人物的结局，于是开始篡改这些人物的结局。这也就是我这部书叫《篡天书》的原因，修改了第一个，结局实现了，他又修改第二个。可是他不知道，一个叫大冢灵花的也得到了这本书，把他修改的结局勾了，修改成另一种更悲惨的结局。"

肖不平暗自着急，脸上却不动声色："你和我说这些，究竟想干什么？"

大冢灵花笑道："我想嫁给你，我这本书就是我的嫁妆，你可以任意修改。怎么样，这个买卖不吃亏吧？"

"听上去不吃亏，但是你来晚了，我已经有心上人了。"

"是那个武玲珑？还是《阴宅血咒》中那天下第一美人史天骄？"

"这你就不用管了。我有一点疑惑，我的书中第二个故事《阴宅血咒》里，到了将军断头、恶鬼出棺之后，直接就到了结局，不知你的书里有没有写将军究竟是如何做到断头重生的。"

大冢灵花笑道："你这人一点也不肯吃亏。也罢，告诉你也不妨，我的书里也没写，但我猜他是用了忍术中的身外身断头术。"

肖不平摇头道："不可能。将军的人头已被大炎可汗确认，怎么可能是诈死。何况是黄立将其斩杀，他若戴个假人头，身高必然改变，怎能瞒过黄立？"

"也许史万夫有替身也不一定，又或许他真的死了，但是他背着的棺材里装有机关枢纽，能控制死尸移动。这样吧，我这个故事似乎比你那个写得详细，我重述一遍，看看你能不能找出什么破绽？"

两人对坐倾谈，不觉窗纸黯淡，大冢灵花掌上灯来，茶壶水滚，浇入青瓷杯内，片刻茶叶蟹吐，清香四溢。窗外豆棚瓜架，细雨如丝，漫天暮色里，两尾羽鹤嘹呖飞来，落下烟汀，啄羽梳翎。大冢灵花端起茶杯："小女子姑妄言之，肖公子姑妄听之。在这愁云恨雨的夜晚，莽莽大山，一座草庐，两个素不相识的人对着一盏孤灯，讲些怪力乱神的奇妙故事，聊添雅趣，不亦美哉。请呷一口香茗，我们的故事是这样开始的。"

铁甲垂云戾气厚，乌旗遮天光不透

　　呜咽的风扯起惨白的云，盖住了老天那张灰茫茫的死人脸。乌云下，密匝匝的帐篷连绵起伏，一眼望不到头，呈环形包围住一座依山傍水的孤城。

　　城是大明的拒胡城，困城的是西鞑靼大炎可汗的十万精兵。

　　午牌时分，正当饭口。城外连营炊烟袅袅，肉香萦绕。那座孤城，却冷冷清清不见半点烟火。蓦地，城门启开一缝，一员战将拍马飞出。只见那将手提宝枪白蟒乌龙刺，顶太岁盔，贯衍天甲，额上一道新月形伤疤，面有菜色，颧骨突出，两腮深陷，短髭花白，黑眼珠深邃如海，白眼球布满血丝。最骇人的是，他背后竟然背着一口棺材，紫檀色，比普通棺材稍小一点。但见他两腿一夹，坐下宝马麒麟豹一声长啸，四蹄攒空，越过五丈宽的护城河，如一道闪电击向鞑靼营门。顷刻间，已挑翻拒马鹿砦，撞碎辕门，直杀入前营中。

　　鞑靼扎营取三环套月格局，分前中后三营，绵延数十里，互为犄角，前后策应。敌人来袭，鼓号鸣警，鞑靼兵抄刀出营，奋勇向前。怎奈那将军马如狂风，枪似惊龙，拦都拦不住。

　　大炎可汗得报，撂下手中油香四溢的羊羔腿，率诸将抢出中营金顶大帐，左右六人众星捧月拥簇大炎可汗：左边是元帅忽雷怒，万夫长麻狸虎，千夫长赫花狼；右边是台吉（可汗之子，相当于王子）狻猊，帝师黑莲法王，观阴术士眇道人。大炎可汗手执千里筒，登坡一望，但见万人如海，单人独骑似搅海长鲸，纵横捭阖，如入无人之境。不禁又是仰天哀叹："史万夫啊史万夫，当真有万夫不当之勇！"

　　此言一出，惹恼了一旁的狻猊，只见他将拳头捏出汗，道："我观此獠如插标卖首！待我取其首级，与父汗佐酒！"

大炎可汗碧眼一瞪："乳臭小儿，你晓得什么？那史万夫诨号'七命杀星'，乃上天七杀凶星下凡，有七条命。看到他身后背着的那口棺材了么？传说里面藏着七个凶神，是你能杀得了的么？"

狻猊冷笑一声："他有一条命，我杀他一回，他有七条命，我就杀他七回！"

大炎可汗道："你虽号称鞑靼第一勇士，在他面前，就是狮子眼里的绵羊。收起你狂妄的拳头吧，你刚来阵前，还不晓得狮子的厉害。"

狻猊哼道："狮子还是绵羊，你说得不算。"

元帅忽雷怒雕眉一耸："连年鏖战已榨干了史万夫身子骨，便是狮子也是掉牙的狮子。麻狸虎、赫花狼，随本帅出战，诛杀史万夫！"

大炎可汗面色一冷："想我一杰二猛三横四绝五熊六黑七虎八狼十三鹰，相继丧命其手。在史万夫人头落地之前，我不能再失去这单虎独狼！"麻狸虎、赫花狼心头热血一沸。

忽雷怒道："大汗放心！失去了虎狼，也要用狮子陪葬！"

黑莲法王阴恻恻接话道："别忘了设的局里，还有释门龙象！"

忽雷怒也不答言，双膝一磕飞虎鞯，两脚一踹绷镫绳，胯下宝马一阵风登时会意，抿耳昂头，扬鬃炸尾，猝然蹿出。

三匹宝马刮起三道龙卷，闯下山坡，兜头赶至。忽雷怒血灌瞳仁，平端虎头凿金枪，中宫直进，瞅准史万夫分心便刺！

麻狸虎胯下五花驹，掌中日月宣花斧；赫花狼坐骑青煞兽，手持锯齿狼牙棒，左右夹击。三人呈丁字形出手，三件重兵器配合无间，如巨型齿轮碾压而至。

史万夫蚕眉倒竖，须发箕张，拧腰缩胸，右手举枪如鹰展翼，磕飞虎头枪；左臂猱伸如倒拖辕，掳过狼牙棒；继而苏秦背剑，将狼牙棒横担右肩，撞开宣花斧。金铁撞击，火星明灭，爆响如雷。只一个照面，三将兵器脱手，狼狈不堪。

麒麟豹泼风入蹄，一冲而过。前面两座牛皮毡房犄角对峙，中间夹着一块狭长地带。嘣嘣连响，长草塞窣，尘烟四起，埋伏在草窠中的牛筋绊马索相继弹起。麒麟豹不愧为马中之王，两眼如灯，反应如电，曲蹄弓背，跳跃如飞，连续越过十三条绊马索。不想前面绊马索间距相等，后面的却调整了距离，长短不一，颜色各异。麒麟豹应接不暇，被最后一条勾住胫骨，膝弯一软，前蹄跪倒。惯性使然，史万夫越过马首，一个筋斗翻下。

前面蹄声骤起，狻猊端坐马上，碧眼喷火，八宝牛皮盔上的孔雀翎迎风招展。宝马癞皮虬四蹄攒空，撇下一道烟尘，眨眼杀至，狻猊两臂倏地一鼓，额头青筋暴绽，高举一百零八斤人面蛤蟆槊，瞅准史万夫头颅恶狠狠砸下——

麒麟豹卧倒未起，后面三人已衔尾追至。麻狸虎、赫花狼缩脚离镫，蹁腿下鞍，身蜷如球，滚地飞弹。三人各自从靴筒中擎出弧形狼牙弯刀，刀锋一线急旋，化作两匹冷厉流光，卷向麒麟豹四足。忽雷怒腰脊扭转，一条走线蒺藜流星锤顺势腾起，如毒蛇凌空下扑，扑向麒麟豹头颅——

生死瞬间，史万夫曲膝伏地，面朝狻猊，后脑却好似长了眼睛，两臂箕张后甩，左手夺来的狼牙棒脱手撞向流星锤，右手捻处，机括格响，白蟒乌龙刺甩手飞出，半空忽而断为两截，分插麻狸虎、赫花狼——

便在此时，狻猊的蛤蟆槊已到头顶，史万夫手无寸铁，无法招架。若向左右闪避，麒麟豹就在身后……脑中霹雳一闪，史万夫不退反进，吞身如鹤缩，吐手似蛇奔，一缩一吐中，身如炮弹出膛飞出，贴着冰冷的槊杆，一个头槌撞在癞皮虬脖子上，癞皮虬一声惨嚎，横着飞出数丈，滚落在地。狻猊脚卡镫中，急切间抽不出，被癞皮虬压在身下，眼冒金星。

光芒刺眼，麻狸虎、赫花狼急回刀阻格，枪重刀轻，一人被插中肩头，一人被划破肋骨。便在此时，麒麟豹腾身跃起，后蹄一撩，恰将两把断枪踢上半空。史万夫撞飞狻猊，当下鱼跃而起，麒麟豹向前冲去，钻到史万夫胯下时，史万夫恰巧落下，跨上马鞍，扬手一抓，两件断枪抓在手中。待得鞑靼兵一涌齐上，史万夫两腿一夹，麒麟豹已像箭一般闯出。

史万夫倚仗马快枪疾，再次化险为夷。岂料未等喘息，忽听前面一声豹吼，定睛细看，却见一头花斑豹纵跃如飞，迎面冲来。豹上骑了一人，却是帝师黑莲法王，他头戴八宝毗卢帽，面如橘皮，神情阴冷，背后背着一只六道轮回盘。那盘共有六块，大者如簸箕，小者如盘盂，中间为一暑柱层叠串连。相距半箭地，黑莲法王白眉一扬，眼中精光一闪，蓦地回手取下六道轮回盘中的修罗盘，振臂一甩，修罗盘边缘尽是锯齿，如一轮明月呜呜尖啸着飞向史万夫。飞到一半，劲风逆袭，机括爆开，倏尔一裂二，二裂四，霎时间化作二十四把新月形飞刀，笼作一片刀山，罩定史万夫人马周身。机括发出，劲力之强更甚弩箭，刀风激啸声如雷吼。

史万夫眉头一皱，急速拨马闪避。岂料那飞刀方向一变，依旧迎头罩来。史万夫甩镫离鞍，一拍马首，那马会意，猛地斜刺里蹿出。史万夫身如猛箭激射，一头扎进飞刀丛中，长枪左右舞花，劲风如湍，激得飞刀头尾相衔，弯转如环，如顶针续麻，盘身绕转。史万夫左弓步斜拉，长枪右甩，二十四口飞刀连成一线，回射黑莲法王。

黑莲法王眼光一冷，再次祭出天盘、人盘，两只飞盘弯成弧形，避过飞刀，左右袭向史万夫。将至头顶，蓦地相撞，啵的一声，机关触动，天盘撒出一蓬五毒神砂，人盘喷出一溜火焰，火焰喷在砂上，迸出千万火星，神砂顿时烧得通红滚烫，如亿万星河旋转，倾泻下来。

史万夫不敢怠慢，枪交左手，右手一晃，衍天甲早被褪下，那甲薄如丝绢，用手一抖，展成丈许方圆，恍若一朵白云席卷而出，将一片热砂悉数兜住，一甩一抛，以牙还牙。热砂卷来，黑莲法王不敢硬接，催豹闪开。顷刻间两人趋近，黑莲法王伸手一拉地狱盘，轰的一声巨响，蹦出十几个鸽蛋大黑色圆球。史万夫衍天甲一挥，再次兜住圆球，但听砰的一声，衍天甲蓦地一鼓，倒撞在史万夫胸口，史万夫一声闷哼，一个跟头翻出。黑莲法王喜出望外，趁热打铁，打开畜生盘，一窝蜂嗡然飞出，向史万夫卷去。眼见要被裹住，一声咴咴，麒麟豹从旁奔来，驮住史万夫，猝然前蹿。眨眼驰出里许。衍天甲回手披上，除了沾有些许黑灰，丝毫未损。

连战五人，生死擦肩，史万夫人马合一，如臂使指，方逃出鬼门关外。但经此一役，他早已五脏翻滚，喉头腥甜，自知受了内伤，无心恋战，催马直奔后营。

史万夫是大明第一猛将，镇守边关二十载，胡人望城兴叹，不敢越雷池一步。是以驻守的龙城被皇帝赐名为拒胡城，以示嘉奖。不料前年初春，大炎可汗忽然率兵二十万，猛将百员，攻打拒胡城。史万夫虽勇，鞑靼兵也不是吃素的，兼之帐下骁将早被皇帝抽走，只凭万余兵卒，血战三年，杀敌三万，自损三千，元气大伤。敌人援兵不断，阴魂不散。无奈之下，只好频频向朝廷求救，奏折踵继，十万火急。朝廷却屡次虚与委蛇，援军迟迟不至。史万夫急怒交攻，无计可施，只能坚壁清野，死守孤城。三年下来，积粮虚耗，城中军民数米下锅，咽汤果腹。树皮草根剥光挖绝，鼠洞雀巢掘空掏尽。史万夫心急如焚，只有铤而走险，率兵半夜突袭鞑靼军囤粮的后营，怎奈人多目标大，很快被发觉，一阵厮杀，所带兵卒全军覆没。痛定思痛，只好自行抢粮。但抢了三次，也不过抢得千八百斤，僧多粥少，无济甚事。今日城中粮食罄尽，史万夫三餐未进粒米，饿着肚子巡街。忽听一户家中悲声动地，进内查看，原来这家饿死一名幼儿，当爹的饿得狠了，要烹儿果腹。当娘的不忍，号啕大哭。史万夫肝胆欲裂，跺脚出门，任谁也阻拦不住，决定白日劫营抢粮。

　　大炎可汗以手遮额，望见史万夫所向披靡，阻拦的鞑靼兵如割草刈麦被成片撂倒。只觉肌肤起栗，喃喃自语："这还是人么？这是神，是妖，是魔！"

　　黑莲法王失了坐骑花斑豹，换了一匹青马，气急败坏抢上山坡，来到大炎可汗近前，咬牙切齿道："便是神、妖、魔，也斗不过佛！贫僧早已设下连环陷阱，史万夫今日必死无疑！"

兜鍪遍地撒如钱，连营画鼓悲风骤

鞑靼粮仓囤在后营卧牛山上，史万夫劫粮多次，路径熟络，眼见山头栅栏在望，催马直冲山道。冲到一半，忽听山头一阵梆子响，紧接着地动山摇，响声大作，但见山头骨碌碌滚下数十辆铁滑车，通身铁制，下安双轮，车厢内装满巨石，其重不下千斤。铁滑车顺着山道滚下，轰隆作响，声势骇人，眨眼已到近前，山道逼仄，左右俱是嶙峋山石，避无可避！

史万夫心思电转，只能挑滑车了！

想当年，南宋第一猛将高宠一合战败金兀术，却在山道连挑十一辆滑车后，终因坐马力竭摔倒，被第十二辆滑车碾成肉饼。

史万夫两腿一夹马腹："麒麟啊麒麟，我的命今天就交给你了！"麒麟豹似已听懂，低声咆哮，四蹄扎地，两眼紧盯前方铁滑车，额上一个拳大肉瘤血丝似喷薄欲出。

骨碌碌第一辆滑车已到，史万夫两手攥枪，一招夜叉探海，二尺半枪穿入滑车底部。他舌绽春雷，大吼一声："起！"腿借马力，上达腰椎，贯于两膀，两拳青筋暴露，奋力一挑。嗖的一声，第一辆滑车被硬生生挑起，甩到道旁山坡之上，叽里咕噜，滚到一处山坳停住。

十辆、二十辆、三十辆……连挑三十八辆！史万夫汗如雨下，力尽筋疲。沉重的铁滑车一次次地撞击，震得他五脏翻滚，喉咙腥甜。粮食匮乏，麒麟豹也已断料半年，瘦骨嶙峋，兼之连番激战，早已支撑不住，四腿颤抖如筛糠。

史万夫眼帘已被汗水挂住，像隔了一层水雾，朦朦胧胧中，看见最后一辆铁滑车恍如一头洪荒怪兽张开血盆大口，吞噬而来。他将喉咙中涌上来的鲜血强行咽下，猛一甩头，汗水如雨飞去，双睛怒瞪，拼尽浑身气力，欲作生死一搏——

关键时刻，那麒麟豹蓦地前腿一软，向下跪去。不好，史万夫两眼一闭，马失前蹄，我命休矣！

忽觉身如飞羽，腾空而起，脚下铁滑车轰鸣驶过。张眼一望，原来生死关头，麒麟豹腾空而起，越过了铁滑车。史万夫狂喜莫名，大吼一声，催马举枪冲上山梁。粮仓守兵万箭齐发，史万夫死里逃生，神威大振，将一条大枪舞得车轮相仿，风雨不透。眨眼突入重围，挑飞栅门，抢入粮营。但见左右雨棚分列，下面粮食麻袋堆积如山。更不迟疑，挥枪驱散守兵，瞥见左近有一辆马车，拴在柱子上。心中大喜，岂料才向前行一步，忽觉马蹄下一空，轰隆一声，地面坍陷一坑，人马一起坠下。情急之下，史万夫一枪刺中拴马桩，落势一缓，两腿夹住马腹，硬生生向上勾起——

咔嚓一声，拴马桩受不了如此大力，铿然折断。幸好折断之前，史万夫连人带马一起跃到坑边。向里一看，不禁倒吸一口冷气：坑里栽满铁蒺藜刺马针，倘若坠下，后果不堪设想。遂不敢大意，飞身下马，以枪杆地，捅塌七个连环陷坑。当下绕过陷坑，急三火四，将粮袋装了半车，捆扎已毕，飞身上马，赶车便走。

白日劫营，已犯了兵家大忌，何况又带着这个累赘马车。但史万夫已管不了许多，耳畔尽是那失子妇人的哀号，他眼珠血红，钢牙紧咬："是我无能，累得全城百姓遭难，今日劫不来粮，便死在这里罢！"

山下金鼓雷震，人马猬集，铁甲垂云，乌旆遮天，刀枪如麦穗，剑戟似麻林。史万夫仰天长啸，一手曳粮车，一手舞枪，向山下冲去。敌阵中梆子连响，箭如雨发。史万夫宛如下山猛虎，一头扎入箭雨之中。

杀！杀！杀！残肢乱卷，血肉横飞，从辰时杀到午时，又从午时杀到酉时。直到夕阳枕山，暮色苍茫，史万夫浑身浴血，杀出连营，冲到拒胡城下。敌人尾随追来，被城头一阵乱箭逼退。守城副将落下吊桥，城门半启，将史万夫接入城中。踏入城门，史万夫齿缝间迸出两个字："分、粮！"便一头栽落马下，晕厥过去。

天子王气上星文，将军宿命下渊薮

残阳如血，冷风如刀。拒胡城城墙逶迤，雉堞高耸，宛如一个擎天巨人，巍然屹立，在藏青色的天际勾勒出孤傲不群的轮廓。

狻猊台吉、元帅忽雷怒、麻狸虎、赫花狼都挂了彩，包扎已毕，一瘸一拐又上了山坡。大炎可汗坐镇山冈，观敌瞭阵，见四猛将一法王数万精兵竟拦不住一个史万夫，不禁仰天长叹："史万夫一日不死，孤一日不得安宁！"

后面一人阴阳怪气道："若非史万夫有七宝护身，早是死人一个了。"

狻猊捂着隐隐作痛的胸口，回头一看，说话之人正是从明朝投诚过来的观阴术士眇道人。眇道人斗鸡眉一只眼，狗油胡往上卷，形容猥琐，又是明人，狻猊一向瞧他不起，便气急败坏喝问："哪七宝？"

大炎可汗道："道长，给他讲讲他狮子的本事。"

眇道人将拂尘一甩，躬身答礼："臣遵旨。第一宝，他是阳年阳月阳日阳时阳分阳地阳人接生，万年不遇的九阳之身。他背着的那具棺材，据说吃饭睡觉从不卸下，里面究竟装有何物，除了他自己，无人知晓。坊间传说史万夫幼习巫术，拘来天上七星凶神，藏匿其间，每一个凶神都是一个替身，可替他死一回。故而想杀死史万夫，须得杀他七回才成。"

狻猊撇嘴不信。这些传说，黑莲法王耳朵早已磨出茧子，也是半信半疑。

"第二宝，衍天甲。此甲不知何物制成，轻若羽毛，硬过钢铁，要不然，以我们矢贯三扎的狼牙重箭早将他射成刺猬。第三宝，白蟒乌龙刺。二十年前，史万夫初出江湖，无钱买兵器，乃入乱葬岗之中，撬出一万支棺材钉，自己起炉炼枪。炼制之时，怨气冲天，铸剑炉外，风雨骤降，白蟒乌龙相斗于风雨之中。因阴气感染，铁钉不熔，史万夫跪地祝天，刺血下咒，发下血誓，此枪若成，只杀恶人一万，若妄杀一好人，自己必死此枪之下。刚刚祝毕，忽然惊雷怒闪，劈碎草庐，白蟒乌龙坠入熔炉，铁钉熔化，宝枪立成。那宝枪为白蟒乌龙寄身所在，故而枪分双头，半截黑半截白。此为切金断玉，不世良材。"

狻猊听得不耐，啐道："一派胡言！"

眇道人不愠不火道："若非那宝枪护身，他能逃过台吉殿下那杆槊么？"

狻猊脸色一缓道："这倒是实话。"

大炎可汗喝道："汉人有句话，叫知己知彼，百战不殆。狂妄的小子没资格插嘴，老老实实听道长说下去！"

眇道人得意扬扬续道："第四宝，就是胯下麒麟豹。这马据说是西域天马堂的第一好马，乃是天上蛟龙种，陆地狮子根，凡马望尘莫及。方才若不是那麒麟豹，史万夫早被滑车压死。第五宝，据说史万夫家藏一方窃天宝匣。这宝匣窃天地玄机，知古往今来事，辨生克兴衰理。演兵布阵，攻防据守，无不囊括。不然以史万夫一介武夫，何能百战不败？这第六宝嘛，便是他的女儿史天骄，据传此女是天下第一美人，闭月羞花沉鱼落雁。"虽然眇道人说过无数回，再次说起，大炎可汗还是忍不住碧眼放光，把拳头一握，插嘴道："我一定要得到史天骄！"

眇道人道："大汗莫急，史天骄乃阴年阴月阴日阴时阴分阴天阴地阴人接生，九阴之体，阴气入骨，天生克夫，普通男子碰之不得，碰之必死。须得九阳之体方能匹配。"

大炎可汗道："我偏不信这个邪！"

黑莲法王黑着脸道："哪里生得这两个怪胎！什么九阴九阳，都是你们道家忽悠世人的鬼蜮伎俩，肉体凡胎，不过一具臭皮囊，舍却肉身，坐化成佛，才是正道。"

这二人一僧一道，明争暗斗已久。大炎可汗信佛崇道，当下道："道家所言，也有几分道理，不可全信，也不可不信。"

眇道人神采飞扬："这六宝尚可破解，唯有这第七宝，夺天地造化，无懈可击。"

狻猊蓦地喝道："有话快说，有屁快放！"

眇道人浑身一激灵，老老实实道："这第七宝就是拒胡城，台吉你看——"猰㺄循他手指望去，但见伏夔山天矫如龙，横亘天际。拒胡城坐落在山头之上，逶迤十里，城左碧水蜿蜒，绕城而过，湾环回护。城前一潭清水，碧波潋滟。城右一条官道，通向中原。落日斜照，城上烟岚雾瘴，紫气蒸腾。

眇道人道："这伏夔山乃是西天龙脉，委蛇东西，忽为南北。拒胡城坐落龙头之上，左有碧水潺潺，青龙守卫，右有大路通达，白虎护持，前面潭水清冽，朱雀当家，后面丘陵偃伏，玄武坐镇。四象位正，五行俱全，七星拱照，藏风聚气，形势绝佳。贫道走南闯北，相地无数，尚未见如此绝妙的风水宝地。殿下看到没有，那拒胡城上紫气如盖，上射斗牛，光怪烛天，此乃帝王之气，只是无根无蒂，想来帝王尚未出世，若能寻得真龙找到真穴，葬先人骨殖于此，后代必能出百世帝王。拒胡城本名龙城，为了毁掉龙脉，泄露王气，明朝皇帝特意将龙城更名拒胡城，挖山埋金，又在城外筑城，二城夹对，形如枷锁，要锁住飞龙。但此地王气太盛，锁是锁不住的。大汗必要抓紧，若让史万夫抢先找到吉穴，葬了先人，只怕这长城内外都是他的囊中之物了！"

其时鞑靼分裂，分为东西两部，战乱不休。大炎可汗身为西鞑靼主，一直想统一鞑靼部，怎奈几次交锋都惨遭败北。拒胡城占龙脉一说流传已久，占有此城，即占有天命。于是大炎可汗养精蓄锐，招兵买马，待得时机成熟，举兵来犯。为了寻到龙脉真穴，又重金请出明朝投降过来的观阴术士眇道人。所谓观阴术士，便是堪舆师，专门相阴宅卜吉凶。当时江湖有三十六邪门七十二歪道，眇道人便是三十六邪门中堪舆门第四十九代关门弟子，鼻祖便是大名鼎鼎的郭璞。堪舆门弟子都有一双阴阳眼，左眼观阴，右眼观阳，阴宅阳宅俱能占卜。只是眇道人心术不正，一次卜问阳宅时，因对对方卜资不满，恶念一生，设了个凶局，祸害了那一家，但他也因欺天获罪，右眼生个花蛇疮，烂坏了眼珠子，因此得了眇道人这么个诨号。只剩阴眼后，他只能卜问阴宅，但因专注，功力突飞猛进，观阴点穴，无人能望其项背。

猰㺄半信半疑："你说此地葬了先人便能出帝王，是真是假？"

　　眇道人道："如何不真？我们大元朝成吉思汗忽必烈是何等英雄，马鞭到处，屠灭百国。蒙古汉子骁勇善战，天下无敌，为何被一个乞儿出身的朱元璋赶出中原？那便是因为朱元璋的爹将祖先遗骸葬在了老龙潭龙穴之中，占得帝王之气。这伏羲山比那老龙潭要强万倍，贫道一生从未见如此风水宝地！"一说到老本行，眇道人神采飞扬，口若悬河，滔滔不绝。什么"金生丽水，月照青龙，七星拱卫，五侯挂印"，堪舆术语滚滚而出，听得狻猊头大如斗。但有一句他是听明白了："若能寻得真龙穴，葬祖先遗骸于此，后代必能出百世帝王。"

　　狻猊好似一头饿狼，两眼闪着绿光，望着拒胡城，五官扭曲，面色狰狞："你是我的！"

　　大炎可汗忧心忡忡："史万夫不死，拒胡城永远轮不到你。"

　　黑莲法王阴恻恻道："大汗放心，史万夫熬不过今晚，因为，他劫走的粮中早被我下了剧毒。"

何苦深锁眼上眉，一笑且尽杯中酒

不知过了多久，史万夫呻吟一声，醒转过来。酥软酸痛的感觉侵袭周身，脑中蜂鸣雷吼人喊马嘶，乱如糨糊。他再三努力，强撑着撩动眼皮。旁边一声惊呼："将军醒了，将军醒了！"接着是杂沓的脚步声，向他聚拢而来。

一缕柔光穿过窗纸，照在史万夫脸上，晃得他睁不开眼。许久，他才缓缓张眼，动动身子，这才发现，自己侧卧竹榻上，周围簇拥着十几张憔悴清瘦的脸，正是手下副将偏将一干将官。史万夫猛然想起一事，呼地坐起，问道："可曾分粮？"

副将黄立面孔顿时一僵，嗫嚅着道："分到、分到不少。"众将低头不语。史万夫瞧着蹊跷，顿时怒火勃发："是不是你们将粮私吞了？我早说过，城中百姓为我所累，才落到这步田地……"

副将黄立扑通一声跪倒，颤声道："末将久聆将军教诲，岂敢徇私。昨日早将三十袋粮米悉数分与百姓，我等未食一粒。可是……"

"可是什么？"

"可是、可是粮中有毒，昨日分得粮食的百姓，吃了饭后，全、全都死了。"

史万夫简直不敢相信自己的耳朵："你再说一遍！"

"那粮中有毒，昨日分得粮食的百姓，吃了饭后，全都死了。"

史万夫顿觉被人当头一棒，脑袋嗡地一炸，嗓子发咸，一道血箭夺口喷出。周围将佐大惊失色，乱嘴大叫："将军，将军！"

过了半晌，史万夫渐渐平静下来，翻身下榻："走，带我去查看！"

低矮的草庐，寂静的院落，一具具尸体横陈院中，尸身冰冷僵硬，面色青紫骇人，眼珠暴突，死不瞑目。史万夫脚步踉跄，走完了最后一家，再也撑持不住，扑通跪倒，两拳擂地，放声大哭。周围将官都吓傻了，史万夫横勇一世，纵使万马军中，白刃加身，依旧谈笑风生，从未见他流过一滴泪，如今真是到了伤心处。

天上愁云惨淡，地下悲声哀恻，足足哭了顿饭工夫，泪水已干，竟流下血来。史万夫缓缓站起，咬牙说道："乡亲们，英灵慢走。此仇不报，史万夫誓不为人。来人，备马抬枪！"

偏将张雷等慌忙拦阻："将军，你闯营负伤，又三日未食，报仇之事，当另思良策为上。何况天色阴沉，只怕马上就要下雨，冒雨闯营，大为不利。"

史万夫抬头看看天色，果然黑云压城，山雨欲来。他摇摇头："我额上伤疤没疼，今天没雨。"

说话间，忽然蹄声骤起，一骑飞来，守城卒滚鞍落马，连滚带爬，声腔都变了调："报，将军，钦差已至城下，请将军定夺！"

史万夫大喜，未等诸将，一个箭步蹿出，抢过那来卒战马，打马狂奔，冲上城头，向下观看——城下打着大明旗号，十九匹健马，十八员骁将甲胄分明，围着一个太监。这十八人是大明有名上将，个个骁勇善战，人称十八金刚，都和史万夫有一面之缘。他们当是先锋，援军大队看来也已不远。此刻，日上三竿，阳光普照，终日阴霾一扫而空。史万夫激动得两腿发颤，浑身暖洋洋的，饿瘪了的肚子像是填满了鸡鸭鱼肉。盼了三年，终于盼来了援兵！这满城军民都有救了！惊喜之余，举目瞭望，却见鞑靼营中井然有序，不免心中纳罕：敌人困如铁桶，这些人即便能闯进来，也要厮杀一番吧？怎么丝毫不见异动？无暇细想，赶紧开门迎客。

那太监一脸肥肉，满面红光，腆着大肚子，趾高气扬，在史万夫的陪同下走进了总兵府帅厅。帅厅异常简陋，四壁皆空，不过一案一椅，几只方凳，都剥皮褪漆，缺足垫砖，古旧不堪。那太监皱眉撇嘴，表情厌恶。史万夫让座，他也不坐，怀中取出黄绫圣旨，阴阳怪气道："史万夫接旨。"

史万夫急忙率众将齐刷刷跪倒，三呼万岁。

那太监肥手捻了三捻，展开圣旨，伸着公鸭嗓读道："奉天承运，皇帝诏曰：总兵史万夫恪守边城，劳苦功高，朕心甚慰，兹赐御酒一坛，以示褒奖，冀尔精忠，勿负圣恩。钦此。"

史万夫又懵了，圣旨如此简要，援兵援粮之事竟只字未提。直到那太监连喝三声："史万夫还不谢恩！"史万夫这才叩首谢恩，站起问道："请问公公，援兵几时到来？"那太监将鱼眼一翻："万岁只说赐御酒，又没说援兵之事，咱家哪里晓得。"

一盆冷水浇下，史万夫只觉两眼发黑，险些晕厥。情急之下，欺身而上，一把薅住那太监的袍袖："莫非、莫非朝廷不发救兵了么？"

那太监挣脱不得，气得脸如酱爆牛肝，喝骂："好你个史万夫，你竟敢撕扯钦差大臣，是要造反吗？"那十八员悍将齐刷刷抽出佩剑，玄鸟划沙，成一弧形围住史万夫，大喝："史万夫，放开陈公公！"

白刃在前，史万夫视若不见，两眼几欲喷出火来："我再问你一遍，朝廷几时发救兵？"

姓陈的太监见他怒发冲冠，面目狰狞如野兽，心中发怵，语气不觉软下来，道："现今南边倭寇滋扰，中原流寇作乱，连年水患旱灾，朝廷征战赈灾，虚耗钱粮，哪有财力兼顾四方？何况西鞑靼不过癣疥之疾，以史总兵的绝世豪勇，还怕他一个大炎可汗？咱家相信，不出三载，史总兵势必直捣黄龙，到那时封侯拜相，封妻荫子，何等荣耀啊，嘿嘿。"

史万夫缓缓放开太监衣袖，目光散乱，怅然若失。半晌方道："救兵不来，能否留下十八金刚，助我一臂之力？"话声艰涩无比，只这片刻，嗓子已然哑了。

陈太监动若脱兔，闪到十八金刚身后，喝道："不行，没有万岁旨意，咱家岂敢擅作主张。"

史万夫忽然双膝一跪，泣不成声："陈公公，请代为禀明万岁，拒胡城中矢尽粮绝，眼见阖城百姓便要易子而食。不出月余，不攻自破。拒胡城乃我大明西北屏障，北控三番，襟带京畿，万一失守，敌酋势必长驱直入，土木堡殷鉴不远，万岁不可不防啊！"一边说一边将头磕得山响，额头流血，下染髭须。手下将佐怒满胸膛，瞪视陈太监，十八金刚亦有不忍之色。

陈太监奸笑道："史总兵放心，咱家定将你忠言一字不漏上达圣听。时候不早，你将御酒喝了，咱家就不打扰了，赶回京师复命。"十八金刚中一人捧出酒坛，揭开御笔封签，取出一只青花瓷碗，满斟一碗，递给史万夫。

史万夫抹了一把脸上血泪，接过酒碗，伸鼻一嗅，清冽的酒气之中，一股腥腻味扑鼻而来，蓦地抬头问道："这酒，真是万岁所赐？这鹤顶红也放得太多了吧！"一句话震惊四座，所有人都站了起来，呛啷之声不绝于耳，史万夫手下将佐一起拔剑，踏前一步。十八金刚亦挺剑虎视，护住陈太监。眼见得便是血溅五步，你死我活的杀局，陈太监脸色一变："大胆，你敢怀疑本官！这圣旨，这虎符，你看有假么？"说着扔过圣旨虎符。

史万夫拾起一看，圣旨是上好绫锦所制，银色飞龙暗纹，大红明皇玺印，一应俱全，将自己这半虎符和陈太监那半虎符相扣，严丝合缝，毫厘不谬。史万夫仰天惨笑，口喷鲜血："朝廷昏昧，自坏万里长城！"啪的一声摔碎酒碗，吓得陈太监心脏紧抽，险些背过气去。

史万夫伸手抓起酒坛："男儿有胆大如斗，一醉销尽万古愁！"举起酒坛，便向喉中灌去。帐下将佐齐叫："将军不可！"上前来夺，却哪里来得及，绿莹莹的酒水早被他长鲸吸川，悉数饮尽。

才捧土覆斑骓坟，旋握刀割单于肉

这下连陈太监也吓得不轻。传说史万夫有七条命，这毒酒便是毒死他一条命，难保他不再活过来……而自己只有一条命，可不想给他陪葬，于是强笑道："史总兵真乃盖世豪杰！皇命传达已毕，咱家告辞。"向左右一递眼色："走！"脚底抹油，便想溜走。

黄立等将早已按捺不住，欺身而上，齐齐怒吼："狗贼，留下狗头再走！"

史万夫摔碎酒坛，叫道："黄立，不可放肆！"

黄立眼珠充血，泪光闪烁："将军，你提着脑袋保他朱家江山，竟落得如此凄惨下场，不如反了！我们三日未食，这狗贼养得如此肥胖，何不宰了，做顿五花肉煲，吃饱了，先杀胡虏，再斩昏君。是汉子的，痛痛快快活一次，也要轰轰烈烈死一次！"

陈太监一听心胆俱裂，这群人饿得眼睛发蓝，只怕真能把他撕碎吃了。强龙难压地头蛇，便有十八金刚保驾，恐怕也逃不了。

毒酒下肚，史万夫只觉五内如焚，舌根发硬，两腿打晃，哆嗦着喝道："君让臣死，臣不得不死。放他们走！"

陈太监如逢大赦，急急如丧家之犬，一溜烟逃出将军府，打马出城，消失在鞑靼营盘中。

史万夫素来一言九鼎，众将无不钦服爱戴。纵然百般不愿，还是遵命放走了姓陈的太监。这时候，所有人都围在史万夫身侧，大放悲声。

史万夫强撑着站起，道："不杀尽胡虏，我还舍不得死！"吸腹吞胸，膈肌上顶，胃囊一缩，哇的一声，一股酒箭喷出老远，喷到对面墙壁，哧哧冒烟，灼蚀出无数麻眼来，御酒毒性之烈实是罕见。当下史万夫连呕带吐，总算将毒酒逼出八九分来。

日暮时分，总兵府前，众将拉来三十匹战马。这些马早就断料数月，近来连草皮也供不上，瘦骨嶙峋，瘸腿瞎眼，尽是伤残老马。史万夫愣道："你们这是要作甚？"众将禀道："将军，这些马都是老弱病残，留着无用，先杀了填饱肚子，再思良策。"

史万夫虎眼含泪，喟然长叹道："我们坐困愁城，敌人想我们死，皇帝也想我们死，我们没有亲人，没有朋友，我们还剩下什么？"

众将面面相觑，不明所以。

史万夫缓缓走到一匹斑骓马前。那马瘸了一条腿，摇摇晃晃强撑着站立着，身上纵横交错，布满触目惊心的伤疤。它给人硬牵着走，似也知道等待自己的命运将是什么，大眼中扑簌簌滚下泪来。史万夫鼻翼翕动，猛抽一口气，将眼中热泪狠狠咽了回去。他抚摸着斑骓马身上的伤疤，道："我们剩下的只有手中的刀，还有胯下的马。是这些马驮着我们冲锋陷阵，一次次死里逃生。只有它们，才肯救我们的命，只有它们，才是我们的亲人，我们的朋友，我们的恩公！而今天，我们活着，它们残了，病了，垮了，我们却还要吃它们的肉，喝它们的血！你们说，我们还叫人么？还叫人么？你们说！"说到后来，声嘶力竭，泣不成声。

战马如兄弟，没有一员大将不爱战马。若非逼到绝地，众将也不可能要杀马果腹。眼见将军悲泣，众将亦受感染，无不泪下。

那斑骓马伤病缠身，此时好似听懂了主人们的话，泪珠出奇地收了回去，将头拱了拱史万夫，咴咴哀叫两声，两眼一闭，缓缓卧倒，溘然逝去。

史万夫就在府中掘坑，将斑骓马埋了，起坟立碑，跪地痛哭，烧纸祭奠。众将无不动容。

便在此时，城外突然炮声隆隆，喊杀声惊天动地。登城一望，鞑靼兵推着攻城车，扛着云梯，潮水般卷地而来。黄立咬牙道："方才戍城卫禀报，陈公公一行进了鞑靼营，竟有人迎接。看来不是皇帝与大炎可汗定了城下之盟，便是那阉人私通敌国。敌人来得这么快，定是他把将军中毒的消息透露给了大炎可汗！"

史万夫顾盼众将，仰天狂笑："粮食来了。弟兄们，跟我顶硬上！"说着身先士卒，打马冲出城外，众将士紧跟其后杀入敌阵，直杀得尸横遍野，天昏地暗，日月无光。天交酉时，鞑靼军扔下数百具尸首，鸣金收兵。敌兵才退，拒胡城门半启，抢出一彪人马，风卷残云也似，将这数百具尸首拖死狗般拖入城中，其中赫然便有陈太监。

斩首截肢剔骨，摘去内脏，切段分块，清洗之后架灶生火，煎炒烹炸闷煮炖，不多时，肉香四溢。尤其那陈太监，肥膘烤出十多斤荤油，做了三大盆高汤，二十盘卤肉，还余下大半。油烟四溢中，史万夫背了一麻袋蘑菇，说道："内宅中几棵老朽松木，向日雨大，结了不少菌菇，加入肉中，借个鲜味。我方才吃了一只，不是毒菇。"那菌菇色黧黑，气味芳香，迥异常见，众人都不识得。如今饥不择食，便分发下去，加入高汤。

总兵府中红烛高烧，众将席地而坐。席上菜肴已凉，望着那狰狞的肉块、白腻的高汤，众人虽肚腹空空，却怎么也提不起食欲。这是人肉做的啊！

史万夫从后堂转出，面色苍白。白日里毒酒未曾呕净，接着又是一番生死搏杀，回来后几欲瘫倒，偷偷溜到后堂，呕了一痰盂黑血。方才送了一袋菌菇，累得气喘吁吁，歇息好几个时辰，这才强撑着来到前厅，顾盼众将道："弟兄们，本来人死为大，我也不想吃人肉。但是不吃就得死。我们一死，此城必破，到那时鞑虏屠城，我们的兄弟被人杀戮，我们的姐妹遭人凌辱，我们做鬼也不得安生。你们忘了十里坡上被剥皮剜心的二百八十一个父老乡亲么？忘了鹰愁谷中被凌虐致死的三百零九个姐妹么？这盘中的敌人杀过我们的兄弟，凌辱过我们的姐妹，手中沾满了无辜者的鲜血。壮志饥餐胡虏肉，何况我们吃的只是尸体，不像毫无人性的大炎可汗生吞活人心。想史某一介武夫，疏读圣贤书，戎马一生，却不杀民，不虐囚，不掳掠，不辱妇人。百姓敬我，敬的不是我的蛮力，而是我超越种族的悲悯之心。就像那哈格沁草原的拔力老汉是我的干爹，阿齐格是我的义女，以前是，现在是，以后也是。

那一年，我在安答手下救了他们一家。大明也好，鞑靼也罢，作恶的是那些穷兵黩武者，百姓都是无辜的。若鞑靼攻破拒胡城，长驱直入，还不知要有多少百姓受害。我曾保护过胡人百姓，今天我要保护汉人百姓，所以我们必须守住拒胡城，为什么不吃，吃！"

一碗酒顿在桌上，残液飞溅。

虫离石瓮吐狰狞，女隔重门锁豆蔻

夜深露重。梆梆梆，城头传来三更鼓点。总兵府中，灯烛荧荧。众将团团围坐，吃了一顿饱饭，精神渐佳。史万夫顾盼左右，道："这些肉腌成腊干，熬成稀汤，也仅够城中军民一个月的伙食。鞑虏吃一堑长一智，断不会再贸然进攻，纵然进攻，也可能以活人为毒饵，再想夺粮已无可能。何况，我三次闯营，再喝了毒酒，元气大伤，方才又呕了一痰盂黑血，只怕、只怕没几天活头了。我们已到绝路，大家有何良策？"话虽这样说，史万夫脊梁依旧挺得笔直如枪，坐在那里渊渟岳峙，令人望而生畏。

众将面面相觑，忧戚满脸，大家心里都清楚，将军若倒下，这天就塌了。

偏将张雷急得抓耳挠腮，道："将军，你的伤情乃最高机密，万一走漏风声，对我方大大不利啊！"

黄立惊呼一声："你怀疑我们之中有奸细？"

张雷怒目大喝道："不错，将军昨日劫来毒粮，我便觉得蹊跷。想那鞑酋怎知将军要劫哪批粮草？今日我查看了中毒百姓，有的脸色青紫，有的脸色惨白，分明中的不是同一种毒药。敌人若要给粮食拌毒，怎会掺两种不同毒药？所以我怀疑城中有内奸，若我推测不错，将军劫来的粮食中，部分有毒，部分无毒，而这内奸又给无毒的粮食中下了毒！"

黄立闻言怒吼一声："孟烈，昨天是不是你放的粮？"

偏将孟烈脸色惨白："是我！可是我并未下毒啊！"

黄立道："谁能证明？"

孟烈惨然道："无法证明。"说着拔出佩剑，便欲自刎——蓦地，旁边伸过一只大手，铿然一声，夺剑还匣——出手的正是史万夫。他拍拍孟烈肩膀，动容道："我相信孟烈兄弟。在座的和我出生入死，情同手足，都是铁骨铮铮的大好男儿。我不会放弃你们，你们也绝不会背叛我。我屡劫粮草，惯走卧牛山这条熟路，敌人必有防备，才定下如此毒计。都怪我一时疏忽，中了圈套，至于毒药有两种也不奇怪，一种药不够了，必然会换另一种，而我不巧将这两种粮食都劫了过来。此事休得再提。说说你们有什么妙计破敌？"

黄立摩拳擦掌道："俗话说，留得青山在不愁没柴烧，何况皇帝老儿也已放弃我们，不如我们倾城而走，冲过敌营，遁入荒山，养精蓄锐，待元气一复，卷土重来，再报仇不迟。"

史万夫摇头道："纵然我们能冲过敌营，只怕百姓一个也活不了，便是诸位兄弟，也要折损大半。"众将心里清楚，何止折损大半，只怕除了史万夫以外，无人能活。

张雷道："只要将军能带着小姐杀出贼营，末将等死也无憾！大炎可汗这个色中恶魔，千万不能让小姐落入他手中。"

史万夫道："我有女儿，百姓家便没有女儿？我女儿不能落入敌手，百姓的女儿也不能落入敌手！"

黄立奋然站起："不如我们都杀了家眷，而后与敌人拼个鱼死网破，玉石俱焚！"众人闻言，俱是浑身剧震，气喘如牛。

片刻，史万夫缓缓道："不可！"

张雷道："难道我们就只有等死？"

史万夫犀利的目光缓缓扫过众人："你们，真的不怕死？"

"不怕！"异口同声。

"好！一个月后，我们再死！"史万夫的话斩钉截铁，"但是，我要拉十万鞑虏给我们殉葬！"红烛半残，蜡泪如海，窗隙间一缕阴风钻入，风口之烛忽明忽暗。史万夫的影子投到墙上，张牙舞爪，宛如鬼魅相搏。众将深深打了个寒噤。

史万夫站起身来，推窗望月。起风了，天上风回云聚，掩月埋星，正在酝酿一场倒海翻江的春雨。

史万夫仰头望天："一千年了，我也不想触犯这个禁忌，是你们逼我的！

大炎可汗，狗皇帝，贼老天，是你们逼我的！"话音未落，蓦地转身，眼中有烈火喷出，"弟兄们，你们知道吗？一千二百年前，这里没有拒胡城，只有一个部族在这里生息繁衍，叫窈天氏。传说他们拥有一方宝匣，天道物理，兴衰成败，无不囊括其中。但也因为这宝匣妄测天机，族人们怕它带来厄运，便把它被深埋在地下。二百年后，一个孩子因为好奇，偷偷掘地三尺，寻找宝匣。谁成想，这地下乃是地狱的大门，宝匣正是开启地狱之门的钥匙，那孩童无意中打开了地狱之门，放出了魔鬼。从此全族被灭，只剩那孩童侥幸未死，却也受了极重的伤害。后来不知何故，那地狱之门重新关闭，又锁住了魔鬼，宝匣也重新埋回了地下，一场浩劫才告结束。那孩童长大后娶妻生子，传到如今已是七七四十九代。说到这里，兄弟该都明白了，我便是窈天氏第四十九代传人。也许是祖上受了魔鬼诅咒，也许是泄露天机遭到天谴，从古到今，不管生男生女，我窈天氏都是单根独苗，一脉相承，香火不旺。这就是报应！我们放出魔鬼，便将化身为魔，再也无法回头，将要遭何种天谴，实难预料。大家说，我们是束手就戮，被鞑虏敌人杀光，还是放出恶魔，和敌人同归于尽？"

这一番话实在太过惊世骇俗，众人愕然半晌，你一言我一语，七嘴八舌，最后一锤定音："放出恶魔，和鞑虏同归于尽！"

夜色深沉幽晦，风吹窗棂呜呜作响，如泣如号。府门启了一条细缝，史万夫鬼魅般悄立门后，黑如曜石的眼中一丝诡异光芒闪过。待众将散去，他关门落锁，回归后堂。

史万夫妻子早丧，女儿也不和他同住，他生活简朴，也不用仆妇。房门一锁，只剩他一人，来到内室，翻箱倒箧，从箱底下取出几块碧玉，一把鱼肠剑，一块棉布，一瓶银粉，置于桌上。拨亮蜡烛，检视碧玉，掂量几番，挑中了一块颜色纯粹深艳的，将鱼肠剑当作剜刀，轻削碧玉，玉屑簌簌而落。不多时，一个圆形玉片被揎出，比指甲略大，薄厚也和指甲差不多，边缘正圆，内呈圆弧。史万夫取过一方铜镜，看着镜中的自己，拿起玉片，凑到眼前，仔细比量，略觉不妥。于是又拿起短匕，修边抠角，终于满意。连揎出两片，又取过棉布，蘸上清水银粉，细细打磨。一边打磨，一边蹙眉深思，不时罢手，凝视烛焰，似有什么难题想不通透。

待了半晌，史万夫将玉片装入囊中。沉思片刻，转身开柜，将敌情卷宗悉数搬出，摆在桌上。摊开地字号卷宗，找到鞑靼军中大炎可汗等重要人物资料，细细查看。

姓名：大炎可汗。年纪：五十八。相貌：高大魁梧，金发碧眼。兵器：无。家室：阆氏留三子，二子双亡，只余一子狻猊。一钦察妃子生一女，幼时被敌人掳走，生死不明，其女肩头有七星胎记，传说能旺室兴家，光宗耀祖。因失去此女，大炎可汗倍感伤心。特征：残暴好色。私密：曾强留麻狸虎、赫花狼妻妾侍寝，二将闹去后宫，被大炎可汗各打五十大板，又赏二人两名美女，方才平息。

姓名：黑莲法王。年纪：六十二。相貌：面如橘皮，白眉白须。兵器：黄金盘蛇杖。出身：黑莲寺住持，西鞑靼帝师，地位尊崇无比。半路出家，俗家有一子二孙。特征：老谋深算。私密：驯养僧兵，骄横跋扈。

姓名：忽雷怒。年纪：四十五。相貌：面如锅底，细目虬髯。兵器：虎头凿金枪。出身：簪缨世家。三子。特征：胆大粗豪，刚愎自用。私密：曾犯言直谏，指摘大炎可汗过失，与同僚多有不睦。

姓名：狻猊。年纪：二十三。相貌：金发碧眼，颌下短须。兵器：人面蛤蟆槊。特征：力大无穷，号称鞑靼第一勇士，狠毒无情，目中无人，曾放狂言，要做第二个成吉思汗。出身：大炎可汗嫡生第三子。私密：幼时便有狼子野心，草原上相传其两个哥哥便是其暗中害死。有童谣三匹小狼，即是寓言此事。

姓名：眇道人。年纪：四十三。相貌：面容猥琐。兵器：七星八卦剑。坐骑：葬獒。特征：胆小怕事，诡诈多端。曾入鲁班门偷师，擅长撬门开锁。出身：中原三十六邪门中堪舆门，娶盲妻宁氏，生一子，呆傻。私密：幼失怙恃。因观阴相地，损阴丧德，其师地藏仙曾预言他活不过四十三岁。娶妻生子，幼儿天生呆傻，十岁时，被一拍花先生拍走，至今不知所踪。

姓名：麻狸虎。年纪：三十八。相貌：豹头环眼，相貌凶恶。兵器：日月宣花斧。出身：簪缨世家。一子三女。特征：鲁莽，好酒。私密：与赫花狼是结义安答。

姓名：赫花狼。年纪：三十七。相貌：马脸细长，面相凶狠。兵器：锯齿狼牙棒。出身：簪缨世家。无子女。特征：阴狠狡诈。私密：与麻狸虎是结义安答。

此次出征，鞑靼大将几被史万夫斩绝，首脑人物仅剩这七人。细作探听来的情报散落在卷宗里，史万夫看完地字号卷宗，又找出天字号绝密卷宗，一页页细细查看这几人更为隐秘的资料，不敢漏掉任何一个细节，然后归纳总结，将七人资料详细开列在一张黄裱纸上。

烛光摇曳，映着史万夫饱经沧桑的脸，皱纹堆垒，两眼血红，法令纹深似刀刻，鬓角斑白如染霜花。他一边查看，一边勾勾点点，画圈连线。他时而蹙眉深思，时而绽颜一笑，时而摇头叹息，脸色风起云涌，阴晴不定……一顿饭工夫，他伸个懒腰，起身来回踱步，好似突然想到了什么，疾步来到书橱前，翻出《茅山僵尸引》《巫术汇宗》《拘鬼咒》《南洋邪降》《风水邪局》《蛊惑》《傀儡戏》等，一本本细细翻看。过了好久，他拍案而起，绕屋疾行，猛地一跺脚，从桌下拎出一把铁铲，撬起屋角一块青砖，三下五除二，挖出一只黑釉陶罐，揭开罐盖，顿时一蓬腥臭黑气爆出，继而嗡嗡声如蚊叫，一堆麻线头大小黑色虫豸扯着白稠稠黏液叠着罗汉争先恐后爬出罐口。史万夫伸手接住，覆在脸上，那些虫豸闻到生人气息，兴奋异常，四散爬走，从鼻孔耳眼等孔窍钻入，须臾走个干净。虫豸入体，痒痛难熬，饶是史万夫铁打硬汉，也不禁呻吟出声。

好半天，史万夫缓过气来，将罐子扔了，青砖镶好。想了想，拣个瓦盆，将那张黄裱纸连同卷宗及各种书籍拾掇一起，扔里烧了。这才转身出了内室，借着夜色遮身，七拐八绕，来到后院池塘，顺着木桥来到池中假山前，假山上盘着一条石雕大蟒，他掰转白蟒左边第二颗獠牙，吱呀一声，假山上一块大石向后缩去，露出黑黢黢一个洞穴来。洞中有人问道："谁？"声音娇嫩清脆。将军闪身进去："女儿，是我。"

不过片刻，里面隐隐传出史天骄的惊叫："爹，你脱我衣服干吗？不！"

翌日五更，众将到总兵府议事。奇怪的是，往日风雨不误的将军竟然破天荒没有升堂点卯。众人心中隐隐升起一丝不安，将军重伤在身，难道遭遇了不测？一念及此，黄立率众急匆匆赶往内堂，来到将军门前，见房门反锁，黄立一惊，慌忙擂门不止，门内依旧声息皆无。众将大急，待要撞门而入——

便在此时，房门吱呀一声开启。清晨的第一缕阳光洒在那千沟万壑的脸上，树梢的第一缕春风像母亲温柔的手，轻轻撩起盔檐下那一缕飘逸而出的雪白长发。

"将军！"众将齐声惊呼，热泪如注。短短几个时辰不见，恍如隔了三秋，将军竟一夜白头！

史万夫绽颜一笑："我还没死，哭什么！走，登坛祭鬼，让敌人哭去！"

已知二竖潜膏肓，倩谁念取回天咒

又是午夜时分，夜幕四垂，星月无光。总兵府后院，当中放着一张八仙桌，桌上烛光如豆，在风中摇曳，却始终挣扎着不灭，煞是诡异。蜡烛周围燃着檀香，摆着八卦镜、招魂幡、天师令、铜钱、黄符、糯米、朱砂等各种法器。宝枪白蟒乌龙刺横放在桌上，旁边木桩上拴着宝马麒麟豹，挂着衍天甲。史万夫身穿八卦仙衣，披发仗剑，踏罡步斗，口中念念有词："三尸苏醒，七煞归位，地狱开门，酆都集会。一鬼欢喜，群鬼欣慰。借尸还魂，不入轮回。"手持桃木剑，挑起一叠黄符，左手掐剑诀一指，黄符上登时火光腾起，念道："一请穿心鬼，二请……疾！"手指在桃木剑上一划，鲜血涌出，点在眉心，回手叩打背后棺材，喝道："大鬼守我身！"鲜血滴在白蟒乌龙刺上，再次叩棺，"二鬼守我枪！"转到宝马跟前，鲜血滴在宝马身上和衍天甲上："三鬼守我马，四鬼守我甲。"身如陀螺旋转，一圈鲜血淋漓洒出，"五鬼守我地，六鬼守我匣，七鬼守我女。七宝化厉鬼，杀死七恶贼。敕！"

后院的围墙下有一狗洞，荒草深埋，污秽不堪，一个人影正伏在草莽中，透过狭窄的狗洞向里窥探。他隐藏得极好，几乎和荒草混为一体，难以分辨。看史万夫作法已毕，将法器一一收起，那人影才悄悄爬起，幽灵一般摸出将军府，隐没在夜色中。

拒胡城蹲伏在深邃难测的黑暗中，藏头露尾，像一只洪荒巨兽蛰伏沉睡。城头岗哨伏在雉堞后面，秉枪抱锣，窥探着远处敌营动静。

脚步声起，一人来到岗哨后面，两名岗哨一惊回头，慌忙站起施礼："原来是……"来人一摆手打断两人，低哑着嗓子说道："这几日将军登坛祭鬼，怕敌人偷袭，让我巡城监督。你们太累了，先去岗楼打个盹，我先替你们一会儿。"两名岗哨上下眼皮干架，早就撑不住了，一听此言，恨不得给来人磕俩响头，当下连声道谢，脚下生风，一溜烟走了。

等了半晌，来人觑得左右无人，从背后走兽壶中取出一支无镞箭，张弓搭箭，探出垛口，一箭飙射，松弦之后快速曳弦，然后再缓缓松开。短暂的颤音混淆在疾风中，消弭于无形。来人左右张望，不见异动，似乎很满意，慢慢倚坐在垛口下，舒展开四肢。

拒胡城下东南角一箭地。一个人影借夜色掩身，从鞑靼营偷偷摸来，数十丈方圆兜了一圈，拾起雕翎，凑在眼前，勉强看出是一支雕翎箭，箭杆上绑着一卷纸帛物事。

鞑靼营，金顶黄罗帐。烛影幽晦，一人闪身钻进，脱去风帽，正是大炎可汗，他将箭上布帛解下，在火上一烤，一片字迹显山露水。不是蒙古文，也不是完全的汉文，而是少许汉字夹杂着一些汉字偏旁部首……大炎可汗仔细看完，脸上露出一丝诡笑。

第二日傍晚，史万夫召来爱将黄立，两人钻进密室，关门落锁，直到夤夜时分，黄立才悄悄离开将军府。

此后几日，隔三岔五，大炎可汗便能收到城中传来的密信。白日里，他率亲随登上营中高岗，手执千里筒，居高临下向拒胡城中眺望。但见城中军民有如蚂蚁出洞，熙来攘往，伐木脱坯，赶车挑担，运送土石，忙得热火朝天——原来在大兴土木，造房筑屋。麻狸虎哈哈笑道："史万夫喝了毒药，把脑子搞傻了吧，这是要玩什么把戏，难道要盖个金銮殿，临死过一把皇帝瘾？"

眇道人观察一会儿，大惊失色："不好，这史万夫伐木造房，掘坑填井，是要破坏龙脉啊！大汗，快快下令攻城，阻止这个疯子！"

狻猊一听更是着急，这几日他已经缠着眇道人讲了不少风水故事，这才知晓，前朝兴亡多和龙脉有关。如果史万夫破坏了龙脉，无异于截断了他的王图霸业。

　　大炎可汗眯眼皱眉，嗓子里如毒蛇咝咝抽气："好，趁他大兴土木，疏于防备，攻城！"

　　黑莲法王补充道："带三百个毒人。"所谓毒人，正是黑莲法王应对史万夫抢人做粮的对策。募集一些死士，舌下含了蜡丸，被杀前，咬碎蜡丸，吞下毒药。这种毒药极为特殊，融进血脉，变成毒人，尸表却看不出异样。敌人若吃了这些毒人的肉，必死无疑。

　　一声炮响，鞑靼兵如洪水决堤，怒卷而去。不想云梯刚扒上城头，城头忽然鼓角大作，伏兵四起，滚木擂石冰雹也似砸将下来，将城下兵丁捣成肉泥。史万夫如天神下凡，矗立城头，举枪怒吼，声如霹雳，须发如狮鬣飞扬。鞑靼兵早被这杀神吓破了胆，发一声喊，潮水般退却。毒人按照军令，除了被砸死，来不及吞毒的，其余全部服毒自尽，死在拒胡城下。

　　黄立等将喜出望外："这回又有粮食了！"史万夫止住众将，咬牙皱眉道："不许再抢尸体为食。我们抢了一次，敌人必然有了防备，若我推测不假，这些尸体和那毒粮一样，大部分都是毒尸。上次腌肉还够维持一段时间，大家坚持一下吧。"

　　回到将军府，关起房门，史万夫捂着胸口，再也忍不住，鲜血夺口喷出。方才城头怒吼，牵心连肺，伤势加剧。呕了半晌，气虚体乏，扶着门框，回手拍拍背着的棺材："四十三年，我累了，该到你出世了！"那口棺材呈紫檀色，长四尺，宽一尺半，棺材头齐顶，棺材底到腰，扣住甲胄，直直镶在将军身后，用两条丝鸾皮带勒紧。棺材表面布满米粒大小的蜂眼细孔，连起来便是一篇七杀星图。两道镇鬼符十字交叉，镇住棺材天。

　　有人说这里面装着上天贬谪的七杀魔星，有人说这里面藏着幽冥七鬼，也有说藏着一具千年僵尸，也有说藏着一只上古怪兽，更有说里面藏着一柄毁城灭寨亘绝古今的神兵杀器——这些都是臆测揣度，除了史万夫，没有人知道这棺材里装的到底是什么……

狂风暴雨炼金刚，尊姓大名垂宇宙

时光如白驹过隙，晃眼月余。

大炎可汗学乖了，紧闭营门，深挖壕沟，多备弩箭，坚守不出。他埋伏在拒胡城中的细作谍报频传，报告城中筑坛行法，举行什么周天血祭，要放出地狱魔鬼。大炎可汗付之一笑："若真有鬼，何必举行什么祭祀，这都是史万夫的诡计，我们以不变应万变，看他耍什么花招。"好在拒胡城上紫气如盖，始终未灭，看来龙脉未遭破坏。

终于，拒胡城的腊肉一天天耗光了，从一日两餐到一日一餐，再到两日一餐，从干肉到肉粥再到肉汤，终于只剩清汤寡水了。

这一日，五更点卯。众将饿得也是眼冒金星，四肢乏力。史万夫病恹恹面无血色，强打精神敲了敲痛入骨髓的头，发号施令："按原计划，召集全城壮丁，到府前点将台。"

北门点将台。迅风突起，腾云掩日，振木动瓦，如号如哭。史万夫佝偻着身子，拾阶而上，一步步，沉重无比，十八级台阶，像走了十八年。今日，是最后一次走上这点将台了吧！拖着僵硬的脚步，久久抚摸着虎皮椅兵器架，不知不觉间，两行浊泪已是滚滚而下。

点将台上，明字大旗在风中卷舞。史万夫摩挲着旗杆，蓦地转过身来，振臂一呼："弟兄们，乡亲们，拒胡城守不住了。我史万夫无能，不能退敌，连累大家了。对不起！"说罢，扑通一声，堆金山倒玉柱，面向百姓，跪倒在凛冽悲风中。城中万千军民一起跪倒，泣不成声："是我们对不起将军！"史万夫连磕三个响头，抬起头道："乡亲们，放心，我史万夫便化为厉鬼，也要守护拒胡城三生三世，不离不弃！"说完霍然起身，拔出佩剑，用力一挥，寒光扫过，明字大旗铿然倒下："从今以后，拒胡城再不姓明！"

诸将不明所以："将军，你……"

史万夫一字一句道："我要降！"

黄立等将额头青筋暴露："将军，不能降！城在人在，城亡人亡，宁死不降！"百姓们跟着呼喊："宁死不降！宁愿战到最后一人！"山呼海啸，压倒了狂风。

史万夫虎目蕴泪："你们是真正的男儿！不降便不降，我这便与大炎可汗和谈，若其不允，那便战到最后一人！"

阶下拴着麒麟豹，史万夫一步步走下台阶，路过爱将黄立身边，盯着他的眼睛，忽然鼻翼翕动，说了莫名其妙的一句话："在我眼中，这世上没有胡人与汉人，只有好人与恶人。"说罢，再不回头，挽起宝马缰绳，一步步向城外走去。

兵丁刀剑出鞘，百姓也配给了刀枪，乌压压跟在后面，迎着暴虐狂风，人人面色决绝，视死如归。

放下吊桥，城门大敞，出城半里，军民按部就班，纵横交错，结成一个参差不齐古怪阵势。史万夫牵马提枪，身先士卒，向鞑靼营喊话，将来意说明。

大炎可汗闻报，思忖半晌，同诸将计议，史万夫城空粮绝，已是走投无路。当下令符飞传诸营，十万兵卒弓上弦刀出鞘，伺机而动。自点精锐三万，杀出营盘，列开阵势，弓箭手弯弧注镞，射住阵脚。门旗两分，黄罗伞下，众将拱卫，大炎可汗马居正中。

眇道人瞧对面阵势有异，禀告大炎可汗一声，手攀脚蹬，猿升猱引，攀上黑毛大纛，手搭凉棚，单眼吊线，注目观看。

黑云压城城欲摧。大炎可汗远远望去，史万夫身先士卒独立阵前，岿然不动。

大炎可汗提声大喝："将军要和谈，可真？"

史万夫喝道："真！"

大炎可汗仰天狂笑："好。你便献出七宝，头顶降书顺表，膝行至我军前，三跪九叩，山呼万岁。我便与你和谈！"

史万夫冷笑一声："我汉人只有断头男儿，没有跪地将军！"

大炎可汗冷笑道："死到临头还敢口吐狂言！你便是龙是虎，也是病龙饿虎，我杀你如碾臭虫，你有何条件与我和谈！"

史万夫仰天狂笑："是龙是虫，大汗不妨一试！"

大炎可汗向左右一递眼色："杀！"

话音未落，旗脚下闯出八个头如麦斗眼赛铜铃的丈二巨人，怒吼连声，旋风般杀出阵去。铜人娃娃槊，镔铁压油锤，辘轳狼牙棒，凤翅镏金镋，链子倭瓜锤，水火开天棍，合扇板门刀，九节混铁鞭，八件重兵器如泰山压顶轰将下来。将军也不乘马，捻枪大喝，发足迎上。史万夫身高八尺，但在巨人脚下相形见绌，渺小得紧。

锵锵锵！金铁交击，声如雷震，白蟒乌龙刺化作黑白两道炫目神光，绞住八般兵器，倏忽间黑气白光暴涨，如同黑白两头怪兽，一口将个巨人吞噬。须臾，白光黑气消弭，化作一条宝枪，提在史万夫手中。

八具死尸横陈沙场。

史万夫以枪拄地，强行撑住身体，缓缓站起。这回光返照一战，已让他油尽灯枯。随便再来一个士兵，取其性命，都易如反掌。

此刻只有赌！

史万夫拼尽全力，仰天狂笑道："大炎可汗，今日我便杀出重围，又有何难哉！"

素日积威，胡人胆裂。大炎可汗骇得目瞪口呆，竟没看出史万夫是在虚张声势，喃喃自语道："魔鬼！魔鬼！"呆然半晌，色厉内荏道："将军究竟要怎样和谈？"

史万夫道："两国交兵，罪在君王将帅，与兵丁百姓无关。史某愿将项上人头，换取阖城军民性命。不知这个条件如何？"

未等大炎可汗答话，史万夫身后军民已是沸反盈天，齐声呼喊："将军不可！"

史万夫回头瞪目大喝："此是军令，违令者斩！"唬得一干军民不敢挪步，泪水却禁不住冲出眼眶。

大炎可汗惊喜莫名："果真？"

史万夫道："不假，史某一言九鼎，一诺千金！"

大炎可汗道："这我相信！只要你当场自刎，我保证秋毫无犯。"

史万夫道："我却不信你，你须发个重誓。"

大炎可汗不假思索道："若我存心欺诈，死无葬身之地。"

史万夫一指大炎可汗左右七人，一一道出名姓："不要含糊其辞，你七人，须得七种明确死法！"

大炎可汗眼珠一转："好好好，若我们违信，便被气死，吓死，哭死，笑死，饿死，撑死，窝囊死。哈哈，你看怎样？"对于大炎可汗这边来说，这是七种最不容易的死法。

史万夫一听，便知大炎可汗毫无诚意，扭头对身后军民道："胡人诡诈，我若身死，必然屠城。好吧，今日我汉人便战至最后一人！"仰天狂笑，萧萧白发在风中狂舞："大炎可汗，我幼时被巫师下咒，背上这七煞血棺，棺中封印着七个冤鬼。若我好死，冤鬼亦死。若我冤死，冤气冲棺，封印自开，七鬼出棺，到那时我必还魂成魔，取尔等狗命！你若能放我一条生路，大家相安无事，如若不然，我死之日，便是你等下地狱之时！"言罢，五指如飞，如拨琴弹琵，连点自己肩胛脖颈，口中喃喃念咒，蓦地仰天怒吼："天意无情利过枪，男儿有胆大如斗。杀生一万不算多，做人三十活已久。"提枪便欲上马，蓦然间身侧腾起一道如虹白光，白光过，热血溅，一颗头颅冲天飞起，画出一条悲壮凄厉的弯弧，骨碌碌滚到地上，尸身却如泰山屹立不倒。

尸旁一人拖刀立马，却是黄立，面色狰狞，刀头上鲜血如蛇蜿蜒而下。

横绝一世震烁古今不可战胜号称七命杀星的史万夫竟然就这么轻而易举莫名其妙地死了！

这是真的么？这是真的么？

白日凶鬼索命来，掉头老尸衔刀走

那一刻，呼号的狂风，抖动的甲叶，城头悲啼的巨鹰，战马嘶鸣声，激烈心跳声，一切声音似乎都被凝固，天地之间片寂。两军将士如见日出西方，黄河逆流，全都呆住了！

过了半晌，那风声才从遥远的天际钻入耳膜。近二万人，同时揉起四万只眼睛。大炎可汗恍如梦中，喃喃自语道："这是做梦！做梦！"忽雷怒道："大汗，不是做梦。"大炎可汗问："史万夫真死了？"狻猊狂笑道："真死了！"大炎可汗问："死的真是史万夫，不是替身？"狻猊不耐道："大汗，你是不是被史万夫吓破胆了？方才力刺红泥国的八大天王，那种身手，除了史万夫还能有谁？哈哈，史万夫一死，我便是真正的天下第一了！"

大炎可汗狠狠掐了两把大腿，疼，看来不是做梦。他抓起千里筒，单眼吊线，注目瞭望，但见两军阵前，史万夫无头尸身兀立不倒，颈腔中血肉狰狞，斗大人头萎落尘埃，白发三尺蓬乱如草，滚满鲜血，煞是刺眼。"必勒格，将史万夫的头取来我看！"

黄立马鞭一甩，卷起史万夫人头，直趋敌阵。有军卒阻拦，大炎可汗喝止："这是我妻侄必勒格，安插在拒胡城中的细作。"

黄立将人头呈上。大炎可汗叫侍从揪住将军白发，伸颈细看，但见那人头剑眉高挑，怒目圆睁，须发皆张，虽死犹生。额上一块弯月形伤疤，确是史万夫无疑。

"捏捏脸，看看是不是假的！"

侍卫照做，果然是真脸。大炎可汗这才信了，愣然半晌，忽地仰天狂笑："史万夫啊史万夫，你终于死了！你一死，我还怕谁？怕谁！这天下，从今以后，都是我一个人的了，哈哈！你还敢瞪我？我便叫你死不瞑目！"扬声大吼，"成吉思汗的子孙，蒙古草原的狼崽子们，挥舞起你们的利爪，捕食属于你们的羔羊吧！杀！"

漆着鬼眼的牛角号吹出高亢凌厉的调子，画着狼头的驼皮战鼓擂出雄浑霸气的乐声，热血在血管中贲张，草原的狼性复活了！千万铁蹄凶狠擂打大地，狂暴践踏青草，似要把这片土地蹂躏成蒙古人的牧场。

蓦然间，鼓号声戛然而止，好像被一只大手生生掐住。前锋诸将挥舞的牛角弯刀陡地凝滞半空，个个两眼瞪圆，望着前方，好似看到了什么恐怖物事，脱口乱叫："鬼啊，鬼！"纷纷勒马掉头。后面人马不知发生何事，旋踵不及，依旧前冲，一时自相践踏，乱作一团。

大炎可汗定睛看去，顿时吓得头皮发炸，胆裂魂飞，史万夫的人头失手落地——但见两军阵前，史万夫的无头尸身竟然提枪举步，一步步走向麒麟豹，然后扳鞍认镫飞身上马，高举白蟒乌龙刺，迎着千军万马，直冲鞑靼大阵。

史万夫复活了！

七命杀星的传说竟然是真的！

大炎可汗唬得魂飞天外，竟然忘了以弓箭狙杀。史万夫马到阵前，吁地止步。手提宝枪，枪尖划地，兜来转去，好似道士书符画咒一般。继而长枪指天，定住不动。便在此时，他背上棺材中冒出七缕黑气，呈扇面形飞入半空，幻化成七只恶鬼形状，张牙舞爪，骇人已极。倏忽间，那黑气被风一吹，扯成丝缕飘向敌阵，奄然隐没。鞑靼兵见那黑气飘来，无不骇然失色，欲要逃窜，怎奈腿软身僵，迈不动步。

黄立身先士卒，冲在最前面，那黑气恰好飘向他，吓得他面如土色，声调都变了："将军不要杀我，我错了！""了"字尚未出口，蓦地变成一声惨叫，一个倒栽葱跌落马下，忽然一捂胸口，仰面跌出四尺，哇的一声，喷出一口鲜血。再爬起，忽然左右甩头，连声惨呼。大炎可汗等人大惊失色，刚开始看得莫名其妙，后来猛醒，看这情景，是虚空中有一个隐形人将他踹落马下，踢得口吐鲜血，而后又连扇耳光。难道是史万夫的鬼魂？

正骇异间，黄立腰畔佩剑忽然自动弹出鞘外，看样子似乎是那个隐形人将他宝剑抽出。亏他手疾眼快，双手疾伸，箍住剑刃，奋力向外推去，指缝间血流如注，惨声大叫："将军，不要杀我！不……"黄立额头青筋暴突，拼尽全力和那无形人相持，但那剑锋依然一寸寸向他脖颈中挪去。但听啊的一声惨叫，剑锋划过，黄立人头落地，颈血喷起三尺，尸身颓然摔倒。

恶鬼出棺杀了奸细，无头将军兜转马头，马蹄嘚嘚，穿过自家军阵，施施然进城而去。

眼前景象太过诡异，休说变起猝然，鞑靼兵阻拦不及，便能阻拦，只怕也没人敢上前。冷风袭来，上万将士颈后冰凉，寒毛倒竖，仿佛那恶鬼就在颈后呵气。

大炎可汗牙齿打战，喉头中迸出两个字来："退兵！"

忽雷怒大喝一声："大汗不可！鬼神之言，都属妄谈！这是史万夫的诡计！大汗不信，待末将一试！"说着纵马舞枪，闯出阵去，趟马如飞，绕着黄立尸体连兜圈子，望空中怒喝："史万夫，你若真已变成厉鬼，便来杀我！杀我！来呀！"呼喊半晌，毫无动静。

忽雷怒圈马兜回："大汗，看到没有？并没有什么厉鬼。史万夫已死，拒胡城群龙无首，此时不打更待何时？若我猜测不错，必是史万夫用了替身，我曾入中原看过割头戏法，便是有矮人将脑袋套在衣领下，头上顶个假头，脖颈处放一灌满猪血的猪尿脬，佯装被刀切下，鲜血迸流，欺瞒观众。此次虽然用了真头，手法不同，但必然也是装神弄鬼的把戏，大汗切莫上当！现在诸国虎视眈眈，觊觎龙脉，我若撤兵，必被他国抢先。到那时追悔莫及。"忽雷怒说的割头戏法，是矮人乔装高人，可他忘了，无头将军若是矮人装扮，那这矮人能杀了八大天王，岂不是史万夫第二？

大炎可汗如羝羊触藩进退两难，迟疑半晌，一咬牙："忽雷怒，你率本部一万人马作先锋，杀入城中，寻找史万夫尸体，探听虚实。眇道人，你随元帅寻找龙脉，一旦寻到，速报我知。"

忽雷怒纵马举枪，喝道："勇士们，随我来！"方才忽雷怒以身犯险，安然无恙。手下兵丁胆气略粗，直杀向敌阵。眇道人催动坐骑葬骖赶上，斗鸡眼瞪成牛眼，狗油胡撅起多高："元帅，不能杀啊！明军组成这个阵势大有古怪，头角峥嵘，尾足勾连，组成一个煞字，这是风水阵的理煞中的字煞。我以落地辨牛羊的阴阳眼力数出，明军共有七千七百七十七人，乃是理煞中的七字连环煞。须以糯米狗血按五行八卦方位镇之，否则杀入敌阵，杀头则变成断头煞，斩腰则变腰斩煞，砍足则变缺足煞，对我大大不利！"

忽雷怒向来对风水术嗤之以鼻，所谓替大炎可汗寻找龙脉也是个幌子，只为攻占拒胡城这个战略要塞。当下挑眉怒眼："胡言乱语，兵贵神速，刻不容缓，待寻来糯米狗血，战机已失，你担待得起么？杀！"

人有恶行遭果报，天杀万物如刍狗

　　铁蹄驰骋，溅起蔽日黄沙；长刀挥动，截断盖天乌云。鞑靼军好似一把大剪，冲入明军阵营，叫嚣踆突，来回绞杀。明人饥饿已久，体力不支，不过片时，便被冲得七零八落。但是每个人都不肯后退半步，刀枪拼折了，便用拳头，膀臂砍断了，便用牙咬。饶是忽雷怒久经沙场，也未见到如此凶悍的战士，吃惊不小。

　　三炷香工夫，明人全军覆没，伏尸狼藉，血腥气弥空不散。忽雷怒检点战场，发现这群明人中只有壮丁，没有孩童妇女，想来必是藏匿城中。但他多个心眼，没有贸然进城，而是先命探马入城探听虚实。军卒开始打扫战场，将死尸用马车拉了，悉数扔到荒郊乱葬岗。

　　等了半晌，探马回报："里面是一座空城，不见半个人影。将军府异常简陋，和民居差别不大。最奇怪的是，城中处处挑着纸钱白布，十分诡异。"

　　忽雷怒心下疑惑，喝命盾牌手在前，弓弩手策应，自己押后，鱼贯进城。进得城后，人马立刻三五成群，撒入巷子，搜寻藏匿者。

　　忽雷怒刚踏入城中，坐骑便似嗅到了什么不详气息，咴咴哀鸣，不住倒退。忽雷怒大怒，紧扯丝缰，马嘴中渗出血来，这才勒住坐骑。举目观看，他自己不由得大惊失色——城中真的一片缟素，纸钱飘零一地，偶尔一朵浓艳红花插在白布上，更显诡异。打马前行，却见通衢大路上砌了一座圆坟，当街而立，突兀无比。绕过坟丘，只见道路两旁屋舍俨然，都砌成圆丘状坟茔，门口立碑，门楣左右挂着挽联，扯着孝布，旁边挑着纸幡，屋顶压着坟头纸。挽联纸幡零落破败，东一条西一块，在风中瑟缩着，恍如一具具毫无生气的尸体。

　　虽然这些景况在城外千里筒中已窥得一二，身临其境还是不免惊怖。举目四顾，城里格局已全然紊乱，水渠逆行，当道挖井，井上起宅，茅厕筑屋，屋子是圆丘形的坟冢，水井是藏污纳垢的窨井。从西门走到东门，到处都是一样，坟茔累累，墓碑林立，好端端一座城池业已变成一座阴森恐怖的阴宅。

史万夫这是搞的什么鬼？

忽然有兵士来报，在一窄巷中发现了史万夫的马匹兵器铠甲。忽雷怒急忙率众去看，果真不假，麒麟豹在巷子中一棵矮树上拴着，地下丢着白蟒乌龙刺和衍天甲，史万夫却不见了。忽雷怒命人四下寻找，但找了很久，踪迹皆无。众人百思不得其解，按理说，不管将军是死是活，遁走前总要带走三宝，带不走也要毁了，丢给敌人岂不是倒持太阿授人以柄么？眇道人道："史万夫是不是仙蜕虹化，白日飞升了？"忽雷怒怒道："胡扯！"

忽雷怒命人再找，自己骑马进了将军府。将军府也变成了一个大坟场，当院坟丘数十。眇道人跟在忽雷怒身后，瞪着独眼，一路上东瞧西望，眼神变化不定，时而恐怖，时而惊讶，自言自语："这是剪刀煞，这是反弓煞，哎呀，割脚煞，孤峰煞，天斩煞，穿心煞……"忽雷怒理也不理他。走着走着，眇道人再也按捺不住，催促葬葵上前："大帅，速速出城！史万夫已将此城格局改变，变成了风水阵十大死局中最恶毒的绝天灭地七煞连环局！若不出城，我等只怕都要死无葬身之地！"

忽雷怒虽不信风水，但眼前景物太过诡异，信口问道："什么是七煞连环局？"

眇道人一拍大腿道："堪舆术中七煞指的是形煞、味煞、光煞、声煞、理煞、色煞、磁煞。形指地形方位，味指气味香臭，光指天光地火，声指一切声音，理指单双奇偶，数字相冲，色指色彩明暗，磁指龙脉大力。史万夫将七煞按五行八卦排位，布出连环死局。你们现在只能看到形煞、色煞、理煞，我有阴阳眼，能看到七煞。先说你们能看见的，形煞、色煞一眼望见，理煞却没那么好认，元帅你看，这墓碑上文字有什么奇怪之处？"

忽雷怒闻言不悦道："卖什么关子，有话快说！"

眇道人心里暗骂，嘴上恭恭敬敬的："元帅说得是，你看这墓碑上铭文不写先妣先考，却写后生后辈，这明显不是纪念祖先而是嘱托后人。寻常百姓的姓名我不知道叫什么，但这总兵府里的墓碑上写着的是张雷、徐明、程业等人，都是史万夫的偏副将，这些人都在城外死了，墓碑却预先立在这里。想来他们都已经料到了自己的结局，这不算什么稀奇，奇的是墓碑的主人名字和落款挽者都属一个人，都是自己挽自己，而且落款都署名前世。墓主是后辈的自己，挽者是前世的自己，这分明就是一个个轮回碑。而且这碑文的字数都是九十八个，这是双七数，七七四十九的倍数。道家认为：人之初生，以七日为腊，一腊而一魄成，故人生四十九日而七魄全；死以七日为忌，一忌而一魄散，故人死四十九日而七魄散。一字代表一日，七七四十九日死，又七七四十九日生。这便是理煞中的轮回煞。史万夫挖空心思摆此煞，一定是要这些亡魂死而复生，再行复仇。这只是冰山一角，还有这院中树木的棵数也有古怪，这有几个树墩，是被新伐掉的，为的就是凑足大凶之数。"说着又指着从屋后引过来的两条浅水渠，乾坎艮震巽离坤兑一通计算，"单说形煞这水，本来这天劫水宜出不宜入，地刑水宜入不宜出，可你看这水脉流向偏偏相反。天劫水凶，地刑水恶，这一来损丁绝嗣，就好比城中潜伏着无数杀手，随时可以发出致命一击！"

忽雷怒听得头大如斗，截住话茬，呵斥道："什么轮回杀手，我不想知道什么七煞死局，本帅现在要知道，不出城要如何破解此局？"

眇道人道："若遇寻常煞气，可用遮、挡、化、斗、避、镇等法化解。只是这连环局，破一局生一局，死局循环，永无终局。"

忽雷怒道："一派胡言，这是史万夫的障眼法，想要吓倒本帅，做梦！就算是真，他既然用修屋挖道来布局，本帅便以牙还牙。来人，立即将坟丘夷为平地，疏通道路，沟通河渠，重筑此城！"

忽雷怒遣人飞报大炎可汗，得到指令后立刻动手。鞑靼兵手持铁锹铁钎，开始推坟填井，修路搭桥。

午牌时分，忽雷怒命一千夫长督造工程，自己同麻狸虎、赫花狼、眇道人出城歇息，在城前坐地起灶，埋锅造饭。岂料火才生起，忽然一名十夫长飞马出城，奔到眼前，滚鞍落马，摔得眉眼乌青，声腔都变了调："报报报，元帅，大事不好！寻龙营兄弟进入一座大坟丘，里面都是珠宝，大家哄抢，坟丘忽然坍塌，三百八十九人全数丧生！"

话未说完，又是一骑绝尘而来："报，元帅！觅龙营填埋一眼污井，井下忽然射出弩箭，七十三人死！"

"报，元帅，擒龙营九十九人阵亡！"

大炎可汗为了抢占龙脉，讨个彩头，将军队番号全部改成与龙脉有关的风水术语，什么寻龙觅龙生龙来龙擒龙……不一而足。

紧接着，斥候连环禀报，噩耗不断传来。有上桥桥断被摔死的。有坠入陷坑被里面尖刀插死的，有被毒烟呛死的，有被绳索勒死的，五花八门。忽雷怒怒目圆睁，啪的一声将手中酒囊摔在地上："什么狗屁风水绝局！这是史万夫布设的歹毒机关！"立即传令，命鞑靼兵以圆木挠钩长枪等长物件推倒住宅，尽量少接近屋宇墙壁。

鞑靼兵执行了命令，但凶信依旧如梭传来。到第二日，已有近万兵卒丧生。忽雷怒大急，飞马来向大炎可汗请旨：为了避免更大伤亡，火烧拒胡城。

眇道人将脑瓜摇得像拨浪鼓："大帅不可，大帅不可，葬书有言道：'童山不卧虎，死水不藏龙。'一旦放火，水火无情，烧成秃岭，龙脉可就毁了。而且，贫道昨夜夜观天象，见廉贞在位，掐指一算，今日正值祝融排衙，廉贞属木，祝融为火，火焚木尽，大大不吉啊！"

大炎可汗也沉吟道："如今史万夫七宝，我们已得其四，还差美女龙脉窃天匣！除了史万夫尸身不见，其他无人逃出，史天骄和窃天匣必然还藏匿在城中。如果放火，不但毁了龙脉，其余二宝也难幸免。"

麻狸虎道："如今寻找龙脉和史天骄是最重要的。大帅却要捣毁房屋，重新建城，这是不抓麋鹿抓兔子的做法。大汗，末将愿亲自去找龙脉，死也无憾。"

赫花狼不甘落后："可汗，末将请命，去寻史天骄，若寻不到，愿以人头相抵。"

听闻此言，大炎可汗龙颜大悦："你们是鞑靼真正的勇士。汉人有句话说，红粉赠佳人，宝剑酬壮士，朕便将史万夫的宝枪宝甲赐你二人。"旁边有近侍取过兵器甲胄，二人狂喜，跪倒接过，连连磕头谢恩。赫花狼得甲，麻狸虎得枪。

忽雷怒不识时务，继续说道："可汗，若是史万夫想保护史天骄和窃天匣，便会将之放在一个安全所在。若不能万无一失，只怕史万夫早毁了他的女儿和宝匣。所以火攻没事。可汗若怕损了龙脉，可将城中树木周围砍出防火带，再派人看火便可，只烧房屋，不让蔓延。"

大炎可汗还在犹豫，忽雷怒道："可汗定夺吧，伤兵太多，只怕为外人所乘，到那时什么都保不住了。"

大炎可汗一握拳头："好，依你，火攻。我早就知道你喜欢马，史万夫的那匹麒麟豹就赏你了！"话音未落，帐外马蹄声由远而近，哧啦一声，牛皮毡帘扯掉，猣猊怒冲冲闯进帐中，一脚踢翻炭火盆："麒麟豹是我的！"

原来昨日史万夫被杀，马匹盔甲枪支尽为大炎可汗所得。猣猊早相中了那匹追风逐电的麒麟豹，今早天才蒙蒙亮，他便风风火火闯进马厩，将麒麟豹牵出，在营外遛了一天马。这马却不认生，十分驯服，猣猊仰天狂笑："看来史万夫是吕布，我是关羽了。"忽有亲卫来报，大炎可汗将宝枪宝甲赏赐了麾下二将，猣猊勃然大怒，这才急匆匆骑马回营，兴师问罪。不想一脚门里一脚门外，却听到大炎可汗将宝马也送礼了，叫他焉能不怒。

胡人虽不像汉人那般三纲五常看重礼教，却也知君臣上下，父子伦常。大炎可汗拍案而起："放肆！忽将军冲锋陷阵，建功无数，你才到军前，寸功未立，凭什么和他争！"

蒙古汉子崇尚武力爱慕英雄。但英雄是打出来的，不是吹出来的。猣猊恶狠狠道："我和他比摔跤，谁赢了谁得宝马！"揎拳捋袖，摇膀晃腿，便想动手。

大炎可汗怒道："住手！草原上的狼群只会叼羊，不会窝里斗，成吉思汗的子孙这般没出息么！猣猊，我只要一个史天骄，寻到龙城龙脉，我的位子给你坐。"这话果然见效，猣猊粗目横眉，哼了两声，再不作声了。

大炎可汗瞥了一眼旁边始终趺坐养神的黑莲法王，道："窃天匣便归法王所有。"

黑莲法王耷拉眼皮倏地一跳，缓缓睁开二目："出家人四大皆空，身子是臭皮囊，何况身外之物。"

艳阳高照，细长绯红的火舌舔舐着茅草木料，哔哔剥剥响。不过片刻，浓烟滚滚，烈焰飞腾，拒胡城燃成一片火海。

城里机关密布，忽雷怒不愿冒险，骑着麒麟豹，在城外遛马。麻狸虎、赫花狼也不傻，寻个理由，溜出城来。烟气氤氲随风飘来，忽雷怒抽抽鼻子："怎么好像有股香味？"赫花狼道："什么香味，是烟味。"

眇道人眨眨独眼，一捂鼻子："大帅，快走！是光煞和味煞！"话音未落，忽听城内人喊马嘶一阵骚动，忽雷怒正要遣人打探，忽见城门处烟尘大起，马蹄缭乱，一彪人马星驰电掣冲出城来。忽雷怒定睛一看，这伙人各自为战，不分敌我，互相斫杀，都是自己麾下兵将，派入城中放火的。忽雷怒又惊又怒，催马迎上，厉吼一声："你们干什么？疯了么？巴特，给我住手！"为首一人正是百夫长巴特，只见他两眼血红，口角流涎，嗬嗬喘气，大叫道："我乃七命杀星史万夫，尔等还不受死，更待何时！"对其兜头就是一棒。忽雷怒拨马躲开，未及喝骂，蹄声雷动，又是三刀两锤袭至。忽雷怒忽觉眼前金星乱冒，流萤飞舞，光影幢幢，恍惚间，刀剑看成白蟒乌龙刺，众将变成史万夫。顿时心中惊怖，身僵手抖，被一刀削中肩胛，痛叫一声，落荒而逃。

"我是史万夫，我天下无敌！""我乃大将史万夫，我是草原上的狼王！""狗日的大炎可汗，老子宰了你！"城中涌出千余兵将，势若疯虎，大半自称史万夫，叫嚣骂詈，好似被史万夫亡魂附体一般，旋踵间突入鞑靼营盘，狼牙刀在风中嘶吼，划出一道道致命的弯弧，若疾风摧草，血雨篷飞，一颗颗人头随着风的方向旋转滚落。

"报！大汗，我将士被史万夫亡魂附体，杀入营中来了！"大炎可汗闻报，颜色惨变，抢出营帐，果然，自称史万夫的喊声如潮，震遍行云。大炎可汗面如土色，急调宿卫精锐，以强弓硬弩剿杀，直到落日衔山，才将叛军诛戮殆尽。查点人马，伤亡三万挂零。

金顶黄罗帐中，众将蔫头耷脑，忧心忡忡。眇道人道："大汗，看来史万夫号称七命杀星确实不假，真把幽冥冤鬼拘来了。我看还是暂且退兵，另思良策为妙。"

大炎可汗沉吟半晌，忽然眼睛一亮："狼吃羊，羊吃草，一物降一物。既然是冤鬼作祟，找个捉鬼的不就成了。"

令威化鹤此来归，黄耳传书几番又

夜色深沉，天如墨染，乱山深处雷声隐约。草庐中一灯如豆，映出两条孤独的剪影。凄冷的风像一条阴毒湿滑的蛇，游过窗隙，钻入肖不平的袖管，他不禁打了个寒战："你的故事讲完了？"

大冢灵花笑道："嗯。我的故事到这里也中断了，只有一个简单的结局。"

"什么结局？"

"史天骄被大炎可汗强暴致死。"

十一个字像十一记惊雷轰顶，肖不平霍然站起。

"怎么？很惊讶么？你修改前史天骄的结局是被大炎可汗强暴，我只不过是添了两个字而已。这就是我想要的结局，怎么样，是不是很刺激？"

肖不平眼中刀光迸射："你的结局不会实现，因为有我肖不……""平"字尚未出口，灯花忽地一爆，肖不平猿臂猱伸，勾腕撮指成勾漏手，隔桌叼拿大冢灵花双臂。岂料大冢灵花不躲不避，两只藕臂柔若无骨，缠绵迎上。四臂交缠，大冢灵花的手仿佛两条腻人的蛇，滑过肖不平小臂大臂肩胛，五指如菊绽花开，啄向他胸前膻中、华盖、璇玑诸穴。

肖不平大惊，慌忙沉腰坐马，脚跟蹬地，撞翻凳子，向后暴退。大冢灵花得势，身如黄莺，曼妙一折，翻过肖不平头顶，两腿后插，使二字钳羊马，反锁住肖不平双腿。两人脊背相靠，腿臂交缠，肌肤相亲，如胶似漆。肖不平挣扎不开，心中暗暗叫苦，没想到大冢灵花练过天竺瑜伽柔术和沾衣十八跌，身子像八爪鱼一般死死箍住自己，甩都甩不掉了。

大冢灵花笑道："相公，瞧你一本正经的君子模样，没想到美色当前，也这般性急。人家早晚是你的人，要亲近光明正大便可，何必偷偷摸摸呢！"

肖不平道："你真的要害史天骄？"

　　大冢灵花笑道："自然喽，大炎可汗请的捉鬼人就是我幽冥鬼捕大冢灵花啊！前几日我收到大炎可汗密函，答应赴约了。很奇怪么？大炎可汗是我姑父，黄立是我胞兄，日本名大冢一郎，蒙古名必勒格。我们一家本来都是流落中原的浪人，也就是你们汉人所说的倭寇。很多年前，史万夫游击南海，杀了我父亲。我母亲和姑姑带着我和哥哥逃亡到塞北，母亲中途病死，姑姑阴差阳错嫁给了大炎可汗。我被鸳鸯门主收养，艺成下山，居无定所。直到读了这部《阴宅血咒》，才知道原来我哥潜入拒胡城卧底，又被史万夫杀了。杀父诛兄，此仇不共戴天。我要让他女儿遭人凌辱到死，让他死也不瞑目！"说到后来，咬牙切齿。

　　肖不平心凉半截，哑口不语。窗外霹雳声震，雨势转急，打在窗纸上，簌簌作响。

　　过了半晌，大冢灵花忽道："喂，闷葫芦，你怎么不说话啦？"肖不平懒洋洋道："没什么好说的。"

　　"说说你对史万夫断头是怎么看的？"

　　肖不平道："书中第六章'虫离石瓮吐狰狞，女隔重门锁豆蔻'中，曾写将军查看书籍，有一本是《南洋邪降》，据我所知，南洋降术中有一种最为恐怖的飞头降，降头师能把自己的头颅割下，飞去杀人。我怀疑将军断头就是借你哥哥之手，顺水推舟用了飞头降。而且后面写将军将罐子中的虫豸吸入体内，我猜那时便是在下降。"

　　大冢灵花笑道："飞头降都要在子时施法，天明前头颅不能飞回脖子上，降头师就会一命呜呼。而书中写史万夫是在白天断头，断头后头颅现在还没飞回脖腔上呢。"

　　肖不平道："你说的那是半吊子降头师，功力高超的不受此限制。其实，书中有很多疑点，比如将军钻入假山脱他女儿的衣服，史天骄惊呼抗拒。这点我就百思不得其解。"

　　大冢灵花贼兮兮笑道："这又什么好奇怪的，史万夫是个老色鬼，要行乱伦苟且之事呗。"

　　肖不平色厉内荏，却底气不足："将军不是那种人。"

　　又是一阵沉默，大冢灵花道："我胳膊有点酸，咱们能不能换个姿势？"

肖不平心头窃喜："好啊，你先松开。"

大冢灵花嘻嘻一笑："你想得美，我一松开，你跑了怎么办？"

肖不平道："你抓住我干什么？"

"不让你帮史丫头啊！"

肖不平道："咱们就这么耗着，什么时候是个头呢？"

大冢灵花笑道："等到天荒地老海枯石烂呗。"

肖不平道："喂，你那本《篡天书》既然以为我主人公，那它讲没讲我们今天互相争斗的结局是什么？"

大冢灵花巧笑嫣然："没讲，是想留个悬念吧。不过我自己添写了一个，那就是你我肌肤相亲，情愫暗生，共结连理，私订终身，双宿双栖，扬名江湖，成为一对人人钦羡的神仙眷侣。这个结局好不好？"

"不好！"回答她的不是肖不平，是两人面前那只桌子。那只红木雕蟠桃宴圆桌忽然四腿一耸，站了起来，桌面掀掉，两腿撑地，两腿上扬，伪装剥落，变成了一个眉目如画天真无邪的如花少女。诡异的是，这女孩竟有三只眼，左眼幽蓝如海，右眼碧如猫眼，额上还有第三只赤红瞳子，半开半合。烛光晃漾，三只眼妖光闪烁，煞是吓人。就在二人惊讶之时，墙角堆着的一捆麻绳忽然动了，捋着墙角阴影处如怪蛇游走，盘旋缠绕，将两人捆成了一个大粽子。

那少女咯咯笑道："怎么样？究竟谁才是天下第一神捕？"

肖不平叹道："江湖名人坊坊主火肇兴是个势利小人，他的排名怎能作数？天眼妖瞳鬼谷女确实胜过洞烛乾坤肖不平一筹。"

大冢灵花也笑道："鬼姑娘的胎息功和易容术能把生人变死物，惟妙惟肖，几个时辰毫无破绽，身为忍者的大冢灵花也不如你。"

鬼谷女咯咯笑道："也不能这么说，其实我们应该差不多，只不过我占了个便宜而已。我有一本书，里面有你们的故事，讲你们在这个屋中讲故事，而后你们两个缠斗，相持不下。于是我便在此守株待兔，做了个黄雀在后，将你二人一举生擒。"

肖不平奇道："你也有本书？"

　　鬼谷女道："是啊，我的书叫《僭天书》。我从小就喜欢写故事，可惜我天真无邪，头脑简单，写不出那些阴谋诡计。有一天我拿着笔搜索枯肠的时候，来了一只黄毛小狗，赖着不走，它脖颈上挂了个竹筒，筒里有一本书，我抽出一看，就是那本《僭天书》了。里面有三十三个故事，第一个故事叫《鬼眼浮屠》，第二个故事叫《阴宅血咒》，我这本书前面不但有个楔子还有个序，讲的是有一个女人叫大冢灵花，有一天她去侠客书坊听书，得黄犬寄书，回家一看，那本书叫《篡天书》，讲的是有一个捕快叫肖不平，得黄犬寄书，叫《窃天书》，肖不平不满意书中故事的结局，于是开始修改那三十三个故事。但大冢灵花痛恨汉人，对肖不平将人物命运改好非常不满，于是她也开始修改肖不平修改过的结局，把这些人的结局弄得更惨。"

　　"啊！"肖不平和大冢灵花同时惊呼。

　　大冢灵花问："后来呢？究竟这些故事按照谁安排的结局发展了？"

　　鬼谷女咯咯笑道："当然是以最后一个定稿的发展下去了。"

　　大冢灵花问："那我俩究竟谁是最后一个定稿之人。"

　　鬼谷女道："是你。"

　　肖不平两眼一黑，险些晕厥。稍后忽然莞尔一笑："你方才偷听了我们的谈话，借梯上房顺嘴胡说，鬼才信你会有第三本书呢！"

　　鬼谷女道："那好，我说几个你们没说过的问题。我说书里几个故事名：《画皮》《如梦令》《魔胎圣痕》《轮回塔》《七种禅》，还用不用再说？"

　　肖不平绝望了："不用了。"

　　大冢灵花忽然道："既然你也有书，你有没有修改这些故事的结局？"

　　鬼谷女嘻嘻笑道："我心肠没有你那么坏，也没有肖不平那么好，别人是死是活和我有什么关系。我只是好奇，黄犬的主人到底是谁？这个人能预卜未来，究竟是人还是神？他把这三本书寄给我们三人意欲何为？"

　　三人一时沉默不语，这个问题每个人都想过，但是那黄犬不知从何处来，来了便赖着再也不走了，整件事诡秘难测，无迹可寻。

　　大冢灵花忽然道："我的书里有个故事《璇玑》只有书名没有内容，你们的是不是这样？"

鬼谷女道："我的《璇玑》有内容，讲的是墨家传人的故事。"

肖不平道："我的《璇玑》也是。但是我的《古画幽谭》没有内容。"

这一说，其他两人的《古画幽谭》都有内容，但鬼谷女的《祖龙咒》没有内容。

大冢灵花道："既然咱们的书各有不同，何不互相借阅，凑完整，或者可以找到蛛丝马迹，破解这书的来历。"

肖不平道："不好不好，怎知你不是诓我书的？"

大冢灵花道："我们互相交换，保证每人手里同时有一本书，便不奉还也没关系，谁都不吃亏。"

肖不平道："你说得轻巧，现在我们被鬼姑娘制住，人家胜券在握，予取予夺，凭什么和我们交换。"

鬼谷女道："三个臭皮匠，顶个诸葛亮。我一人破不了这些谜团，须得二位协助。"说着扯落二人身上绳索。

肖不平道："大冢捕头，我们是不是也该松开了？外人在场，这样抱着有失体统吧。"大冢灵花一笑松手。

三人重新摆桌落座。

鬼谷女先掏出书来递给大冢灵花，大冢灵花接过，仔细验看："虎皮宣书皮，蚕茧纸书页，内印骷髅鬼魅矸花暗纹。不错，和我的纸张一致。这纸张没甚稀奇，各大纸坊都能生产，就是这骷髅暗纹蹊跷诡异，纸张矸花一般都取花鸟鱼虫人物风景，我寻遍大江南北，也没找到一家印过这种晦气的暗纹。看来这是送书人特制的，难以究其源头。这人一丝破绽不露，实在是奸狡得紧。"说着从怀里掏出自己那本，毫不犹豫，递给了肖不平。肖不平检查看时，果真和自己的纸张一般无二，只好遵守承诺，将自己的递给鬼谷女。

第一个轮回：大冢看鬼谷女的书，鬼谷女看肖不平的书，肖不平看大冢的。第二个轮回：大冢将鬼谷女的书递给肖不平，肖不平将大冢的书递给鬼谷女，鬼谷女将肖不平的书递给大冢。

肖不平看着鬼谷女的那本书，直喵牙花，将手指点《阴宅鬼咒》后面结局那里："鬼姑娘的书比我们的多了一行数字，这是什么意思？"

大冢灵花凑来看时，但见上面写着："三八九。七三。九九。"大冢灵花皱眉道："这是什么隐语吧？是不是破解风水邪局的五行八卦方位？"

肖不平道："不太像，八卦只有八个方位。这里有九。"大冢灵花笑道："你莫耍鬼主意，当我非汉人不懂易理么？周易八经卦，两两叠加演化为六十四卦。"肖不平哼道："随你怎么想。不过这个我已经猜出来了。这是记录鞑靼兵进入拒胡城中阵亡的人数。在'人有恶行遭果报，天杀万物如刍狗'那章里，曾写军卒向忽雷怒汇报阵亡人数：寻龙营三百八十九人丧生，觅龙营七十三人死，擒龙营九十九人阵亡，正好符合三组数字。"

大冢灵花和鬼谷女将书翻到前页一看，果然。真有这么巧？

大冢灵花道："士卒死几个算什么，何必费心记录？会不是龙穴的方位？"

鬼谷女皱眉道："一堆乱麻，理不出头绪。这也许是此书作者耍的诡计，要将我们引入歧途也说不定。"

不知不觉风歇雨止，曦光透窗，三人将书轮流看完。第三个轮回，自己的书又回到了自己手里。这期间三人都像防贼似地暗中戒备，一眼看书，一眼盯人，防止书被偷走或调包。好在相安无事。

大冢灵花道："你们发现没有，得到这本书的人，咱们仨，都是捕头。"

鬼谷女道："江湖上有四大名捕，如果真是这样，难道鱼梦痕也得到了类似的书？"

"很有可能。"鬼谷女道："那我们三个去找鱼梦痕，若他也有这本书，不妨一起参研。"

肖不平道："你们去吧，我要去救史天骄。"

大冢灵花道："我要去帮大炎可汗。"

鬼谷女道："既然如此，肖大哥，大冢姐姐，我不打扰了，先行告辞。"敛衽一礼，告辞出门。

肖不平和大冢灵花出门相送。鬼谷女打声呼哨，一只丹顶鹤冉冉飞来，停在枝头。鬼谷女飞身跨上鹤背，那鹤一声清唳，腾空而起，转瞬飞远，兀自频频招手。

大冢灵花促狭一笑："同是坐骑，人家的比你的可要高级多了。"

肖不平眉头紧蹙，神思不属："她就这么走了？"

大冢灵花小嘴一撇："瞧人家小丫头三只眼长得好看，恋恋不舍了？"

肖不平疑惑道："她费尽心思，就为了借书看这么简单么？"

便在此时，鹤声嘹呖，一只白羽鹤破空飞来，落在二人面前，鹤嘴中叼着一封信笺。肖不平取过信，那鹤振翅高飞，直上云衢。

那信封上几个娟秀小字："肖大哥大冢姐姐亲启！"肖不平抽出信瓤，展开一看，直吓得冷汗淋漓："肖大哥你为什么要帮助别人呢？别人什么时候帮助过你啊？好人没好报，这个教训要记住哦。大冢姐姐，你为什么要害别人呢？你父亲杀了很多汉人，史万夫只杀了你父亲，却放了你们一家，你这样害他的女儿是不是有点太缺德呢？你们的书我都给毁了，只剩下我自己的书了，就让这些人都按照原书的结局结束吧。差点忘了，《阴宅血咒》上半部草蛇灰线若隐若现，所有答案都告诉你了，就看你们两个大笨蛋能不能猜到啦。嘻嘻。"下面简单勾画着两个哇哇大哭的极丑小人，标着二人名字，落款是鬼谷女，旁边画着一个嘻嘻笑的三眼美少女。

大冢灵花也伸头瞧着，不禁伸手入怀，掏出书来："我的书明明好好的，搞什么名堂。"肖不平也取出书正想看，忽然腾的一声，大冢灵花的书冒出白烟，火苗腾起，转眼烧成一团火球，吓得她赶紧将书抛掉。肖不平见势不妙，赶紧合上书页，哪知那页面字迹转眼淡去，旋即以肉眼看得见的速度腐蚀下去，顷刻间烂成一坨废纸。

大冢灵花恨恨道："原来这鬼丫头在换书看时偷下了白磷粉和蚀花露，而我们居然都没发觉，心机太深了。"肖不平跺脚："好一个精灵鬼丫头！"纵身便要追去，忽然咔嚓一声，一只冰凉的铁手铐猝不及防箍住了左手腕，将他扯了回去。扭头一看，却是大冢灵花搞的鬼——手铐中间三尺长精钢锁链相连，另一端箍在大冢灵花手腕上。大冢灵花开心笑道："钥匙我都扔了，除非你砍断我的手或你的手，否则有我时刻跟在你身边，看你怎么救史天骄！这是北海玄铁手铐，别妄想用刀砍断。"

肖不平气哼哼道："随你。我就不信一本书真能预定史天骄的命运。写书人，我肖不平跟你杠上了！"忽然一捂肚子，"不好，我内急。"

嗟尔眼前引路人，谁是背后擎天手

肖不平跟着大冢灵花离了荒山，日夜兼程，不数日便到了拒胡城外，进胡营参见大炎可汗。大炎可汗大喜过望。大冢灵花将肖不平更名大冢之夫，假说是故国世兄，定了婚约。对于手铐牵系两人这个怪异行为，大冢灵花事先编了七八条理由，都觉牵强，后来灵机一动，说这是师门鸳鸯门的古怪规矩，门下弟子一旦觅到夫婿，便用这生死扣连心锁牵系，不离不弃，生死相许。本是急智胡诌，不想后来传到鸳鸯门，门主觉得新奇有趣，用心良苦，便令弟子效仿，行走江湖，蔚然成一大观。此系后话，按下不表。

却说大炎可汗大排筵宴，款待二人。肖不平不喜羊肉腥膻，大炎可汗特意给他备了一瓮蘑菇鸡肉汤，夏季雨多蘑菇鲜嫩，肖不平啧啧称赞。大炎可汗见他吃得起劲，异常开心。席间大炎可汗便将史万夫阵前斩头、无头复生之事仔细说了一遍。肖不平听大炎可汗所说和书中所写一般无二，暗暗称奇，同时心中疑云更甚——这写书人究竟是何方神圣？

大炎可汗又让人取来史万夫人头，大冢灵花摆弄一番，确是真人头。吃罢宴席，大冢灵花抹抹油嘴，对满营诸将宣告："大家不必害怕，史万夫早已死了，三日后我便破解史万夫无头悬案！"饭罢，大冢灵花向大炎可汗提了个要求：从死囚营里提出三名囚犯供她使用。那都是犯了军规的士卒，讲明三日后处斩，但厚恤家属。三人明知早晚必死，能为家人赚些赏钱，也算死得其所，当下应允。

肖不平眉头紧皱："你这么做是不有点缺德？"大冢灵花哼道："妇人之仁。你别看就行了。"在军备营转了一圈，弄了铜丝铁线销簧机括等物，又取了一沓牛皮纸。进入大炎可汗给二人预备的帐篷，大冢灵花吩咐肖不平和些黄泥，肖不平道："你干吗不和？"大冢笑道："你是我相公，脏活累活自然是你的。"

这时有士卒经过，肖不平无奈，只好佯装听话，和了一锹黄泥。大冢道："你为什么不问我和泥干吗？"肖不平淡淡一笑："还用问么？制作烟花，破解将军的鬼魂出棺之谜。"大冢戳他额头一指："不愧是我夫君，太聪明了。"肖不平有气无力道："只怕有人是自作聪明。"

大冢灵花瞧他好像斗败的公鸡蔫头耷脑，不由兴奋异常。一边哼哼小调，一边从百宝囊中掏出几个小瓷瓶，倒出各种药粉。肖不平斜眼看去，有黄磷、芒硝、松碳、红黄黑各种染料，还有许多不认识的东西。

大冢灵花唱着歌道："咱俩什么时候成亲？"肖不平见左右无人："下辈子。"大冢灵花气得歌也不唱了："这是我独家秘方，你又不是我夫君，不许看。"肖不平道："谁稀罕。"扭头一边打起盹来。

大冢灵花卷纸筒、配药粉、接引线、堵封泥，鼓捣半宿，终于大功告成。再看一旁，肖不平打着细鼾，睡得正香。他的睫毛很长，像两把小扇子。大冢看着他的脸，心情复杂，伸臂搂住他肩膀，回头吹熄了灯。

第二日，大冢灵花将铜丝销簧等物加工组合，又开始炮制三名囚犯，弄得三人鬼哭狼嚎，肖不平眉头紧皱，但又无可奈何。

第三日清晨，云横远山，天色阴沉。鞑靼营点将台，大炎可汗坐在虎皮椅上，威风八面。众将盔甲鲜明侍立两旁。台下数万鞑靼兵列立两厢，鸦雀无声，严阵以待。

远方一声呼哨，大冢灵花跟肖不平同乘而来，一队兵卒押着三名囚犯跟随。大冢灵花和肖不平下马登上点将台，请示已毕，大冢灵花向鞑靼兵大喊："史万夫早已死了，他装神弄鬼妄图欺瞒天下，现在我就来揭露他的把戏！"斜眼瞧瞧天色，阴沉沉的正好试验，向台下喝命："拉！"

三名囚犯后背都背了一具棺材，听到命令，一拉隐藏在衣襟里的引线，但听嗤的一声，第一名囚犯的棺材里飞出七团黑气，在空中凝聚成形，幻化成七只恶鬼，张牙舞爪，无声无息，而后随风而逝。第二人棺材里嘭的一声喷出七道流星，飞上半空炸裂开来，变成龙虎凤凰狮象猴，形态逼肖，彩焰斑斓，煞是好看。第三人棺材里喷出七团火球，火球崩裂，现出七个彩色汉字："大炎可汗一统天下！"万千星辉宛如雨落花飞，所有人都看呆了。大冢灵花得意扬扬道："这是我将中原焰火和东洋五里雾结合起来制成的，哄孩童的把戏，不值一提。"

众人恍然大悟，原来七鬼出棺的奇迹是史万夫弄的烟花小把戏，这还有啥可怕？

大冢灵花趁热打铁，喝命："斩！"刀斧手大刀挥起，三名囚犯人头落地，但尸体却是僵立不倒，脖腔中也没流多少血。大冢灵花一拍手："走！"怪事出现了，三个无头身体迈着僵硬的脚步，如同婴儿学步，蹒跚前行。一人向左走，撞在兵卒身上，两手抱住他不放，吓得那兵卒大叫，拼命挣脱，一起摔倒。一人走到点将台下，两手抓挠着，想要往上攀爬。另一人走了几步重心不稳，便要摔倒，大冢灵花见势不妙，扯着肖不平飞身下台，一脚便将那人踢翻。回手一个脖拐又把往台上爬的那人抽倒。三个无头尸体摔倒，抽搐几下，一命呜呼。

大冢灵花命人将三具无头尸架到台上，对看傻了的众人说道："知道这三人为什么脑袋掉了还能动么？秘密就藏在这背后的棺材里。"打开第一具棺材，里面销簧机括齿轮线索密布，扯开那人衣服，但见那铜线铁丝穿过棺材，缚住两臂扣住两腿，拧转机括，那人手臂膝盖便随着铜线屈伸摆动。

第二个棺材里有一堆蝎子，棺材贴着那人后背是一个大洞，这些蝎子便在那人后背上猛蜇狂咬。

第三个棺材里没有东西。

大冢灵花大声说道："我在斩杀这三人之前，给他们吃了一种秘药，这种药能减少出血，所以三人头颅被砍，血流不多。史万夫当时被杀，也没流多少血，是不是？"大炎可汗等人点头。大冢灵花又让人拎上一只白鹅，一刀斩断鹅头，没头鹅半晌未死，四下扑腾乱窜。大冢灵花道："这种药还有一个功能，就是延缓筋骨活力，虽无头脑指挥，却能在一段时间内僵而不死，把人变成这大鹅一样。光有这些还不够，这个人我安装了机关控制其身体运动，只要发条上紧，他的肢体便能跟随机括的转动而运动。第二个是用蝎子刺激其躯体运动。第三个我在其身体中种下了伸筋蛊，蛊虫一旦听到命令，便会在其体内拉动筋带，促使其蜷腿展臂。因为时间匆忙准备不足，我只用了这三个方法，我至少有十种方法可以做到让人无头能走。这无头人毫无战力，一打便死。因为两方交战，敌人一定会被枭首示众，史万夫走投无路，料到自己必被砍头，所以用了这个小把戏欺骗了大家。若非如此，他何不再次领兵冲杀，而是逃回城中了呢？为的就是掩饰他已死亡的真相。城中水井很多，他弃了马匹，跳入井中，随着地下河漂走，所以我们再也找不着了。"

这下真相大白，众将恍然大悟，心服口服，再也不用怕史万夫的鬼魂了。

大冢灵花再接再厉，自告奋勇去城中查看，解开多人被史万夫鬼魂附身之谜。

拒胡城中，触目都是火烧过的焦黑痕迹，残垣断壁乌黑斑驳，破砖烂瓦一片狼藉。大冢右手牵着肖不平，左手拿根忍杖东拨西探，不时撬开一个陷阱，拨落两架机关弩。走着走着，忽然停下脚步，弯腰从瓦砾中扯出一根烧焦的房梁，伸鼻嗅嗅，一拍腰畔，盘在腰间的短刀倏地弹出，劈开焦木，瞧瞧纹理。城南走到城北，寻了不少碎木，如法炮制，最后恍然大悟道："哈哈，果然是尸香木，什么鬼魂附身，一派胡言！尸香木和曼陀罗花一样，有致幻作用。满城大火，这许多木头一起放出香气，人闻到不疯才怪。史万夫骁勇一世，蒙古汉子最爱英雄，谁不想成为史万夫，故而疯癫乱语说出心里话来。你说是不是？喂，和你说话呢。"扭头一看，鼻子差点气歪——肖不平缩脖眯眼，嘴角涎水半吐，正自打盹。听她不断聒噪，这才半撩眼皮，懒洋洋道："是不是关我屁事。"

大冢灵花想要发作，眼珠一转："哼，不说拉倒。不过我好心提醒你一句，你最好多说话，把我引入歧途，不然我这般见招拆招，用不多久史丫头就危险啦！"肖不平漠然笑道："大捕头，小心乐极生悲，将军可不是那么简单的。"

大冢冷笑道："我已经破解了无头悬案，他还能有什么鬼把戏？我猜他一定是用了蛊虫。《阴宅血咒》上部曾写他把陶罐中的虫豸吞吃，那时候就一定是在种蛊。"

肖不平冷笑道："破解了？你根本就没破解。如果将军真的死了，是蛊或者机关起作用，他应该是乱走，没有眼睛怎么会找到马匹骑上，更不可能避开人群，骑马回城。"

"啊！"这回轮到大家惊讶了，"难道、难道他的蛊虫能控制他认路？"

肖不平哼了一声："咱们的书里有个故事叫作《蛊惑》，专门讲蛊的，也没提到有教死人认路的蛊。你还是省省吧。也许将军的七煞血棺和那个窃天氏的传说都是真的，否则史天骄和满城妇孺都藏在城中，将军焉能放心！"

大冢灵花喃喃自语："藏在城中，书中什么时候说这些人藏在城中了？"忽然大笑一声，"哈哈！我知道了，我知道了！我知道史万夫的无头尸身怎么会找不见了！肯定是城里挖有地道，他钻入地道逃走。盗门的翻山倒甲术，一把洛阳铲就能挖空洛阳城。史万夫明着摆风水邪局，诱人入瓮，让大家都以为设置风水邪局是为了保护史天骄和满城妇孺，其实她们早已借地道逃走了！你看，这辁辂营绵延不过二十里，如此距离，若有盗门十人，不出一月便可贯通。而挖出的泥土又被将军以造屋建风水为名毁去痕迹。这招釜底抽薪暗度陈仓，高！实在是高！"

肖不平一拍大腿："这招我怎么没想到！你还不去禀告大炎可汗，邀功请赏。快走快走！"扯着大冢便走。

大冢灵花猛地一曳铁链，将肖不平拉入怀中，盯着他双眼，嘻嘻笑道："瞧你貌似良善，倒是奸狡得很。我只是逗逗你而已。这拒胡城建在山上，地下都是坚硬岩石，除非用鲁班门钻地龙。但史万夫要有此神器，钻入大炎可汗大帐，岂不早就将之杀了，何必费尽曲折。所以说这招是行不通的。你想骗我，也要想个好法子才行。"

大冢灵花将城中情况上报，大炎可汗大喜，当下将史万夫鬼魂附身之谜传谕各营知晓，稳定军心，当然将史万夫是众人心中英雄的内容省略了。大冢灵花运筹帷幄，定下斩鬼计，先要六百头大牤牛，一千挂鞭炮；再画几张机械草图，命武备营按图造器。

翌日清晨，兵卒在二百头大牤牛尾巴上拴好鞭炮，赶入城中，点燃引信，鞭炮一响，牤牛受惊，撒蹄狂奔，来回践踏。有的落入陷阱，有的触动机关，死亡大半。中午时分，将幸存牛群聚拢，依法炮制，再放二百头牛。如是者三，第二天下午，城中机关埋伏几乎破坏殆尽，放出的牛群再无损失。再命三千兵卒填坑平坟，将城中整饬一新，而后用驷马牵引数十架奇形怪状的新铸机械入城。那机械主体是一个巨大石碾，重达千斤，中用铁索贯穿，以绞盘支架吊起，下安摇臂机括。

肖不平奇道："这是什么东西？"大冢灵花得意扬扬道："这是墨门守城利器蛤蟆夯，专门克制翻山倒甲术。用时寻找可疑地面，绞起落下，能把地面数尺下的地道生生砸塌，将地底的人活活闷死。拒胡城下是岩石，史万夫虽挖不成地道，挖个地穴藏人还是不成问题的。我怀疑他把女儿藏在地下，我要用蛤蟆夯将她抠出来。"

这一招果然奏效，不过三日，用蛤蟆夯砸地时，发现将军府地下中空，砰砰空响。三千兵卒轮流挖掘，挖出七头狰狞可怖的金铸怪兽和一条蜷头缩尾的石雕苍龙。怪兽按北斗七星列位，爪里抓精钢铁索，将困在中央的苍龙紧紧锁住。眇道人心头一紧："七煞囚龙！这是堪舆术中镇压王气的方法。果然这下面就是龙穴所在！"眇道人两眼喷火，死死盯着地下。再掘一阵，一块圆头石丘露了出来。第二天整个挖开，现出一座硕大无比的石头坟。眇道人凑近一看，坐骑葬獒忽然呜呜低哼，百宝囊中风水罗盘突然发出蜂鸣，离坟丘越近，鸣声越大。他这罗盘是堪舆门镇门之宝，相地勘穴，百无一失。堪舆门有口诀："罗盘跳，赶快逃。罗盘叫，龙穴到。"

眇道人按捺心头狂喜，骑上葬獒，赶至城门，连滚带爬攀上城墙，居高临下，回瞰将军府处，但见坟茔推倒之后，城池格局陡变，通观全局，一览无遗。伏羲山千里来龙，至将军府处结成辇形，周围九条支脉前呼后拥，缠护周密，送从齐整。顾盼四方，青龙白虎朱雀玄武如将相公侯，躬身朝拱，山峦圆润。龙势、砂形、水向俱佳。真个是四象位正，五行俱全，七星拱照，藏风聚气的风水宝地。纵有两重城池枷锁，也难掩其秀，而龙脉结穴所在正是将军府。

"我找到龙穴了！我找到龙穴了！"眇道人乐疯了，连坐骑也忘了骑，手舞足蹈，不知摔了多少跟头，道冠也颠掉了，云鞋也跑丢了，八卦仙衣也撕烂了，疯疯癫癫撞开了大炎可汗金顶黄罗帐，颠三倒四好歹讲明白了这一天大好消息。此言一出，大炎可汗手下臣工像饿狼见肉眼睛都红了，撞翻食案，嗷嗷狂叫冲出门外。连一向守拙的黑莲法王也腾身跃起，跟着往外冲去。只有大炎可汗相对冷静一些，深碧色的瞳子中掠过一线犀利冷光。

将军府前掘出的泥土堆成一座小山，一座占地数里的石头坟赫然现世。大炎可汗问："龙穴在哪里？"眇道人一指坟丘："便在里面。"接着再次啰啰唆唆说明他的罗盘探到龙穴发出蜂鸣提示之事。

大冢灵花也略懂风水，观形察势，明白眇道人所言非虚，便说道："原来史万夫早知龙穴所在，筑起石坟，上面封土，土上再造将军府，想掩盖龙穴的位置。看来天命所归，大汗该一统天下。有我助阵，探出龙穴所在。姑父，你可要好好赏我。"大炎可汗呵呵大笑："少不了你的。"不过眉头又一皱，"龙穴已被坟丘覆盖，怎么办？"

大冢灵花道："要是我没猜错，史天骄和城中妇孺只怕也藏匿在其中。坟冢必有孔穴门窗出入通气。"眇道人曾混入鲁班门，偷得一手撬门开锁的绝活，此刻自告奋勇，上前搜索一番，眼睛一亮，找到一处不起眼的微凸处，伸手扭转。大炎可汗一时兴奋，竟忘了危险，也凑到眇道人身边。大冢灵花刚要制止，肖不平忽然脚下一绊，将她带倒，着急之下翻身而起，一起一落，变成脸对脸，也不知怎么那么巧，四片火热嘴唇交接，不偏不倚吻在一处。没等她反应过来，一条丁香舌宛若一尾调皮的小鱼倏然溜进牙关，渴龙吸水深啜浅饮……霎时间大冢灵花只觉脑中一片空白，不觉娇体酥软，香喘吁吁。

忽听一声机括怪响，如野兽磨牙般，一阵箭矢破空咻咻厉叫，紧接着惨叫连声，周围一片大乱。片刻之后箭声停了，肖不平臂肘撑地，鱼跃而起。两人分开，大冢灵花娇羞难抑，面带桃花，似在梦中不愿醒来。肖不平转身看时，只几个鞑靼兵中箭身亡，眉头微微一皱。这时大冢灵花偷偷扯住肖不平衣角，声音细若蚊哼："你干吗占人家便宜？"窃喜之情溢于言表。肖不平一撇嘴："对不住了，你压住我手脚，我喘不上气，想用舌头把你推开。喂，中午你是不是吃蒜了？哎，回去还要漱口，真倒霉。"气得大冢灵花狠狠掐了他胳膊一把。

坟丘石门大开，眇道人躲在一旁默然不语。刚才石门一开，他听得机括声音不对，及时扑倒大炎可汗，躲开弩箭。这时大门启开，门上忽现四个血字："地狱之门！"众人被吓得都退后一步。大冢灵花凑前一看，但见原本干燥的门上湿漉漉地浸出水痕。她戴上麂皮手套，抹了一点血迹，凑到鼻端，说道："大家不必奇怪，这字迹是早就用姜黄汁写在上面的，门一开后，触动了内里小小机关，石缝中淌下碱水，姜黄汁遇到碱水，变为红色。这是江湖术士愚弄人的小把戏，用来吓人，史万夫以为我们都是三岁小儿么？我号称幽冥鬼捕，至今也没捉到一个真鬼，这世上都是人扮鬼，只要破掉机关，就能勘到龙穴，大汗千万不要功亏一篑。"

肖不平瞥她一眼，嘴角轻撇，却没有说话。

五行玄机何止五，六道轮回不限六

大炎可汗侥幸逃得一劫，已成惊弓之鸟，再不敢靠近。眼下没有机关师，眇道人还要勘定龙穴，不能冒险。不过这可难不住大炎可汗，他有的是兵丁，便是陷阱，也可以用人填满。于是派兵卒先遣打探，破坏机关。那些被派去送命的兵卒不敢违命，战战兢兢钻入坟窟，入门处一个大厅，流沙、机关弩、连环翻板、离落石等机关不断被触发……付出一百多条人命，把厅中机关触发殆尽。又令兵丁倒运新土，将厅中陷坑填平。大厅尽头是一圈环形石墙，墙上并排安有七道铁门，不知内有何物。士卒不敢轻举妄动，眇道人进去查勘，回报大炎可汗："罗盘到门前鸣声更响，龙穴应该就在墙后不远处。"

大炎可汗再命军卒打开铁门，好在那些门并无锁具，一拉便开。门后有门，打开一个门，就是一条短短的回廊，尽头还是一道门。每个门大小相若，形制相同，每条长廊也是距离相等，地面铺石，绝无二致。门门相连，道道交叉，复道回廊，纵横交错，形如迷宫，而且里面不见日光，黢黑如夜，虽然打着火把，也难照通透，千百号人陷在里面，晕头转向，好似没头苍蝇兜来转去，寻了三日，还没找到尽头，唯一庆幸的是迷宫内并无机关，不再有人员伤亡。

大炎可汗心下着急，一面命人带酒肉进去，继续寻找，一面召集众人商议对策。

肖不平不以为意道："不就是个连环套嘛，好办。既然有七个入口，便派七人，带七捆细绳，越长越好，染成不同颜色，绳头拴在入口门上，从入口进入，边走边放绳子，若有两人相遇，或遇到异色绳头，便折回重走。走段时间，肯定能寻到出口。"大冢灵花将头摇得像拨浪鼓："费劲。依我看，不如把墙全部拆掉，迷宫不破而破，省事。"

眇道人比肖不平脑袋摇得还急："不好不好。城上王气未消，说明龙脉风水未破。如强行拆墙，万一毁了龙穴，谁来赔大汗霸业？这个圆丘坟虽盖在龙穴之上，却有门扉通气，并未形成死穴困死飞龙，反而护住龙穴之气，使得王气不外泄。是以绝对不能拆坟。"

大炎可汗满面忧色："那该如何是好？"

眇道人看火候差不多了，这才亮出底牌："有贫道在，大汗尽管放心。贫道的坐骑葬夔，又名相地神犬。乃是堪舆门十宝之一，能观风望气寻龙点穴。可将它脖子拴上细绳，放进入口，派人跟随，必能找到龙穴所在。"众人这才明白，眇道人为不骑马不骑驴也不骑虎豹，却骑了一只牛犊大黄毛獒犬。

龙穴太过重要，得龙穴者得天下，只让眇道人一个去，大炎可汗不放心，但御驾亲临又怕危险，于是命帝师黑莲法王和万夫长麻狸虎跟随，并遣几个亲身护卫保护。大冢灵花带了干粮酒水，自告奋勇同去。

出发之前，大冢灵花特意准备了各种装备，除了必要的软甲佩刀护身防毒箭外，又让大家各带麂皮手套一副，清水一壶，棉布面罩三只，遇到毒烟可将面罩沾湿捂住口鼻，暂缓中毒。她自己更是暗藏百宝囊，内里钩剪、挠锤、纱布、火折等应急物品一应俱全。

葬夔果然不负众望，伸着鼻子乱嗅，不消一个时辰便领着众人走出迷宫。迷宫出口是一道长廊，斗转蛇行，尽头有一阔大铁门，上面锈迹斑斑。门上一只八卦离合锁，平平镶嵌在门中，乾坎艮震巽离坤兑八角上各有一个锁眼。开锁时，需用一把对应八个方位的八头钥匙同时插入锁孔，否则绝难开启。眇道人曾入鲁班门偷师，专攻其下键门的开锁行当，对此轻车熟路。但他担心这是连环锁，怕开锁时触发其他机关，难逃活命，是以抓耳挠腮，犹豫不决。

大冢灵花瞧出蹊跷，皮笑肉不笑道："你放心开锁吧，触发机关死了也没关系，有你这只罗盘和这头葬夔，大汗肯定能找到龙穴。"

眇道人打一激灵："你、你……常言道'三年寻龙，十年点穴'，吉穴勘定不能有一丝偏差，除了葬夔罗盘寻找，还须我这只阴眼定位。差之毫厘，谬之千里。何况我一死，天地人三才缺一，这葬夔和我心性相通，灵魂相系，鼻子也就不灵了。"

肖不平倒不讨厌这猥琐道人，说道："你不放心，我将绳索拴住你脚踝，一旦有异响，立刻将你拽回，可保万无一失。"眇道人苦着脸还想推阻，麻狸虎手提白蟒乌龙刺，把眼一瞪："少啰唆，快开！"眇道人无奈，只好从八宝囊中掏出麂皮头套和象皮坎肩，兜住要害。然后又取出八根细长带着倒须勾的挠针，将八根挠针别塞进双手大拇指、食指、中指和无名指四根手指甲缝中，牢牢夹住，然后小心翼翼将针尖探入锁眼，指节弯曲撮动，指尖感受着挠针的触觉，缓缓将挠针刺入锁柱咬齿缝隙中，等每个针都紧紧锁住咬齿，同时用力，只听嗒的一声弹响，咬齿同时离开锁柱，锁头开了。

"成了！"眇道人汗透重衣，就地十八滚躲在一旁。麻狸虎闪身门侧，反手一枪敲开铁门，酸涩的吱呀声在空旷的廊道里回音不绝，极是可怖。

等了半晌，门里死寂一片。麻狸虎喝命眇道人："去，进去！"眇道人磨磨蹭蹭挨到门边，举起火把向里面照去，突然杀猪般一声惨叫："鬼呀！"扔了火把，转身就逃。

麻狸虎不明所以，一把将他薅住："什么鬼！"

眇道人脸色惨白："鬼鬼！不、不、是棺材！"麻狸虎咽口吐沫，擦擦冷汗，鄙夷道："战场上死尸遍地，血肉横飞你都不怕，怕什么棺材，进去！"

大冢灵花难掩一脸幸灾乐祸，将自己手中火把递给他，揶揄道："能者多劳，道长辛苦了。"眇道人心中骂翻了天，脸上却不敢表露，战战兢兢硬着头皮蹭进房中。惨碧色的火光映得满室光影摇曳，宛若鬼魅狂欢。

麻狸虎命令道："在屋中走两圈。"眇道人无奈，不敢抬眼，遛了几个来回。麻狸虎见他没事，这才放心率几名护卫踏入屋中。大冢灵花一扯肖不平："走，咱也凑凑热闹。"等众人都进去后，黑莲法王将背着的六道轮回盘卸下一只，卡住门缝，防止暗中有机关控制，将门自动闭合，这才小心翼翼走进。

屋子方圆数丈，不像大厅和迷宫那样有砖石铺地，而是赤裸的泥土地，想来龙穴不远，建造此坟的人也知道不能垒石，以防遮蔽地气。屋子里最扎眼的就是右侧靠墙摆着的七口硕大的紫檀色棺材。狻猊举着火把凑近细看，每口棺材前都有一张供桌，桌上各放着一支没点燃的蜡烛，蜡烛后矗立着灵牌。麻狸虎低头细看，却见那牌上黑字写着五个字："罪犯麻狸虎"，还用朱砂画一大叉。这哪是什么灵牌，分明是死囚背后插着的亡命牌。麻狸虎勃然大怒，飞起一腿便踢那供桌，不料脚刚抬起，忽然哧啦一响，那蜡烛上一簇火光在白烟中迸现，登时燃着。吓得麻狸虎寒毛倒竖，一声惊叫倒跌出去。扑扑扑！七口棺材前七支蜡烛就在众目睽睽下次第自燃起来，绿莹莹的火苗扭动摇摆，像魔鬼睁开的眼。

"鬼点灯！"眇道人一声惊叫，"史万夫，是史万夫的鬼魂回来了！"所有人都大吃一惊，几个侍卫呛啷啷拔出佩刀，弓腰收腹，如受惊的狼，顾视四周。

大冢灵花伸手便给眇道人一个耳刮子："放屁！休要扰乱军心！什么鬼点灯，这是有人在蜡烛芯中加了白磷粉，白磷见风自燃。你们闻闻，是不是有一股大蒜味？这就是白磷的味道。"几人抽抽鼻子，空气在果然有一股类似大蒜的怪味。肖不平喃喃道："有人加了白磷粉？是不是将军加的？难道将军真的没死？"

大冢灵花气得鼻子都歪了："你、你！"右手暗地里狠狠掐了肖不平大腿一把。忽而歹毒一笑："将军死了，可他女儿没死啊，我看就是那闭月羞花的史天骄大小姐放的白磷粉。看来史大小姐离此不远，大家仔细搜，献给大汗邀功请赏。"

粗莽的麻狸虎忽然机灵起来："我看这小姐肯定躲在棺材里。"喝命眇道人，"你，打开棺材盖。"眇道人心中问候了他祖宗十八代，又不得不上前开棺。吱呀呀，一声鬼叫般的木板摩擦声钻入耳膜，一个棺材天打开了，棺中并未射出弩箭喷出毒烟。麻狸虎这才放了心，举着火把探头看去，这一看，目瞪口呆，脸上表情瞬间凝固。众人看着蹊跷，也凑前一看，却见棺材中躺着一具死尸，面如锅底，狮鼻大嘴，正是麻狸虎！众人也都大吃一惊。麻狸虎怒吼一声："这是谁诅咒老子！"一枪洞穿棺中死尸胸口，呼的一声，将那个麻狸虎挑出棺材外，吓得众人呼啦啦一闪。死尸摔在地上，袍服撕裂，胸口稻草麻绳露了出来，原来是麻绳扎的草人。

眇道人惊道："这是厌胜术中的傀儡咒！"众人依次打开别的棺材，里面都是草人傀儡，大炎可汗、狻猊、黑莲法王、忽雷怒、赫花狼、眇道人一个不缺。肖不平忽然咦了一声："墙上有字。"众人循声望去，火把烛焰交相辉映，棺材后的墙壁上一幅壁画现出真容，尘垢斑驳，颜色暗旧，似是经年旧作，仔细一看，画里是地狱变相图，七个小鬼红发赤足，怒目横眉，龇牙咧嘴，脖颈上套着骷髅项圈——和阵前史万夫棺材里钻出的鬼魂一模一样！小鬼面前，跪着七个五花大绑的人，眉目酷肖大炎可汗等七人，旁边写有数行字："地狱开门，专杀恶人，七煞出世，斩草除根。夺我头七窍流血死，夺我枪宝刃穿心亡，夺我甲图谋遭雷劈，夺我女藏娇折颈崩，夺我马合眼下地狱，夺我匣一手自扼毙，夺我地成鬼变僵尸。八殿阎王立判行刑，敕！"如诗如偈，非歌非谣，却是一篇恶毒的诅咒。

　　蒙人建元，曾入主中原多年，当时贵胄多习汉字，麻狸虎世家门阀，耳濡目染，也识得一些简单的汉字，他手提白蟒乌龙刺，看到那句"夺我枪穿心亡"，又瞧瞧地下那个被一枪穿心的傀儡，一丝寒意莫名袭来。

　　黑莲法王盯着壁画，眼睛眨也不眨，慢慢地，眼中一丝寒光闪过，瞟了一眼白蟒乌龙刺。大冢灵花冷笑道："这是史万夫的诡计。他预感到城池一破我们必然攻到这里，这才预先扎草人下诅咒，想用把戏吓走身经百战的大将，太可笑！"说完悄悄一捅肖不平："他是不是你徒弟？"言下之意，讥刺肖不平曾弄鬼塔勾魂杀人，两人是一丘之貉。肖不平凝眉不语。大冢灵花扬声道："大家别忘了去找史天骄和龙穴所在！"众人如梦初醒，急忙去找。

　　没多久，一名侍卫忽道："这里有个水潭！"果然，刚才进来时被棺木吸引，没注意到左侧墙角有一簸箕大水潭，垒石为沿，水波潋滟，清澈见底，潭中七只核桃大的小乌龟载沉载浮，玩耍嬉戏。大冢灵花将火把照去，咦了一声："龟甲上有字。"戴上麂皮手套，捞起一只，岂料那龟扭脖张嘴，露出细密尖牙，好不狞恶，吓得她妈呀一声大叫。肖不平蜷指一弹，将龟弹到水中，笑道："捉鬼的捕头竟然怕一个小乌龟，传到江湖上不怕被人笑掉大牙。"大冢灵花拍拍胸口，心有余悸："谁让它长这么丑！不过，还是谢谢你了！"

　　肖不平戴上麂皮手套，伸手捞出一只龟来，但见背甲上刻着一个篆字"你"，其余捞出来，每只背甲上都刻着一字。分别是"我""他""爱""恨""不""要"，究竟是什么意思，连眇道人也猜不透。

　　忽然有人叫道："这边有个门！"几人过去一看，对面墙上是一道门，上面也镶着八卦锁。大冢灵花道："开门过去看看。"肖不平阻拦道："别开，门上有一张蜘蛛网。"众人抬头，门上确实挂着一张蜘蛛网，网上粘着七只蜘蛛，没有飞虫，这些蜘蛛作茧自缚，网丝缚住细长头脚，只露着脊背，蠕动挣扎，却摆脱不了。

"啊！这蜘蛛怎么长张人脸？咦，这个像眇道人！这个像大法王！这个像姑父……"大冢灵花惊叫。火把光亮下看得清楚明白，七只花花绿绿的人面蜘蛛，脊背上花纹斑斓，勾画出一张张人脸，五官俱全，眉眼酷似大炎可汗等七人！

"该不会是画出来的吧？"大冢灵花戴上麂皮手套，轻摸一只蜘蛛脊背，上面花纹凸凹有致，黏液拉线。她害怕有毒，急忙缩手将手套上黏液抹去。肖不平奇道："天下怎有这般奇事？草人、壁画、龟甲上文字都可人造，难道这蜘蛛背上花纹也是雕刻的？"

大冢灵花道："也不奇怪，便如文身一般，用针尖刺出图案，染上染料就成了。"肖不平摇摇头："蜘蛛后背的皮那么薄，怎么刺？"大冢灵花笑道："没想到天下第一、咳，自诩天下第一的聪明人大冢之夫却是这么蠢！少见多怪，鲁班门的细刻鬼工能在一颗米粒上刻出李太白的整首《侠客行》，这等神技，给蜘蛛刺个文身还不是手到擒来。"

麻狸虎听大冢灵花说得有理，胆气一壮，抬手便想将蛛网扯掉。眇道人慌忙拦住："别动！这可能是厌胜术中的五行咒。厌胜术又名魇镇，是风水门旁支，意思是在某种镇物上种下诅咒克死讨厌之人。要想破解厌胜术，需将镇物用烈火焚烧或沸油煎炸。"麻狸虎道："正好这里有火，将这烂草人死蜘蛛全部烧掉。"

大冢灵花道："别动！你们忘了焚烧城中乱坟，引得众人都疯了么？下咒人必然也知道破咒之法，若用火烧油炸，会中其圈套。见怪不怪，其怪自败。"说着将蜘蛛网挑起，扔到墙角。

肖不平忽道："眇道长，你说五行咒，草人、壁画、龟甲、蜘蛛，这才四个，另一个在哪？"眇道人脸色青紫："制作傀儡咒的草人属木，壁画以金粉绘制属金，乌龟游水中当属水，蜘蛛系土生，当属土，缺一个火！"大冢灵花眼珠一转："火？是不是在这蜡烛上。"火把凑前，终于发现了异样，原来这些都是灵堂中用的那种素烛，整根惨白，上下刻有七圈等距刀痕，像是刻度一般。由上至下，标注着一到七，七个数字。麻狸虎这根，在"一"后面刻了个死字，另六支也有同样刀痕刻度，赫花狼的在第二个刻度上刻着死。然后依次是忽雷怒、狻猊、眇道人、大炎可汗、黑莲法王。眇道人吓得颜色惨白："难道、难道这是本命灯？"

黑莲法王眉头一皱："什么是本命灯？"眇道人道："是道家咒人之术，本命灯一旦点着就不能灭，灯灭人死。不过这灯不太像，多了刻度，不知是什么意思？"大冢灵花道："这还不明白，麻将军的'一死'刻度离蜡烛火焰最近，意思就是第一个死。你是第五个。"

黑莲法王嘴角勾起一丝狞笑："一派胡言，贫僧倒要看看我是怎么死的！"话虽如此，但这棺木在前，还是瘆得慌。肖不平要坚持要继续找，其他人都狐疑不前。眇道人踌躇道："还是禀告大汗再作定夺吧。"

立即有士卒飞报大炎可汗，大炎可汗得知，惊怒交加，命令大冢灵花率军士将这棺材草人灵牌本命灯一并抬出石坟掩埋。可就这么一会儿工夫，那蜘蛛和小乌龟却不见了。众人将潭中水舀净，掘地三尺也没找到。

金顶黄罗帐中，大炎可汗徘徊不定。怪力乱神之事虽不可尽信，但也不可不信，毕竟史万夫断头复生是活生生的事实，虽然大冢灵花已破解了这些谜团，但总觉心里没底。一时想打退堂鼓，迟疑半晌，道："此城中怪事甚多，我看还是撤出为妙。"忽雷怒摇头道："大汗此言差矣！这是史万夫的诡计。大汗你仔细想，若是史万夫真能死而复生冤鬼附体，早把我们杀掉了，又何必故弄玄虚。从他断头复生开始到改造城池，如今又在坟中装神弄鬼，这一切只有一个目的，那就是将我们吓走，保护他女儿史天骄。"众人都点头称是。

提到史天骄，大炎可汗眼睛一亮，不过转瞬黯淡，兀自踌躇。忽雷怒道："大汗放心，可先派兵卒探路，没危险了大汗再进去。"

大炎可汗道："嗯，灵花，壁上诅咒你记下没有？"大冢灵花点头。大炎可汗道："你默写七份，在座的每人发一份，包括我。什么傀儡咒本命灯等物都是幌子吓人并不可怕，但要小心史万夫那个死鬼按诅咒中的方法杀人！"

黄泉冤鬼现真形，大野风雷破远岫

夜色幽晦，星月潜踪，偌大天地仿佛一道难解的谜，让人看不到真容。

大冢灵花偎坐在松软的羊毛毡上，托腮自语："史万夫究竟要搞什么鬼，几个诅咒就能杀人？难道这草人、乌龟、蜘蛛真有什么邪魅之处？"边说边自然而然歪头向坐在身边的肖不平靠去。肖不平一皱眉，身子向旁轻轻一挪，大冢灵花的脑袋趁虚而入，送入他怀中。肖不平吐口浊气，又向旁挪。大冢灵花不依不饶，将头顺水推舟枕到他膝上，嘴里依旧念念有词。肖不平实在忍不住了，推推她脑袋："喂，那有枕头你不枕，枕我腿干吗，腿都麻了。"

大冢灵花眼皮也不抬，笑道："枕头哪有大腿舒服。"肖不平气得直翻白眼："你倒舒服了，我却难受。"大冢灵花哼道："要是有人天天在你身边转，却连看都不看你一眼，你说什么他也不听也不答话，你说你能好受么？"

肖不平哼了一声道："是你把我锁住的，能怨我么？我天生闷葫芦，你要觉得碍眼，不妨打开锁链，咱们分道扬镳，老死不相往来，岂不两美？"大冢灵花也哼道："你想得美！除非我死了，否则今生今世你休想离开我半步。"

肖不平一时无语。

大冢灵花道："你说那蜘蛛和乌龟哪里去了？"肖不平道："你问我我问谁？"大冢灵花咯咯一笑："你看这是什么？"说着翻身站起，从怀中掏出一支镂金点翠的龙凤钗，巴掌长短，造型华美。肖不平瞥了一眼："一支钗子有什么好看？"大冢灵花笑道："这可不是一支普通钗子，这是我在诅咒室中捡到的，会不会是史天骄遗落的？"肖不平不置可否："那里的东西你也敢捡，你不怕有毒？"大冢灵花道："我早就试过了，没毒。不过，这钗子上的花纹有些奇怪。"

肖不平拿过钗子，细细看去："嗯，花纹很细腻，好像是些字迹，可惜太小，要是有鲁班门细刻鬼工的知微镜就好了。"大冢灵花道："一股为簪，两股为钗。我送你一股，算定情信物如何？"肖不平道："钗拆同音，钗分镜破是离别信物，怎能做定情信物？你自己留着吧。"

两人唠叨半晌，趁大冢灵花没注意，肖不平偷偷从兜囊中取出一只拳头大小的竹制促织笼，撬开笼门，里面有七只人面蜘蛛，正是他从诅咒室中偷来的。他瞧了一眼，又塞回肋下兜囊，伸个懒腰，道："哎，对了，石坟中那篇诅咒是不是你哥哥写的？"

大冢灵花一屁股坐倒在地："你看出来了？"肖不平道："你不也看出来了么？那篇诅咒是个很简单的嵌字诗谜，嵌的字是'七宝图藏，合一成王。'而且最后一句暗藏了你哥哥的汉名黄立，显然这是你哥哥在用诗谜向大炎可汗报信。"大冢灵花微一踟蹰："字体好像是我哥哥的，特别是地狱的'狱'字，将中间那个'言'字放在了左边，这也是我哥的习惯误写。不过我纳闷的是，为什么他不在夜里用弓箭将这天大的秘密传给姑父，而用这种明目张胆的方法？"

肖不平淡淡一笑："我只是在想，鞑靼这边的大将如果知道了这个秘密，到底会怎么样？"

"自相残杀？"

"不错，所以我猜将军很可能已经知道了你哥是细作，而且也料到今日之事，所以模仿你哥笔迹写信，引敌人自相残杀。《阴宅血咒》上半部曾写将军翻阅敌人卷宗，里面记载了大炎可汗等人的详细情况，其中黑莲法师、忽雷怒、赫花狼、麻狸虎的祖上都深谙汉学，能写几句打油诗。将军看到了这点，所以设了这个圈套。"

大冢灵花道："我要告诉姑父去！"肖不平晒笑道："大炎可汗知道这个情况后，必然疑神疑鬼，他会认为，凡是知道这个秘密的人，为了得到七宝，只怕都会起异心，便是你我也不例外。到时我们都难逃杀身之祸。你应该明白这个道理，不然白日里你早就跟大炎可汗说了。"大冢灵花叹口气："那该怎么办？"肖不平懒懒道："佯作不知，静观其变。"

鞑靼兵营在浓稠夜色中画出波峦起伏的剪影，好像接连不断的坟包。半夜了，军帐中，麻狸虎醉眼惺忪撂下第十八碗酒，刚要歪在羊毛毯上就寝，忽然帐篷门笃笃一响，又一响，像是有人敲门。"谁？！"门外声音停了。他酒醒了一半，抓起枕边佩刀，一个箭步蹿到门口，侧耳倾听，外面无人。他侧身贴帐壁，刀尖横出，轻轻挑开帐门，一股冷风挟着湿气灌进来，脚尖勾处，尿壶飞出，啪地滚出老远。随着尿壶，他庞大的身躯蓦地一矮，如猿伏狸滚弹出帐门，刀锋左右横斜若切若磨舞花缠身，护住要害。

四下里悄然无声。连日无战事，除了营门要路，其他岗哨这时候早躲在旮旯眯着了。天上乌云怪兽般翻滚，偶尔一两颗星子逃逸出来，又被下一个云团吞没。空气中弥漫着潮湿阴冷的寒气，看来一场大雨就要来了。

麻狸虎四顾无人，心想也许是风吹门响，长出一口气。自从看了诅咒，他便心神不宁疑神疑鬼，看来真是多心了。于是转身进账，刚要吹灯，眼神一瞥，忽见案头蜡烛旁多了一封书信！麻狸虎心中纳闷："肯定是谁引老子出来，偷偷放了一封信。"屋里屋外再巡视一遍，没人。这才坐在灯下，抽出信瓤。信上没有署名落款，也不是蒙文，是汉字，正是白日在坟丘墙壁上看到的那个诅咒："夺我头七窍流血死，夺我枪宝刃穿心亡，夺我甲图谋遭雷劈，夺我女藏娇折颈崩，夺我马合眼下地狱，夺我匣一手自扼毙，夺我地成鬼变僵尸。八殿阎王立判行刑，敕。"黑笔写的八句话，一句一行，一行八字，上下左右对得整整齐齐，每句的第四个字都用红笔画出了红圈，特别显眼。下面用黑笔写着注释："这是一首蜂腰格嵌字诗谜，红圈中的字连起来就是：'七宝图藏，合一成王。'意思就是七宝中各藏一幅密图，将这七幅图找出拼合起来，就能称王称霸。汉家传说中，十殿阎王分别姓：蒋历余吕包毕董黄陆薛。'八殿阎王立判行刑'这句藏着一个人名，八殿阎王姓黄，加上那个立字，就是黄立。这是我方细作黄立利用密书向我们报信。"汉文后面又写了一篇蒙文注释。麻狸虎虽然汉字识得不多，但两相对照，也弄懂了其中意思，蓦地吼了一声，拍案而起，来回踱步，铜铃眼中光芒闪亮，狂喜之情抑制不住。转了几圈，急刹住脚步，从帐边兵器架上抽出七宝之一白蟒乌龙刺，横放在案上。这条枪长一丈二尺二寸二分二厘二，重一百二十二斤二两二钱二，枪杆粗如鸭卵，通体精钢打造，半截漆黑半截亮白，镀银走铬，枪分双头，一头雕成威猛龙首，龙口吞利刃，一头铸成狰狞蛇头，蛇舌成枪苗。枪杆中间一圈圆箍，是为两截结合处，合则成一条长枪，分则成两条短枪。

"枪中藏图"，麻狸虎将白蟒乌龙刺枪头枪杆枪纂扫视一遍，最有可能藏图的便是枪杆之中。军中交战，曾见将军拧断枪杆，料来断头处必有空隙。当下抓住枪杆两端，试着拧转圆箍，机括转动，大枪豁然中分，断为两截，一头为榫，一头为套。麻狸虎一手持枪杆，单眼吊线看去，套子这边果然中空，一卷布帛露出端倪，登时大喜，手指撮成鹰嘴形，钳住布帛端角，一拉，布帛塞得太紧，没拉动。再使劲一拉，猛听嘎嘣一声，机括猛响，一支弩箭穿过布帛，劲射而出。相距太近，麻狸虎躲避不及，一箭穿心而过，一声闷哼，仆倒在地，断枪跌落。

便在此时，门帘倏地一挑，一条人影如幽灵般飘进账中，阴风吹过，烛焰忽闪挣扎欲灭。昏黄的烛光下，照出人影模样，身穿敝旧白袍，背背一口紫檀色棺材，最扎眼的是这人脖腔上竟没有脑袋，白骨红肉，芽茬巉巉，狰狞可怖，赫然正是数日前疆场断头的史万夫！

史万夫走到案前，弯腰拾起布帛，掖入怀中，又捡起两截断枪，拧了几下，将枪衔接一体，然后拔出麻狸虎心口中的弩箭，反手一枪再刺个窟窿。又将案上那封信凑到烛焰上烧了。随手扇灭蜡烛，返身出帐，大帐中顿时陷入又一片黑暗之中。

史万夫不知道，就在麻狸虎的帐篷顶上，两个人像两片树叶，紧贴伏在上面，和夜色混为一体。然而这两人也不知道，不远处的刁斗上也藏着两个人，居高临下窥视着他们的一举一动。

天交寅时，东方天际刚杀出一丝鱼肚白，便被乌云践踏成一片阴霾。惊雷震得大地发抖，闪电如纵横的刀将翻滚的云层搅得支离破碎。电光亮起，便见暴雨如千万枝长箭密集攒射下来，地下流水向低洼处灌去，沟满壕平，映着金蛇般的闪电。

赫花狼披着衍天甲，悄悄钻出帐篷。昨天他得到大冢灵花誊写的那道诅咒副本，便觉得奇怪。他家也是世代簪缨，先祖也曾跟随忽必烈大汗入主中原，深受汉学熏陶，诗词曲赋都有涉猎，到他这一代虽然重振游牧之风，但还是沾些舞文弄墨的余沥，以为消遣。是以他反复看了几遍，便觉蹊跷，这诅咒有几句话用词略显牵强，再一看，瞧出门道，这是一首嵌字诗谜："七宝图藏，合一成王。"心中暗想："难道史万夫在七宝中藏了什么诡秘的东西？"入夜时分，帐中无人，他便将衍天甲铺陈案头，仔细观看。这副甲质若丝绢，形如戎衣，高领窄袖，腰间缠一条同样质地的丝带，重量极轻却又坚韧无比。前后皆有彩线织成虎纹，正视看不清楚，对光斜看，便见猛虎跳跃，栩栩如生。赫花狼翻来覆去看了一宿，逐寸叩击揉搓，也没找出所谓的藏宝图。

正垂头丧气，也听到有人敲门，推门看时，一封信从门缝中落下。探头四顾无人，捡起信来看，却是麻狸虎的来信，大意是发现了诅咒中的诗谜，并且从枪杆中得到了一张藏宝图，让他把衍天甲中藏匿的藏宝图带上，拼合研究。此事绝密，不得不小心从事，军营中人多嘴杂，为防消息走漏，请卯时去城左雷公祠相会，共图大计。末了又说让他把信销毁。

赫花狼比鲁莽的麻狸虎奸猾许多，心中盘算，麻狸虎和自己是结义安答，而且他生性莽撞城府不深，说的应该是实话。转念一想，珍宝在前，麻狸虎也可能翻脸杀人。休说宝藏，便是对空虚缥缈的龙穴，众人也蠢蠢欲动。犹豫再三，还是受不了诱惑，当下烧了书信，全身上下拾掇利索，忽而想到那个诅咒"夺我甲图谋遭雷劈"，不禁心中一颤，外面风雨大作雷声轰隆，万一出门被雷劈了……他曾听老人讲过，雷雨天气中不能在山顶树下等危险地域逗留，也不能手持铁器，避免引来雷击。除此之外，应无大碍。想到此处，将身上甲胄兽头腰带虎头战靴悉数卸下，换上软衣软靠，狼牙棒也是铁的，但是不带兵器，又怕麻狸虎万一翻脸。略一思索，找块油布把狼牙棒整个裹住，又将狼牙刺裹住插在靴筒中。收拾停当，想要出门，心中还是忐忑不安。戎马一生，多次雷雨中行军，从未发生一起雷击，怎么现在也变得草木皆兵，疑神疑鬼了。又想麻狸虎有三口飞刀暗器，若无甲胄护身，恐不稳妥，还是把衍天甲穿上为妙。这衍天甲质如丝绢，没有半块金铁之物，也曾见史万夫在雨中穿戴它，安然无恙。当下穿上衍天甲，外罩雨衣。推开帐门，溜到马厩，将银鞍铁镫卸下，骑上裸马，冒雨溜出军营，向雷公祠驰去。

他同样不知道，在他身后，一条黑影冒出，狡如脱兔蹑踪缀上。可是这条黑影的身后，又冒出两条黑影。而在这两条人影之后又浮出两条人影，瞬间五条黑影就如墨汁融入砚台，消失在深邃的夜色中。

雨横风狂，赫花狼冒雨跋涉数里，眼见破庙在望，雨帽便被风掀落，冰凉的雨水顺着衣领灌下，不多时便将他浇了个透心凉。蓦然间，一阵惊雷在头顶滚过，一道电光宛若磨牙吮血的毒蛇，从空中恶扑而下，划过赫花狼的左臂，钻入地下，一串火光从雨衣袖子上腾起，随即被雨浇灭。赫花狼只觉左臂一麻，知觉顿无，心头大惊："难道诅咒真的应验了？"脑中电光火石一闪，当机立断，将挂在得胜钩上的狼牙棒摘下扔掉。这时又一道闪电劈下，从后背钻入，坐骑马失前蹄，轰然倒毙，赫花狼一个跟头，摔在泥水里，顿时鼻青脸肿晕头转向。天上风回云转，霹雳轰鸣，一道道闪电仿佛生了眼的蛇瞄到了猎物，向他吐出一条又一条刺眼的毒信子。赫花狼在泥水中狂奔，身子仿佛都不是自己的了。狼牙刺扔了，雨衣撇了，但那凶狠的雷电还是不饶他，他跑到哪里就跟到哪里，一道道闪电在他周遭爆起，仿佛在捉弄他一般。

土坡上的小庙，泥墙红瓦半边倾圮，残破不堪，在雷雨中毫无生气地卧在那里。朽烂的庙门在风雨中摇曳呻吟，赫花狼一步踏入门中。轰，又一道闪电劈下，正击中头顶，他吭也没吭，便仆倒在地动弹不得。写着"雷公祠"三字的破匾掉下，裂成两半。

雷雨足足下了一个时辰，到卯时方歇。一线天光仿佛割开漫天乌云，一条人影如幽灵般浮现在庙前，背后背着紫檀色棺材，裸露的脖腔没有脑袋——正是掉了脑袋的史万夫。但见他脚步僵硬，踏入庙中，在赫花狼身边慢慢俯下身来。赫花狼面目焦黑，僵如硬木，头顶一个手指粗的黑洞，早已死去多时。但他身上裹着的衍天甲却闪亮如新。史万夫弯腰对着衍天甲，凝神察看，然后用手轻抚那绣虎背上斑斓的花纹，不自觉轻叹道："原来如此。"声音阴冷可怖，说完，三下五除二解下衍天甲，塞入怀中，溜出庙外，消失在丛林之中。

史万夫背后，两条人影悄然闪出，追踪而去。等了半晌，又有两条人影从庙后转出。此时云开雾散，这两人手牵手，正是换了士卒装束的肖不平和大家灵花。原来白日里在诅咒室中看到了本命灯后，大家灵花便预感要出事。按照本命灯的时间，麻狸虎先死。于是夜里二人便先潜到麻狸虎帐外，爬上刁斗，偷窥到无头的史万夫进账，另有两人伏在帐顶，史万夫走后，那两人也跟踪而去。

两人进屋检查，发现麻狸虎已死，又悄悄来到赫花狼帐外，暗中偷窥。两人都是老手，知道案发现场不可留下足迹，折了几根粗树枝当作高跷绑在脚下，进入庙中，查看一番，赫花狼确实已经死透。

大冢灵花道："同在雨中，为什么这雷不劈我们，单单劈这个倒霉蛋？"

肖不平嗤地一笑："明知故问，当然是衍天甲能引雷电了。"

大冢灵花颇觉可惜："都怨你方才扯着我，要不然史万夫已经被我擒住，衍天甲也弄到手了。"

肖不平冷笑道："我不扯着你还帮着你啊？别忘了咱俩可是势不两立。"

大冢灵花笑嘻嘻地瞧着他："真的么？那你为什么不趁着我睡觉的时候杀了我，至少也可以砍掉我的手逃走。"

肖不平摇头道："你虽是东瀛人，心肠也很坏，但似乎没做过什么大恶事，杀你于心不忍，于理不通。"

大冢灵花哼道："就知道嘴硬，喜欢人家就承认嘛，口是心非的家伙。"

肖不平没心思和她打情骂俏："快回营吧，一会开饭时麻狸虎的尸体必然被发现，大炎可汗一定要找我们验尸。"

大冢灵花兀自犹疑道："跟踪史万夫的那两个人是谁呢？"

肖不平道："管他是谁，我只知道，将军的诅咒应验了。"

大冢灵花皱眉道："史万夫没死，我看你怎么没有狂喜，还是无精打采呢？"

肖不平哼道："明知故问。你不也瞧了那脚印了么？和你的脚差不多大。将军身高八尺，比你高一头，脚印不应该那么小吧！"说话其间，肖不平袖里乾坤，悄悄打开促织笼，偷偷看了一眼，属于赫花狼那只蜘蛛业已焦黑一团，死了。麻狸虎死的时候，肖不平偷看蜘蛛，属于麻狸虎那只肠穿肚烂，刚好也死去。看来这绝非巧合，一定是有人安排好的，但是这人是用了什么方法，隔空杀死蜘蛛的呢？

佛变三十三相身，鬼藏八十八只手

　　天光大亮，鞑靼营中沸腾成一锅粥。麻狸虎被杀死在军帐中，赫花狼失踪，同时失踪的还有史万夫的白蟒乌龙刺和衍天甲。大炎可汗得报大惊，立找大冢灵花侦缉凶手。正慌乱间，忽雷怒来报："麒麟豹丢了，马厩中马倌被杀！"一会儿又有军兵来报："史万夫人头被盗，看守被杀！"大炎可汗骇然失色。此时正值盛夏，气温炎热，但史万夫的人头割下半月有余，竟然一点都不腐烂，实在太过神奇。大炎可汗曾让眇道人和黑莲法王细加研究，最终也没弄明白所以然，只能派兵严加看守，没想到人头居然也被盗走了。

　　当下军卒四处搜索，午牌时分，有人在雷公庙发现了赫花狼被雷火烧焦的尸体，大冢灵花装腔作势检验一番，拉回军营。

　　金顶黄罗帐中。大炎可汗面黑似墨，诸将围坐，面有忧惧之色。议论半天，毫无头绪。大炎可汗道："麻狸虎心口被洞穿，正应了那句诅咒'夺我枪宝刃穿心亡'；赫花狼满面焦黑，顶梁一个黑洞直通脚心，应该是被雷劈死的，也应了'夺我甲图谋遭雷劈'。这究竟是巧合还是史万夫的诅咒真的应验了？"眇道人面如土色："大汗，肯定是史万夫没死，回来报仇来了。他偷走自己的脑袋，是要用异术再接上。"狻猊叱道："放屁！断头岂能再生！"大炎可汗缓缓道："道长说的也并非疯话，史万夫断头能走，即使没有冤鬼相助，也说明他身怀异术，大家一定要小心。"

　　七月十六。亥时。夜色如魔鬼的斗篷再次覆盖住苍茫大地。拒胡城东四十里伏夔山支脉虬龙岭，密林深处有一山洞，洞内篝火熊熊，映出周围数十条人影。这些人浑身上下穿青挂皂，捂得严严实实，只露两只眼睛。突然，洞外响起三记掌声，洞中众人闻声纷纷站起，以掌声回应，左右分班站好，齐齐向洞外躬身施礼，像迎接帝王一般。

掌声刚落，洞外缓步踏进一人，背背棺材，项上无头，正是史万夫。

史万夫将手一摆，人群中有两人走进山洞深处。不多时，一人牵出一匹宝马，正是史万夫的坐骑麒麟豹。一人用托盘捧出一颗人头，正是史万夫的人头。

史万夫绕着麒麟豹转了几圈，脖腔微曲，似在相马。麒麟豹生得隆颡蛺日，豹睛宽鼻，平脊大腹，蹄如累曲，身上毛旋如佛髻，有千里马之相。最扎眼的是头颅正中、两耳之间生有一个拳大肉瘤，瘤上寸毛不生，青筋暴露，甚是丑陋。转了几圈，史万夫挥手示意，有人取来牛筋绳索，将四只马蹄捆成四字锁。史万夫一指马头肉瘤，示意别人碰碰。立即有人伸手一拍，麒麟豹吃痛，咴咴一叫。史万夫摆个手势，一人拔出牛耳尖刀，轻轻戳去。刀尖入肉，鲜血如箭喷射。麒麟豹痛得一声龙吼，长鬣飞扬，浑身旋毛炸立如猬刺，叫声未歇，张开血盆大口，一口便将身前牵马那人头颅咬碎，血水脑浆顺着口吻流下，又纵蹄回身还要再咬。不防脚下被捆，一跤跌倒，兀自不肯罢休，咴咴狂吼，满地打滚，来回挣扎，闹了半晌气力耗尽，这才平息下来。

史万夫见它平静下来，这才示意手下人将金疮药敷上伤口。他似乎瞧出了端倪，凑到马腹旁边，拿过牛耳尖刀，将腹上一处短毛刮净，露出一片刺青，弯弯曲曲点点簇簇，像是一张地图。史万夫拿出纸笔，将地图仔细誊抄下来，放入怀中，然后将匕首探入篝火中烧红，将那片刺青烙去，麒麟豹免不得又是一阵惨啸。

史万夫又将托盘取过，放在一块大石上，对着自己的人头，互相端详半晌，场面颇为诡异。史万夫人头面色如生，怒目横眉，皮肤呈现出病态般的苍白，但颧平腮圆，掉头这些日子，倒似乎变胖了。史万夫挥手示意将自己的头发剃掉，他反而远远退开。一人持刀，将史万夫的人头剃光，见没什么异动，史万夫凑到跟前，果然头皮上又有一片刺青，再次誊抄下来。

誊抄完毕，史万夫拔出肋下佩剑，作势要毁了人头。但剑在半空，迟疑着没有落下。他沉思半晌，远远躲开，令一名手下毁掉人头。那人拔出弯刀，寒光一闪，毫无阻碍切入颅骨，但听砰的一声，人头瞬间炸裂，一团黑雾爆出，转眼就将那人吞没，空气中一片窸窣碎响。火光照耀之下，但见那人头上糊了一层黑色虫豸，如同蜂攒蚁聚，密匝蠕动。史万夫欺身近前，似在观看，但见那虫豸形如细腰蜂，只是小了很多，黑背黄蚊，细腰六足，嘴似细齿，翼若蚊翅，寻找缝隙，拼命向里猛钻。不过片刻，这虫豸将头套咬成万千碎粉簌簌落地，循着眼耳鼻口，全部钻入那人头中，眼耳鼻口鲜血淋漓，最后咕咚一声跌倒在地。

史万夫挥手下令，旁边立即有人添柴加火，把两具尸体焚化，又将麒麟豹牵入洞穴深处。安排妥当，众人一起跪倒送别史万夫——

就在众人跪下的一刹那，洞外忽然伏兵四起，箭如雨发射入洞中。史万夫首当其冲，被一箭穿心，扑通倒地。片刻之间，洞中一群黑衣人几乎被射杀干净。箭雨一歇，死尸堆里忽然跃起一个枯瘦身影，扛起史万夫便向洞内逃窜。洞外伏兵冲进，流矢乱飞，那人扔下史万夫落荒而逃。

外面的伏兵同样穿青挂皂，只露双眼。杀进洞中，立马掣刀抢剑，虎跳狼奔四散开去，捕杀幸存者。洞内有一羊肠隧道蜿蜒通向山外，密集搜索一遍，除了一人逃生，其他悉数杀尽。

这伙黑衣人将史万夫尸身捉到，扯碎衣袍，露出一人有头有脸，寿眉低垂，橘皮老脸，却是鞑靼帝师黑莲法王！为首那人冷笑一声："父汗神机妙算，果然是这妖僧假扮史万夫四处杀人。"听声音正是狻猊。狻猊扯过法王死尸，噼噼啪啪几个耳光，抽得七窍流血，将死尸往地下一摔，声音一冷："你们看到什么了？"属下会意："什么都没看见。"

浮云过尽，银河耿耿。今天正是十六，天穹幽蓝如海，一轮满月如玉盘倚在山巅，撒下万缕清辉。狻猊走后，肖不平和大冢灵花跃下树梢。肖不平啧啧叹道："不愧是大炎可汗，老奸巨猾。看来他早就看出了诅咒中的诗谜，并利用将军的诅咒来试探臣属的忠佞，还耍了招借刀杀人，一石二鸟。"大冢灵花道："这不叫老奸巨猾，这叫足智多谋。黑莲法王自恃帝师，妖言惑众，阴结私党，自募僧众，早有不臣之心。大汗早想将其除掉，但因其势力庞大，迟迟不便动手，唯恐引起叛乱。有这么一个大好机会岂能放过。黑莲法王聪明反被聪明误，死有余辜。哎，不对呀。黑莲法王是夺将军头者，诅咒上说'夺我头七窍流血死'，他是被一箭穿心而死。"

肖不平偷空瞧了一眼促织笼里蜘蛛，黑莲法王的并没死……

翌日清晨，黑莲法王的尸体在柳树坡草窠中被巡视的兵丁发现，运回军营，报给大炎可汗。大炎可汗痛叫一声，口喷鲜血晕厥过去，好半天才苏醒，又放声大哭，传令全营举哀三日。就在营门前高搭莲花法台，弟子将黑莲法王法体沐浴净身，换上崭新法衣，扶起跏趺而坐，装入法龛，供奉台上。僧众击鼓敲磬唱经超度，诸般仪轨盛大烦琐，不必细表。仪轨已毕，唱下火偈语，掷下火把，法龛焚尽。大炎可汗遣兵三千，护送以八宝金函盛殓的法王荼毗舍利回黑莲寺供奉。

诸事毕，大炎可汗戎装佩刀，召集诸将，在点将台上阅兵。他一刀劈断帅案，声泪俱下，要给帝师报仇，将戏码演得十足十。在其授意下，大冢灵花上台侃侃而谈，推理查证，把凶手的帽子扣给了隐匿在石坟中子虚乌有的史万夫党羽。大炎可汗一声令下，继续进入坟中搜寻，便是挖地三尺也要把凶手抠出来碎尸万段，给帝师报仇雪恨。

只有肖不平和大冢灵花清楚，他是要继续寻找龙脉和史天骄。

鱼龙百变一抔前，梦幻千重两扇后

　　石坟外甲兵层层围如铁桶，昼夜看守。迷宫内明岗暗哨无数，轮流戍卫。大炎可汗的如意算盘，一则防止史天骄逃走，二来可守卫龙穴。上次葬獒引路的绳子一头拴在石坟大门上，一头拴在迷宫后的第一个密室门上。

　　做好充分准备，眇道人、忽雷怒、大冢灵花率领数十名兵卒沿着绳索路标再次进入那个诅咒密室。大冢灵花吩咐道："再搜一遍。"又撬墙顿地，翻了个底朝上，依然一无所获。这个房间没有，只能打开对面的铁门。铁门上还是八卦离合锁，眇道人掏出挠针打开门。忽雷怒先遣几名兵卒过去试探，见无机关，这才举着火把踏入门后。不料，葬獒刚踏门槛便汪汪吠了起来。火把映照之下，但见此地是一个很大的圆厅，周围一圈石墙，还有七道铁门，都上了锁。

　　眇道人无暇他顾，一直跟在葬獒屁股后面，葬獒摇头摆尾，鼻子触地一直嗅到圆厅东南角，不再前进，当地转开圆圈，吠声更急，而后干脆卧地不起，眇道人手中罗盘更是鸣如莺啭。眇道人如癫如狂："龙穴找到了！龙穴找到了！"早有人飞报大炎可汗。大炎可汗狂喜，不顾危险，进入坟中查看。

　　圆厅中央有一坟包，坟头支着阴阳镜，坟前摆着玉石雕刻的貔貅、鼎印、玉玺、丝瓜等，周围站立一排桃木小人，足有百人之多。大炎可汗问："这是什么？"眇道人绕着坟包转了几圈，罗盘中莺啼声忽然变成哭泣声，那葬獒也跟着来到坟前，仰头如狼一般嗷嗷长啸。眇道人道："大汗，我明白了！这座石坟必是史万夫修建的陵寝地宫，此处是他祖先长眠的墓室，坟周摆着这些镇物是为了保护祖先灵魂，荫庇子孙发达。镜子照妖，貔貅辟邪，邪魔不敢侵犯。鼎印玉玺能让子孙掌权，丝瓜上面大瓜小瓜不可计数，寓意子孙昌盛，诗经上说：'绵绵瓜瓞，民之初生。'意思就是子孙像瓜蔓上缀满的瓜一样连绵不绝。"

大炎可汗疑惑道："此地便是龙穴么？"

眇道人摇头道："不是，凡天地灵气所钟之地，必是吉凶双生。风水有言：三年寻龙，十年点穴，差之毫厘，谬之万里。史万夫寻到龙脉，却点错了穴，此坟所在不是吉穴，而是凶穴。方才罗盘葬獒都已示警，若非如此，史万夫只怕早已称王称帝。此穴有个名称叫'白鬼挂锁'，生气被锁，死气笼罩，葬之虽可封侯拜相，但必遭横死，而且身带枷锁，永世难以翻身。"

大炎可汗想起史万夫的命运，深以为然。

眇道人转身折返，来到先前葬獒吠叫之处："大汗，此处才是吉穴所在。若我无葬獒、天命罗盘和阴阳眼这三宝，我也勘不准吉穴所在。"当下令人就在葬獒卧处掘坑九尺九寸九，黄土下露出簸箕大一圈圆形红土，土质膏润，隐隐泛光，嗅其土味，清香四溢，与别处土壤迥然不同。眇道人道："龙脉吉穴也有寿命，修短不同。古往今来王朝气数全由吉穴寿命长短所定，吉穴生则江山兴，吉穴死则社稷亡。百年者为下下吉穴，名为虬龙初生；二百年者为下中吉穴，名为蜃龙凫水；三百年为下上吉穴，名为鼍龙褪壳，此三穴可令枯枝抽芽。四百年为中下吉穴，名为虺龙沉渊；五百年为中中吉穴；名为蟠龙献瑞，六百年为中上吉穴，名为螭龙挂印；此三穴可令枯枝发叶。七百年为上下吉穴，名为夔龙定鼎；八百年为上中吉穴，名为蛟龙起舞；九百年为上上吉穴，名为应龙飞天。此三穴可令枯枝生花。一千年者万世不遇，名为鱼龙百变，可令尸化飞龙。"

大炎可汗道："道长看观此穴为何上中下？"眇道人捻了一撮红土，放入口内咀嚼，眼冒红光："恭喜大汗，穴土香甜，这是上上吉穴应龙飞天！"说着从兜囊中取出一根枯枝，插在土地上。不过盏茶工夫，那枯枝便在众目睽睽之下抽芽发叶，顶心作花。众人都看呆了。大冢灵花撇嘴道："该不是你弄的鬼把戏，做的假花吧？"拔出树枝，揪掉花叶，揉搓碎了，汁液沾手，确实是真叶真花。眇道人道："上佳吉穴因为生气旺盛，故而能令枯枝逢春。若将先人骨殖葬于此处，最少可得九百年帝王气数。"

大炎可汗大喜过望，当下便命分金点穴。眇道人摆定轮盘，排出八运盘、坐山盘、向首盘、流年飞星盘，断吉凶，定方位，再一番推演，明日即为黄道吉日。事不宜迟，大炎可汗当即决定，明日迁坟。

不过旁边的史万夫祖坟太过碍眼，谁知道里面还暗藏了什么机关。猰貐提议将史坟挖掉，眇道人道："刨人祖坟太损阴德，况且史万夫祖宗埋在凶穴之内，后代厄运缠身，对我们大大有利。万一动土，只怕反让其脱离灾厄。"猰貐道："就没有别的法子克制么？"眇道人道："也有，可用狗血秽物淋之。"

大炎可汗一声令下："挖坟！"十几名兵卒挥锹抢镐开始动起来。为防万一，大炎可汗在侍卫保护下躲入迷宫，猰貐、忽雷怒也纷纷撤后。没多久，史万夫祖坟便被刨了，挖出一口柳木棺材，泥土扫掉，露出真容：棺材帮棺材天上漆彩绘画，全是人物故事场景，有狩猎，有宴席，有战场，线条简练传神，栩栩如生。只是画中人物脖腔上全都没有头，有的把头别在腰间，有的放在桌上，有的双手提头向脖颈中安放，而那些头颅还挑眉瞪眼，嬉笑如故。最可怖的是，有的无头还能捻枪拽棒纵马杀人。

见无异象，有人报告大炎可汗，大炎可汗率众巡视一番："这是什么意思？"大冢灵花沉吟道："好像描绘了一个种族的日常生活。"眇道人惊道："莫非是史万夫的家族？"大炎可汗命："启棺！"转身又躲出老远。

铆钉撬掉，棺材天发出瘆人的吱嘎声，打开了，一股腐败气息扩散开来，围着棺材的士卒捂嘴道："怎么这么臭！"一人探头看去，怪叫一声："妈呀，绿毛僵尸！"忽雷怒叱道："什么僵尸？"掣出腰刀，一个箭步冲上，但觉腐臭熏人，低头一看，倒吸一口凉气——只见棺材里长了一片绿毛，好似下雨后的苔藓，须毛碧绿，煞是可爱。许是见了空气，绿毛渐渐变白，继而雪逝冰消，露出一具瘦小的干尸来，那臭气也没了。忽雷怒骂道："什么僵尸？是尸体腐败生了绿毛。"

等了半晌，见没有危险，众人都聚拢过来，但见那具骸骨殓服已烂，只有身子没有头骨。联想到史万夫无头犹能行走，还有那些图腾般的棺材画，眇道人脸色苍白道："史万夫该不会是飞头蛮族后裔吧？"大炎可汗惊道："什么是飞头蛮族？"眇道人道："我也是听前辈说过：五岭以南的溪洞中，有飞头獠子，头能离开身体。在头飞走的前一天，脖子上会出现红线般的痕迹，到了晚上，头便离开身子飞走，到河边捡些螃蟹、蚯蚓之类的东西吃，天亮时飞回，肚子也饱了。南方的落民，其头也能飞，用耳朵当翅膀，他们祠庙中供祀的神名字叫'虫落'，'虫落'神就是无头怪物。"

獒猊叱道："胡扯！"眇道人慌忙道："是是，世上哪会有这样的人。当初在阵前看过史万夫无头而走，我就想到这些传说，但肯定是胡说八道，所以我一直没敢告诉大汗。"

肖不平皱眉道："也不一定是胡扯。元朝诗人陈孚曾出使安南，见过飞头人。有纪事诗写道：'鼻饮如瓴瓶，头飞似辘轳'。说的便是见过能用鼻子饮水，能把头飞出像辘轳转圈一般的土人。"

大冢灵花暗中踩了肖不平一脚，道："你们说的飞头族，都是有头能飞，但是天明之前必须飞回，否则人就死了。史万夫脑袋已然毁……"话到此处戛然而止。史万夫脑袋被黑莲法王盗走然后炸开飞蛊伤人是个绝密消息，决不能宣诸于口。好在旁人并不在意。

肖不平嘀咕道："刑天没有脑袋，用乳房做眼睛，肚脐当嘴，还能战斗。"

大冢灵花白他一眼："那是神仙，你听过有这样的人么？"说着仔细瞅着棺材，棺材虽然没烂，但土蚀痕迹很重，漆画颜色古旧，看来不像新画的。拾起尸骸颈椎骨，顶上那截中间断掉，茬口也很旧，转头看着众人道："这是史万夫的诡计，因为敌将被俘或被杀，必被斩首示众。他矢尽粮绝死路一条，所以借助斩首的规矩，弄了飞头族吓唬咱们。这棺材和尸骨都是做旧的，不足为奇。大家想想，就算史万夫是飞头族，无头也能活，那又如何？一个有头的史万夫咱们都不怕，还怕一个没脑袋的。"众人一听却也在理，恐惧稍退。当下将棺材连同尸骸一起运出，用狗血浇上，然后埋了，又在土上用桃木钉子钉住四隅。大冢灵花又命人用前些日赶制的摸金门专用的刺陵锥刺入地下，探查有无地道。钻探好几遍，没查到地道。

龙穴定准，大炎可汗又动起了脑筋——龙穴找到了，那么史天骄在哪里呢？会不会就在前面的七道大门之内？

眇道人早就瞧出玄机，当下自告奋勇开门。门后有门，屋屋相连，和迷官格局相仿，只是门上都有锁钥。此门一开，门内机密暴露，原来都是储物室，第一间屋子是兵器库，刀枪剑戟十八般兵器堆了半屋子。第二间屋子里堆放军衣盔甲。余下屋子各种军需器械古玩字画日常用具数不胜数。

大炎可汗命狻猊等检查迷宫，自己先一步撤出。眇道人彻夜不休撬锁开门。三百士卒紧随其后，开启一门，检查一屋，用木锤拍墙擂地，检查有无夹间密室机关埋伏，所幸全无机关。

肖不平趁无人时问大冢灵花："将军的地宫中诡异非常，但我瞧大炎可汗并不怎么害怕，这是怎么回事？"大冢灵花笑道："有句话叫色迷心窍，你的史天骄危险了哦！"肖不平皱皱眉还想再说，一名兵卒走来，他慌忙将吐到唇边的话咽了回去。

惊鸿照影走娥皇，盖棺论定下桀纣

等到翌日天明，众人疲殆不堪，眇道人又打开一屋，屋里竟有灶台餐具，两口水缸，半袋小米，小堆木柴。灶台下灰烬尚有余温，灶台上一只瓷碗，犹存少许残渣。从灶台上还引出一只铁皮烟筒，通向另一间，看来这里果然藏有人。众人顿时警醒。打开灶房后门，门后竟是一间闺房。迎门一扇绡素围屏格隔成两间，外间靠墙处放一张红木雕花梳妆台，梳妆台上置一方菱花铜镜，左边放青花瓷瓶，瓶中花草已然枯蔫。右侧有箧盒妆奁，簪环首饰梳篦粉黛胭脂，俱是闺中用品。莫非这里便是史天骄藏身之所？狻猊一使眼色，手下兵卒会意，举着火把提着刀，悄悄摸向屏风后面，橘红色光芒晃动，映出向壁一张竹榻，榻上素帷低垂，两名士兵一递眼色，哧啦撕开帷幔，榻上被褥鼓鼓囊囊，一头青丝散在鸳鸯枕上。两人同时扑上去，一人捉头一人擒腿，大叫："捉到了捉到了！"狻猊等人一听，同时向屏风后涌去。

便在此时，门上忽地一人跳下，向外便钻。门外还有两名兵卒，黑灯瞎火视物不清，初时以为是同袍，被那人一撞，还叫："怎么了？怎么了？"那人也不吭声，掉头就跑。两个兵卒觉得奇怪，举起火把一照，那人身形窈窕，拖着一头长发，竟是个女子。进入石坟的女子只有大冢灵花一人，但她身穿和服发髻高挽，身边时刻牵着肖不平，绝非这等扮相。两人登时醒悟，大喊："女人，有女人跑了！"发足便追。屋内狻猊等揪下榻上人，才发现是衣服裹扎成的假人，知道上当，听得叫嚷，急忙返身出屋追去。

穿门过屋，一直追过龙穴所在圆厅，那女人推倒一名士兵，一头钻进迷宫。迷宫内重门叠户，复道回廊不可胜记，沿途标记处虽有兵丁守卫，内里却未能面面俱到。那女人显然熟稔路径，遁入迷宫便如滴水入海，再也寻不见。

忽雷怒一面通知大炎可汗，一面派人撒入迷宫搜寻。大炎可汗听得有女人出现，心中狂喜，知道这必然是史天骄，立即悬赏，有抓到史天骄者，赏千金封千夫长。另派眇道人继续开门。内里屋子间间相连，四壁开门，纵横交错，大小均等，有农具室、盥洗室、闺房、柴房、灶房、佛堂、琴室、棋室、书房、画室、绣房、琴室、陶瓷馆、家具室、兵器室、衣物室、珍宝馆、杂物间……不一而足。也不知开了多少间，尽头是一圈石壁，再无去路，好在各处都没查到机关埋伏。

眼见吉时已至，史天骄还没搜到。大炎可汗无奈，只能先行迁葬仪式。他父亲骨殖早运到营中，以金丝楠木棺材盛殓。这棺材是遣人入明朝从柳州花万金购得，比黄金还贵。

哀乐低回，鼓乐前趋。大炎可汗披麻戴孝，手持哭丧棒引路，后面八条壮汉抬着棺材跟随。棺材很大，好在门也不小，堪堪能通过。一行人循着路标指引拐弯抹角，鱼贯而入。本来蒙古葬礼和中土葬礼略有区别，但是葬龙穴之风为蒙古所无，所以便依了中土规矩。规格上，本来应按天子葬仪设四重棺椁，但因石坟中门道多且狭，无法运进。况且据眇道人说，棺木越少越能接引地气，所以只能从简。棺木停在坑边，仪式正式开始，气氛肃穆无比。大炎可汗昭告天地，设礼献祭，一班臣佐跪地叩拜，烦琐隆重的仪轨按部就班，闹腾大半个时辰，总算完毕。眇道人一本正经念诵祭文，祭拜神灵，然后掐定吉时，按好方位，落棺下葬，填土封顶。

第一锨土刚落下去，忽然轰隆一声巨响，犹如天崩地裂，石室墙壁都颤了三颤。大炎可汗张皇失措，狻猊喝问："怎么回事？"早有士兵跑来禀告："不知为何，大门忽然关闭，断龙闸落下，出不去了！"

众人赶至坟前，果真不假，门口的断龙闸落下，将大门堵死。断龙闸乃生铁所铸，重达万斤，本来镶在门顶，外封岩石，内有机关控制，一旦有人破门而入，断龙闸触犯，便落地封死退路。而且这是个死机关，只能落不能升。看来这是有人捣鬼，弄下了断龙闸。一定是史天骄！

狻猊大怒，抢刀劈上铁闸，刀口卷刃，铁闸却纹丝不动。大冢灵花倒是淡定，道："殿下不必着急，断龙闸打不开，可遣人挖墙打个通道。外面有我们兵马，猝见生变，一定也在想方设法凿洞救我们出去。不出三日，内外便能打通。"

看来只能如此了。但来得匆忙，并未带铁钎等物。史万夫好像算到了这点，兵器库中只有刀枪剑戟，还都是木杆的，没有铁锤。坟中狭窄，众人只带了便用的弯刀，没带重兵器。只好将探地用的刺陵锥拆解了当铁钎，把榔头当大锤，乒乒乓乓凿起来。不多时，外面叮叮当当也有动静，只是石墙太厚，听不太清，想来也在凿墙。

大炎可汗略感安慰，令人填土圆坟，周围也摆上眇道人早就准备好的镇物，阴阳镜貔貅鼎印玉玺瓜瓞子孙偶，一样不缺。为了镇住史万夫鬼魂，坟前特意摆了两尊石狮，塑了五花大绑浑身刺满刀剑的史万夫跪像，钟馗张天师分立左右，手拿钢鞭对准其头。

一切就绪，再次搜寻史天骄，仍然一无所获。这一折腾，早已过了半天，众人饥肠辘辘。猰㺄令人将坟内守卫带进的干粮肉脯收集上来，聚集一处，将领们大快朵颐，其余的分给亲卫，剩下兵卒只能勒紧腰带了。大冢灵花道："派人埋伏在坟内灶房守株待兔，如果别处没有粮食，史天骄必会回来。"

大门一关，空气稀薄，只能熄灭大部分火把。坟内黑暗，不知时光之既过。大炎可汗等人吃了三顿，食物告罄。在史天骄闺房后门还有一个房间，是一个藏宝室，里面柜子栉比鳞次，暗格密布，翻开看时，全是寿山石亭、黄金塔、珊瑚树、琉璃灯等奇珍异宝。猰㺄带着眇道人一遍遍翻找，终于在一个格子中发现了一个黑黢黢的铁匣子，上面安一只转轮锁，上錾刻三字铭文："窃天匣"！

窃天匣乃史万夫七宝之一，猰㺄一见大喜，立刻派人守住藏宝室，将眇道人请至农具房，拉了一只马扎，让他坐下，逼他开匣。前面麻狸虎、赫花狼都被将军宝物咒死，眇道人实在不想碰这晦气东西，但又不敢不听命，只能豁出去了。

费了半天劲，倒真打开了匣子，没想到铁匣里还有一方小铜匣。猰㺄将其他人屏退，四顾无人，语气忽转柔和，低声问道："道长，葬龙穴出帝王到底真不真？"眇道人一边开锁，一边道："如何不真？葬书中说，葬乘生气，荫庇子孙。便是祖先葬入吉穴，子孙必能发达。"说着大背特背一番葬书，又列举了前朝帝王将相发迹历史，无一例外，祖坟风水是关键。

狻猊听得头大如斗，勉强听完，又问："如果祖先子孙甚多，到底会荫庇何人呢？"眇道人不明其意："后代皆可荫庇。"狻猊琢磨半晌，压低声音道："这么说吧，我祖父有七个儿子，父汗是最小一个。我六个伯父共有二三十个儿子。如今父汗将祖父的骨殖埋在龙穴当中，会不会荫庇伯父的儿子成就霸业？"

"这、这……"眇道人从未想过这个问题，一时张口结舌，也是急中生智："等大汗百年之后，再占此龙穴，殿下霸业必成！"狻猊会心一笑，拍拍眇道人肩膀，话中有话道："只要道长够聪明，我若做了皇帝，你就是帝师！"说着叫进两名贴身亲卫，监视眇道人开匣。自己折身返回大门处，将这天大好消息悄悄报告给大炎可汗。大炎可汗当下率领贴身护卫随狻猊来到农具室，又派了两名亲卫监督。

时辰不早，大炎可汗又累又乏，为保险起见，将一间柴房东西搬空，检查数遍，确认安全后，几名侍卫脱了袍子，垫在地上作临时被褥，大炎可汗躺下歇息，侍卫按刀侍立，眼如鹰隼警视周围，轮流守卫。

坐百年殿不满意，分一杯羹已足够

地官中进来的鞑靼兵共有三百余人，一百人守卫迷宫中路标，一百人聚在大门前，由忽雷怒指挥轮流凿击石墙。剩余是大炎可汗和狻猊的侍卫，在墓室后的储物室分散开保卫主子。珍宝室及史天骄闺房等重要地方都有侍卫把守。大冢灵花和肖不平只能钻到一间杂物间休息。屋里乱七八糟，扔着簸箕扫把破缸等杂物。四壁灰尘挂满，蛛网招摇。大冢灵花打了两个喷嚏："走走，这哪是人待的地方。"

肖不平举着火把道："不是人待的地方，是神待的地方。"话音未落，却听砰的一声，光芒大盛。两人一惊，原来向壁立着一支古旧的青铜千手观音烛台，观音背托火焰屏，阴刻手纹无数，象征千手千眼，有七只手结成七种法印，探出屏外，高下错落，各自擎了一支素烛。下面四支同时燃起。两人凑近细看，素烛上没有刻度，只是添了名字。上面三支，麻狸虎、赫花狼、黑莲法王的已然熄灭。又是本命灯！

肖不平伸鼻嗅嗅："蜡烟有毒没有？"大冢灵花道："没毒。不过昨日检查过这个屋子，只有烛台并无蜡烛，怎么今天便有了呢？"肖不平淡淡一笑："肯定是有人捣鬼。""谁？""也许是史天骄，也许是史万夫，也许是写书人。""不可能，现在这里全有我们的人看守，他们怎么混进来，难道这里有地道？"四下翻找，没有发现。

肖不平摇摇头道："别找了。我总觉得将军没死，也许七煞血棺的传说是真的。将军真变成了鬼。鬼无影无形，出来进去如入无人之境。"

大冢灵花撇嘴道："鬼才相信。我不是早就破解了恶鬼出棺之谜了么？"眼珠乱转，忽然伸手一掰千手观音合掌胸前的左手食指，但听得咯噔一声机括响动，麻狸虎的那支蜡烛忽然缩入手臂内。再掰中指，赫花狼的那支也缩了进去。反手回掰，那蜡烛又钻了出来。拔下蜡烛探头一看，原来观音手臂里内置机括，升降自如。大冢灵花笑道："原来是机关，哪有鬼！"

肖不平道："便是机关能隐藏蜡烛，蜡烛中暗藏白磷粉能自燃，那么机关弹出来总需要人来弄吧？"

大冢灵花笑道："这也不难，只要有个定时装置就可以了，我看你就能做，你不是做过定时的鬼塔么？不信把这烛台拆了，看看里面有没有机关。"

肖不平摇头道："定时装置并不奇怪，只是这时辰不早不晚，刚刚定到你我进来的时候，这才是最可怕的。我们的一举一动都在这人的预料之中。"

大冢灵花也沉吟道："这个人究竟是谁呢？"

肖不平似笑非笑地看着她："要我说，这个人就是你！"

大冢灵花伸手摸摸他脑袋："也没发烧，你怎么说胡话呢！"

肖不平冷笑道："还装什么糊涂。方才进屋的时候只有你我两人，火把光照有限，你趁我查看别处的时候动了手脚，启开了机关，你方才打喷嚏便是要掩盖机括弹出的响动。"

大冢灵花拍手笑道："精彩！不过我也可以说是你捣的鬼。方才进门的时候你说过这么一句话'这不是人待的地方，这是神待的地方'，这是不是在暗示什么？"

肖不平尴尬一笑："看来咱俩都有嫌疑。"

大冢灵花道："会不会是有人偷窥到我们进入此屋，便在别处用机关遥控开关。比如你就曾用同声共振的谐律之法开启过密室之门。"

肖不平思索道："确有可能。不过我的故事和我们现在所经历的故事都应该在那个写书人的故事之中，一个人讲的故事总是重复，不是个好作者。"

大冢灵花敲敲脑袋："不想了，头疼。不过，这个人这么做的目的是什么？"

肖不平笑道："预告死亡。你没看见，死去的人相应的蜡烛也熄灭了么？"说着又神秘一笑，"不过预告有时候也是假的，是诡计而已。就像诅咒室中的蜡烛显示黑莲法王是第七个死，结果他在第三个就死了。也许就是这种错误的顺序让黑莲法王大意疏忽，从而命丧黄泉。"

大冢灵花嘻嘻一笑："你很聪明。"

肖不平颇有深意地笑了："你也很聪明，不过太聪明有时候并不是好事。"

大冢灵花道："我锁住你，算不算聪明呢？"

肖不平笑道："我被你锁住，算不算聪明呢？"

大冢笑道："那就要看谁是真聪明谁是自作聪明了。"

肖不平拣个矮凳，倚着墙角坐下。大冢灵花伸个懒腰，一屁股坐到肖不平腿上，坐上也还罢了，老实不客气还往他怀里钻去。肖不平怒道："你坐我腿上干吗？"大冢灵花道："就一个凳子被你坐了。"肖不平道："那不还有扫帚么？"大冢灵花可怜兮兮道："我怕冷，你怀里暖和。"肖不平还想再说，忽然啪的一声，一支蜡烛扑地灭了。两人一惊，一起站起，凑近看去，是忽雷怒的灭了。

忽雷怒指挥士卒乒乒乓乓凿了半晌，借口禀告大炎可汗进度，离开前门，向墓室溜去。墓室中静谧无人，死气沉沉，只有大炎可汗祖先坟前供着的长明灯亮出一点如豆光晕，在黑暗中瑟缩着。周围石俑在明暗交织的光影里拖出长长的影子，摇曳不休，仿佛得到了生命一般。

诅咒室铁门无声启开一条缝，忽雷怒抹黑溜边，蹑手蹑脚，避过长明灯，绕到了坟丘背后，四顾无人，俯下身来，袖里吐出一支枪头，在坟上掘个深坑，松开腰带，捅破内衣衬里，细细的粉面从中簌簌漏入坑中。原来自从大炎可汗提出要攻打拒胡城夺龙脉开始，忽雷怒便打上了如意算盘，表面对风水嗤之以鼻，暗中却掘了自家祖坟，把老爹的尸骨弄出来，准备也葬到龙穴里去。龙穴只有一个，而且是大炎可汗的，谁也抢不走，只能等他埋葬后，偷偷把自己父辈的骨头也埋进去，不想独霸天下，分茅列土足矣。但埋骨头容易被发现，思来想去，忽雷怒将老爹骨头用榔头凿碎，碾成粉末装入内衣衬里。此刻逮到机会，将骨粉倾入坑内，唯恐被人发觉，用枪将骨粉和泥土搅拌了一番。

就在他忙活得满头大汗之时，被石狮挡住的那个史万夫的跪俑忽然在黑暗中睁开了眼睛，放射出绿莹莹的妖异之光来。

搅拌完毕，忽雷怒收枪入袖，爬起身来，转身就走。就在转身的刹那，一个人宛若一尊鬼像挡住了他："你在做什么？"声音咝叫如毒蛇。忽雷怒吓得魂飞天外："你？我……"话未说完，一把冰冷的刀已然搠进了他的胸口。

杂物间。大冢灵花见蜡烛熄灭，立刻拉着肖不平去前厅找。肖不平懒洋洋不愿动弹："他们死活关我何事。"忙里偷闲，偷觑促织笼，骇然发现，忽雷怒那只已然死了，肚子破开，还掉了一条腿。大冢灵花后悔不迭，牵住他真是自己自作聪明的。强拉硬拽，总算把肖不平拖了出去。两人擎着火把，穿过好几道门，东拐西绕，到达墓室，一股血腥气冲鼻而来。火把照耀下，却见史万夫被刨掉的祖坟周围印着无数只血手印，组成了两个大字："地狱"！那个坑还没填平，一具硕大的尸体倒栽葱跌在坑里，瞧服饰正是元帅忽雷怒。

"夺我地成鬼变僵尸！"诅咒又灵验了。

大冢灵花刚要上前搬弄尸体，肖不平一扯她："你最好离远点，否则你就是疑凶。"

两人转身便往回走，正巧狻猊举着火把从门里钻出，差点撞个满怀。狻猊奇道："你们怎么了？慌慌张张的。"大冢灵花支支吾吾。狻猊疑心更重，忽然提鼻子一闻："怎么有血腥味？"大冢灵花心急出错："什么血……"这是欲盖弥彰。肖不平狠狠一掐她胳膊："台吉殿下，我们正要报告你，眇道人被杀了，被丢在史万夫的祖坟里。"

狻猊一愣，脱口道："怎么？他也被杀了？不是忽……"猛然醒悟，话锋一转，"谁被杀了，走去看看！"肖不平道："也许是我看错了。"狻猊迈步的时候，大冢灵花将火把放低，照他脚底，却发现他靴子底下很干净。肖不平瞧她一眼，淡然一笑，指指狻猊右手。大冢一看，狻猊右手袖子护腕没了，衣袖垂下，笼住了右手，袖子上似有一块血斑。

来到坑前，狻猊问："这是谁？"肖不平心中好笑："瞧服饰好像是忽元帅。"狻猊命道:"你俩将他尸体拉上来。"

肖不平扯下大冢灵花,低声耳语:"千万别碰忽雷怒尸体。"转头道:"殿下,拉动尸体必然沾染血迹。我夫妻首先发现尸体,嫌疑最大。请你先看看我们浑身上下,可有血迹,排除嫌疑之后我才敢动手。"

狻猊瞧也没瞧,哼了一声:"你不说我倒忘了,你们为何来此?妹妹,你说。"大冢灵花只能实话实说:"我们在一个杂物间,发现了本命灯,和那间诅咒室里的本命灯差不多。因为忽将军的突然灭了,所以过来查看,没想到他真死了。"

狻猊觉得奇怪,冷笑道:"谁知道是不是你两人为了掩饰杀人罪行捣的鬼!"也不去看,只招呼其他人来。

不多时,大炎可汗也被惊动,在侍卫的保护下来到墓室。狻猊道:"他二人最先发现忽将军尸体,而且神色张皇,若非被我堵住,早就跑了。他们有重大嫌疑。"

大炎可汗瞧了一眼身边侍卫,踟蹰道:"不可能吧。灵花是我妻侄,怎会杀我爱将。"

肖不平叫屈起来:"大汗,冤枉啊!这周围都是血迹,若我二人杀人,身上怎会没有血迹。何况这里有血手印,一定是凶手留下的,谁手上有血迹谁就是凶手!"侍卫检查了肖不平二人周身和手上,果然没有血迹。

侍卫将忽雷怒的尸体扯上来,发现尸体面色青绿,双眼闭合,左手没了。火把向坑下一照,果然发现了一只沾满血迹的断手,还有一卷满是鲜血的破烂布衣。

狻猊恍然大悟,冷笑道:"一定是你二人杀了忽将军,又将手掌砍掉,然后用布包了断手,印下了地狱手印。来嫁祸给死鬼史万夫,以应验那个所谓的诅咒。"

这句话正中要害,确实恶毒。肖不平微微一笑道:"殿下既然这么说,不妨拿忽将军的断手和手印比较一下,如果符合,在下甘愿伏法。"

狻猊冷笑道:"我让你狡辩。"说着拿起忽雷怒断手,在手印上一比,不禁大吃一惊,忽雷怒断手比地下手印大了许多,根本不符。

大炎可汗身边一名侍卫啊的一声尖叫，明显大吃一惊。

狻猊冷汗直冒："这这……"脸色变了几变，忽然灵机一动："我明白了，这手印是大冢之夫的，印完手印后，擦净手。又砍了忽将军的手，故布疑阵。"

肖不平伸手便印在手印上，他的手比那血手印却又小了许多。狻猊无言以对。肖不平道："这里的人都有嫌疑，不如我们挨个比对，谁的手和血印相符，谁便是凶手。"

狻猊道："对，挨个比对。"

大炎可汗看看周围，道："我相信我的兵。"旁边那个侍卫提醒道："殿下，我们这么多人，手掌相同大小的肯定不少，这样比对只怕会殃及无辜。"大炎可汗道："不错，方才我的侍卫都在身边，根本不会是凶手。"

狻猊再加一把火："父汗，大冢之夫来历不明，不可不防。依我看，应该立即处斩以绝后患。"

大冢灵花急道："表哥，他是我丈夫啊！"大炎可汗还没开口，狻猊道："即便不斩，也要绑缚起来，以防万一。"那名侍卫又道："殿下说的有理。"大炎可汗道："那就这样吧。"

当下侍卫三下五除二把肖不平和大冢灵花双手背缚五花大绑，另有人将忽雷怒尸体抬走。

狻猊将二人推推搡搡推到那个杂物间，果然发现里面有灯，虽然奇怪，也猜不出所以然，喝命自己亲卫守住两侧门口，掉头走了。

肖不平大冢两人骈肩并足耳鬓厮磨，倚在墙角，大冢灵花将嘴凑在他耳边："对不起了。"肖不平没好气道："对不起的事还在后头呢！"声音也像蚊子哼，不敢给外面守卫听见。"怎么？""你没看见狻猊看你的眼神么？色眯眯的像狼看见肉一般。他捆我是假，抓你是真，待一会儿恐怕你贞洁不保呀！""我是你老婆，你不会忍心看我被人欺负吧！""我是不忍心，但我被绑着，有心无力。""一条破绳子就能绑住肖大捕头，我不相信。"肖不平苦笑道："如果再加上幽灵蕈呢？"

幽灵蕈是蒙古草原生长的一种毒蘑，和香菇味道相仿。吃了它，若不吃解药，七日肉酸，浑身疲软，再七日骨酸，骨头生疼，再七日心酸，心脏麻痹，三七二十一日必死无疑。大冢灵花道："你都知道了？"肖不平笑道："刚到鞑靼营，大炎可汗便给我吃了这道菜，否则他怎会放心让一个陌生人靠近他身边。如今过去了半个月，我骨头酸疼，便有天大武功也是废人一个了，你自求多福吧。"

大冢灵花笑道："那就换我保护你吧。喂，你说杀害忽雷怒的凶手是谁？"

肖不平道："狻猊嫌疑最大。我们刚撞见他的时候他头上有汗，说明他刚做完一件紧要之事。而且我故意诈他说'眇道人死了'，他一时没反应过来脱口说'怎么他也死了？不是忽……'这说明他知道死的是忽雷怒。而且，发现断手时，他都没比较便笃定凶手是用断手印的手印。你说除了凶手谁还能知道得这么详细？"

大冢灵花道："手印不符你怎么看？是不是狻猊故布疑阵？"

肖不平道："不像，狻猊看到手印异样，明显吃了一惊。地上的手印肯定不是他原先弄的那个了。这只能有两个解释：一是有人将狻猊印上的手印铲掉，重新印上了手印。这里都是大炎可汗的人，没人会这么做，这么做也没有意义。这里我们只见过一个史天骄，不过史天骄是女孩，手印不会那么大，我比较了一下，那个手印比我的大。第二就是将军鬼魂显灵。"

"对了，方才你为什么不让我碰忽雷怒尸体？不光是为了摆脱嫌疑吧！"

"你忘了吗？将军的诅咒上说'夺我地成鬼变僵尸'。将军每一宝中都有一个杀招，这句说的就是祖先的龙穴。方才打开将军先辈棺材的时候，曾有军士惊叫里面有绿毛僵尸，那绿毛肯定就是尸毒，周围的军卒都感染了，忽雷怒禁不住好奇也凑前看，很可能也被感染了。你注意到没有，忽雷怒尸体的脸是绿莹莹的，正是尸变的前兆。狻猊袖子上有血斑，很可能在刺杀忽雷怒的时候受了伤，所以连他也可能感染了。如果他要碰你，你保不住的就不光是贞洁，还有性命了！"

祸起萧墙未为新，同室操戈还如旧

大炎可汗回到柴房，倚在几件战袍铺成的龙榻上休息。刚眯上眼睛，忽听门口有人叱骂："滚开，我要见父汗也要通禀么！"正是狻猊声音。紧接着房门一开，狻猊怒气冲冲闯进，后面跟着两名侍卫。大炎可汗急忙站起："你有什么事？"狻猊左右一看，欲言又止。大炎可汗看了看屋中侍卫，其中一个侍卫知趣地道："大汗，我去门外守着。"大炎可汗抹抹额头，道："你们暂且退下。"

门里门外十名侍卫全部躬身告退。

狻猊瞧众人退下，先和大炎可汗聊了一些琐事。大炎可汗今天有点奇怪，眼神躲躲闪闪，嗯啊应付。狻猊凑到他耳边，低声道："父汗，我有个问题，龙穴里埋着的是祖父的尸骨，祖父有七个儿子，二三十个孙子，如果他保佑其他孙子当上帝王，那我该怎么办？"

大炎可汗一愣："你、你说该怎么办？"

狻猊眼中凶光四射，声音好似毒蛇吸气："我有个好办法，你就剩我一个儿子了，如果把你的尸体埋在龙穴里，你一定会保佑我一统天下的！"

大炎可汗还未反应过来，狻猊两只大手好像钳子一般扣住了他脖子。大炎可汗张开大嘴，想要说什么，窒息之下，什么也说不出来。嘎吱，狻猊拗断他的脖子，想了想，将尸体拖到墙角，摆成瘫坐姿态，再把他右臂圈起，手指叉开，按到自家脖子上。

他不知道，此刻，一双绿莹莹宛若鬼火的眼睛透过门缝窥探着他的一举一动。

狻猊布置好一切，屏息蹑足溜到门口听听动静，眼珠乱转，抬手比划几下，酝酿一下情绪，对着大炎可汗尸体说道："父汗，你怎么了？父汗你怎么了？怎么了？什么？史万夫！史万夫，你这个死鬼我饶不了你……"一句比一句高，最后歇斯底里，声带哭腔，并且恍恍用脚跺地。

门外侍卫听见，破门而入，但见大炎可汗瘫在墙角，狻猊对着虚空连打带骂，急问缘由。狻猊嗔眉瞪眼咬牙切齿，好像一头要吃人的狼："史万夫这个死鬼杀死了父汗！此仇不报，我就不是成吉思汗的子孙！"侍卫大惊："史万夫在哪里？"

狻猊佯作悲愤莫名颠三倒四，费了好大一番劲才说明白："我方才正和父汗推算杀死忽将军的凶手，父汗忽然两手扼住自己的脖子，呜呜直叫。我急忙上前劝阻，问怎么回事，父汗牙缝里挤出六个字'史万夫要杀我！'一定是史万夫的鬼魂钻进了密室，攥住父汗的手臂，让他自己扼了自己。在阵前史万夫的鬼魂杀死了我们细作必勒格，如今又杀了我的父汗！忽将军也一定是史万夫杀死的！'夺我匣一手自扼毙'，预言又应验了。史万夫，我跟你不共戴天！"

侍卫四下里寻找莫须有的鬼魂，却哪里找得到。狻猊哭了半晌，吩咐将大炎可汗尸体保护好，马上去找眇道人，商量将大炎可汗尸体下葬事宜。

窃天匣是个连环套，匣中有匣，眇道人打开了金银铜铁四重宝匣，里面又是一个木匣。他一听此话，惊讶万分，继而号啕大哭。狻猊见他装腔作势，气不打一处来："别嚎了，大汗已死，赶紧让他入土为安，你来主事葬仪。"眇道人擦把眼泪："这里没有棺椁。"狻猊道："我祖父的棺材不是现成的么？将之起出，尸骨寻别处安放，先把我父汗下葬再说。"

所谓入土为安，不能轻易开棺动土。眇道人深知狻猊此举大逆不道，但又不敢违拗，只能同意。大炎可汗一名侍卫献计道："那总要给先大汗备个棺材，也好堵住悠悠众口啊。"狻猊刚想叱骂，转念一想也对，自己马上就要登基做大汗了，总要摆个样子给别人看。忽然想起，关着肖不平的那间密室中似乎有几块木板，做副薄木棺材正好。

杂物间里。大炎可汗的本命灯突然熄灭，肖不平和大冢灵花都是一惊。肖不平身子被绑，又无法瞧促织笼里的蜘蛛，只能干着急。

狻猊踏入杂物间，将几块虫蠹苔蚀的松木薄板令侍卫拿去，随便赶制一口棺材。他特别注意瞅了一眼烛台，见大炎可汗的本命灯已熄灭，不由心中暗喜。大炎可汗一死，再葬入龙穴，自己马上就可以位登九五，一统天下。到那时，骏马踏过的土地，攘臂一呼，万人朝拜；吴花楚卉蛮妇夷女，都将是自己房中人身下奴……一念及此，狻猊瞥眼瞧见了捆在墙角的大冢灵花，但见她瑶鼻挺玉，微微皱起，樱唇涂丹，微微嘟翘，说不出的楚楚动人惹人怜爱。狻猊意得志满，邪念顿起。一把扯住大冢香肩，将她扔到屋地中央的破羊皮袄上，喝命门外侍卫："都给我退下，滚得远远的。"

淫兴一起，狻猊急不可耐，噼里啪啦解开腰带，往地下一摔，脱去战袍，又卸软甲。大冢灵花惊问："你脱衣服做什么？"狻猊淫笑道："待会儿你就知道了！"肖不平眨眨眼："你俩私事，我在旁边不好吧，殿下你把我解开，我回避。"狻猊奸笑道："我就是要你看着我怎么玩你老婆，哈哈！"大冢灵花急叫肖不平："你！你还不是男人！"狻猊淫笑道："他不是男人，我是男人。"

大冢灵花叫："大冢之夫，快吹灯！"肖不平噗噗吹了两口，埋怨道："灯在墙角，我怎么够得着。"大冢灵花气得七窍冒烟："我真倒霉，嫁给你这么个窝囊废。"狻猊淫笑道："你就认命吧！"大冢灵花道："我命由我不由天，我才不认……"忽然樱唇大张，杏眼瞪圆，直愣愣瞅着门外，一脸惊愕之状。狻猊见她异状，冷笑道："事到如今，你还想玩什么花样，谁也救不了你！"但见大冢无动于衷，也不由得好奇，内衣裤在臂上，转头看去，顿时全身僵住——但见向里墙壁那扇门不知何时半启开，隔壁那屋一片灯晕昏黄，倚着墙壁巍然屹立一人，颈上无头，背后背着一具紫檀色棺材，左手提着一条宝枪，枪分双头，半黑半白，却不是断了头的史万夫是谁！

狻猊吓得丧魂落魄，想要逃走，无奈两腿如灌铅，根本挪不动。待有半晌，史万夫一动不动。狻猊忽然顿悟，哈哈大笑："没脑袋的死鬼，想用一幅画像吓我，看我先撕了你，然后再收拾这黄毛丫头。"唰地拔出腰畔佩刀，便要上前，谁知刚迈一脚，却见史万夫提腿展臂，亮开门户，白蟒乌龙刺倏地提起，盘头盖脑，左右舞花，倏地长枪直指，直往狻猊心口搠来。

狻猊骇得魂飞魄散，哎呀一声惊叫，转身便跑。

肖不平瞧着这诡异的一幕，亦惊愕莫名。大冢灵花道："快去看看！"

肖不平道："你看什么？你是将军的敌人，不怕他杀你？"

大冢灵花笑道："那不是正合你意！"

肖不平道："咱俩被绑在一起，动弹不得，怎么去！"

说话间，将军的身影如雪狮向火，倏然化去，只剩一片光秃秃的石壁。

大冢灵花道："滚着去！"两人挣不起身，就地翻滚，一上一下你碾我压，叽里咕噜，蹭得满身尘土，终于撞开门，滚进隔壁。

隔壁是一个灯室，两侧墙壁挂有各式灯笼，灯檠灯挂灯台上满是提灯、吊灯、挂灯、座灯，各式各样琳琅满目。两人凑近墙壁，翻身坐起，这才看清，原来头顶一只八宝琉璃灯不知何时亮起，里面镶有八颗夜明珠，点点晕光洒下，映得斗室明暗不定，浮尘飞舞。

大冢灵花贴近墙壁细看，壁上石头冷气袭人，没有半丝墨痕漆色。肩头撞撞，也没感觉有暗门。肖不平道："一会儿狻猊还会回来，你还有心思琢磨将军有无鬼魂？"大冢灵花道："老天无情你有情，削尽人间道不平。你喜欢改变别人的命运，我的命运也就交给你了。"嘴上说话，眼睛却眨也不眨细细察看。忽然发现在墙与地面的弯角衔接处有一道细缝，纵横贯通左右，细缝里塞有卷起的布帛样物事，两侧墙壁，上面棚顶，都有相同宽窄的缝罅，整体构成了一个方形。

大冢灵花笑道："哈哈，我明白了！"肖不平道："你明白什么？""我明白史万夫的鬼魂为什么会动了，是画，是画出来的！"没等肖不平发问，铁门咣当一响，狻猊飞身纵入："哈哈，哪有什么鬼魂，果然是诡计。地官中所有诡事都是机关作祟。"俯身低头，眼冒淫光，两手疾伸，如拔葱剥笋，掳住两人身上绳索，噼啪扯断，再扯衣服。

大冢灵花吓得花容失色，肖不平却像看猴戏般嬉笑不语。

"畜生，住手！"随着身后一声阴恻恻的厉喝，狻猊忽觉后腰一凉，亏他武艺精熟动作灵敏，生死关头旋腰扭胯，身如陀螺急转，嗤的一声，左肋划出一道血口，鲜血迸溅。急扭头看时，却是一名戴毡笠穿长袍的侍卫。狻猥呛啷拔出佩刀，咬牙喝道："大胆奴才，竟敢以下犯上！"那侍卫将脸一抹："你看我是谁？"猥猥心头一颤，这声音……定睛瞧去，简直不敢相信自己眼睛，这人碧目虬髯，正是刚刚被自己杀死的大炎可汗！

大炎可汗狞笑道："你这个弑君杀父的畜生！"猥猥张口结舌如见鬼魅："你你你！"大炎可汗咬牙道："你杀了忽雷怒也就罢了，可你不该丧心病狂杀你亲生父亲！"猥猥捂着左肋伤口："你、你怎么没死？"

大炎可汗冷笑道："哼，你杀的是我的替身。他平时伪装成侍卫，一旦遇到危险，便和我调换身份。你想知道真相么？史万夫矢尽粮绝，而且身受重伤，命不久矣。于是他和爱将黄立共同设计了一套连环计，想要吓退朕。他们先设计风水邪阵，在七宝中设置机关，然后由黄立在阵前斩杀史万夫，史万夫再以蛊毒延命，伪装无头复生、烟雾制造七鬼出棺的恐怖假象。什么壁画诅咒、本命灯、傀儡偶人，这一切一切都是史万夫设下的诡计。可惜他有眼无珠错信了黄立，黄立把这一切都用飞箭传书告知了朕。史万夫已死，朕再无后顾之忧。朕现在最大的敌人就是这些权臣大将。他们一个个虎视眈眈觊觎龙穴，都想做千古帝王，朕岂能容他！但他们手握重兵，不好剿灭。在晓得了史万夫的诡计后，朕大喜过望，正好借刀杀人。于是朕和黄立计议，黄立谋划了一整套计划：先用诅咒中的诗谜试探你们，黑莲法王这个老秃驴窥探出诗谜的奥秘，相信了藏宝图的鬼话，杀了麻狸虎、赫花狼两个逆臣。而后朕派出的亲卫高手跟踪到了黑莲法王老巢，又让你将黑莲法王诛杀！忽雷怒貌似粗鲁实则奸猾，没有上当去寻藏宝图。于是我再用黄立第二个计划，放下地宫断龙闸，故意把兵丁分散，离开墓室，看他究竟有没有不臣之心。忽雷怒这个佞臣，还以为朕不知道，朕手眼通天，早就安插细作探知他盗掘自家祖坟锉骨藏灰的丑事。果然，半夜他来到坟前掘土下葬祖先骨灰。那时朕乔装成侍卫隐匿在石狮后面窥探，正见他来葬骨灰，本想亲手杀他，谁知被你抢了先。可是朕没有想到你这个狼崽子，竟然要杀死你亲生父亲！你在密室动手之时，朕在门缝中看得一清二楚！"猥猥将刀归鞘，扑通跪倒，涕泪滂沱："父汗，我错了，你饶了孩儿吧！"

大炎可汗道："你真的知错了？"猥猥膝行向前："父汗，孩子真的错了。你若杀了孩儿，便绝了后嗣，百年之后谁来继承大统啊！"大炎可汗叹道："好吧，你起来吧！"猰貐擦擦眼泪，答应一声。猛然间，膝盖点地，回手掣刀，鱼跃而起，直若惊蛇入草，鱼鳞弯刀画出一弯亮丽的光弧，横卷大炎可汗腰胯。猰貐是稳兵之计，岂料大炎可汗也是缓兵之计，挥刀斜肩划背猛劈而下。

父子俩都明白一山不容二虎之理，草原的狼王只有一个，就算父子兄弟也只能用爪牙说话！

锵锵锵！犀利的刀锋铿然相交，火星迸发，声如磨牙。父子相残，各施杀手，两人刀气盘旋，劲风凛冽，将周围灯笼削落一地，残片乱飞。

肖不平和大冢灵花滚到墙角观战。大炎可汗毕竟老迈，几个回合气力不支，想要呼喊侍卫，又怕将猰貐亲卫召来，一时进退维谷，虚晃一招抽身便走。猰貐哪里肯舍，两人一前一后钻入杂物间。大炎可汗心急之下，忽然瞥到靠墙那盏本命灯，这灯虽不在黄立的计划之内，偶然心中一动。顺手一刀，将猰貐的那盏灯芯削掉，灯芯落地，依旧挣扎着不肯熄灭。猰貐见状冷笑道："想灭我的灯，我也灭你的灯！"大炎可汗的灯本已熄灭，此时不知何故已死灰复燃。

猰貐飞刀来削。大炎可汗慌忙探刀拨挡，不想猰貐此招为虚，霍地蜷腕回肘变削为搠，刀锋滑转，直刺大炎可汗心口。

大炎可汗闪避不及，心中暗叫："老狼被小狼打败了！"闭目垂死。等了一会儿，没有动静，睁目一看，猰貐刀尖停在自己前襟一寸处，手腕发抖，皮肤上绿森森像是长满了青苔，瞧其脸色亦如手腕绿意森然，诡异十分。

"绿毛尸藓！"大炎可汗赶紧跳至一旁。猰貐扑通一声倒地。便在此时，地下掉落的灯芯燃到尽头，奄然而灭。

绿鬓依约带鹅黄，乌瞳俨然作碧绿

　　大炎可汗心中打个鹳突："这本命灯是谁点的，怎的如此之准？"想要查看，又怕其中有诈。诅咒室的本命灯是黄立和他设计好的，将黑莲法王设置为最后一个死，为的就是麻痹他。不过这里出现的本命灯却不是他们计划中的。这灯是个烫手山芋，毁也不行，不毁也不行，为了保险，还是三十六计走为上计。

　　忽有狻猊侍卫闻声赶来，惊见大炎可汗复生，骇然失色。大炎可汗冷道："我是长生天选定的汗，岂是鬼魂能杀得了的！不过犯狻猊台吉被史万夫害死了！"说着泫然欲泣，面色悲戚。

　　树倒猢狲散，狻猊既死，侍卫自然效忠大炎可汗。便在此时，前厅又有兵卒来报："十三名兄弟浑身变成诡异的绿色，倒地身亡，忽将军遗体也变绿发霉。"报出名字，正是挖掘史万夫祖坟的几人。大炎可汗心中清楚，黄立早把将军七宝的秘密透露无遗。这些人不过都是大炎可汗的替死鬼，于是佯悲作哀道："弟兄们可能是中了史万夫这恶贼的毒，连同狻猊台吉就地掩埋，我不想再失去任何一位兄弟。"

　　肖不平和大冢灵花身上绳子被狻猊扯断，这时也蹭过门来。大炎可汗嘱咐几句，在侍卫保护下，回原来屋子休息。眇道人得知大炎可汗安然无恙，屁颠屁颠跑来，连呼长生天保佑。大炎可汗命其开匣，如有发现速报。眇道人感激涕零，连声称好。

　　大炎可汗路过灶房，忽听里面窸窸窣窣有动静。适才迭生剧变，原来埋伏在灶房的侍卫全部撤走，现在谁在这里？心中一动，摆手示意，两名侍卫绕路去赌灶房后门，估计到位后，另两名侍卫紧贴墙壁，屏息悄足，来到门口，一起飞脚，擎着火把踹门而入。紧接着后面侍卫鱼贯冲入，剩下大炎可汗和其贴身护卫守住门口。

"有人！这，在这，在这，你往哪跑！"伴着侍卫嚎叫，里面叮哪咣当，跳盆摔碗，折腾半晌。"抓到了！抓到了！是个女的，交给大汗！"

大炎可汗一阵狂喜。铁门咣当一响，两名侍卫押出一名少女。火把照耀下，这少女不过双十年代，虽布裙荆钗，但蟓首蛾眉，鼻如玉笋，唇似点朱。那张脸精致到完美无缺，什么西子昭君，也比不上这天姿绝色。

大炎可汗看得呆了，半晌才道："你是谁？"那少女被人挟持，气得杏眼圆睁："我叫史天骄！"大炎可汗由衷赞叹："天下第一美人，果然名不虚传。朕就是草原的狼王的大炎可汗，你应该听过吧！"

那少女怒目横眉破口大骂："该死的大炎可汗，你害死我爹爹，我要给爹爹报仇！"

大炎可汗在属下面前折了面子，脸上有些挂不住，喝道："将她带到屋中！"

史天骄被带到屋里，大炎可汗大讲特讲自己君临天下的霸气高贵，无奈史天骄两耳塞豆，听若未闻，骂不绝口。

大炎可汗恼羞成怒，喝命两个侍卫将史天骄死死按住手脚，呈大字形贴在墙上。他一步跨上，揪起史天骄头发，俯下身去，碧眼如鹰紧盯着史天骄："贱婢，朕今天就先受用了你，让你那死鬼老爹下了地狱也死不瞑目。"本来黄立在密信中已说明，将军在七宝中安机关，设下杀局，枪中安连环弩箭，甲上绣风火雷纹，马头有虎眼肉瘤，祖先棺中有绿毛尸藓，人头中有飞天蛾蛊，窃天匣中有域外妖佛，而在史天骄身上下了最恶毒的断子绝孙合欢散，此毒极为蹊跷诡异，下在童子处女身上，本身无毒无害，倘一交欢，毒性便传给对方，三七二十一日后必死无疑。大炎可汗虽然深为忌惮，但美色在前，也顾不上这许多了……

杂物间。大炎可汗走后，肖不平瞧瞧本命灯，只剩大炎可汗和眇道人的还亮着。偷眼瞧下笼内蜘蛛，狻猊的那只生了一层绿苔，僵硬不动。

大冢灵花使劲捶他一拳："刚才狻猊欺负我，你为什么不帮忙？"

肖不平嗤的一笑："你手里夹着鬼芒，用我帮忙么？"

大冢哼道："你眼神倒好。"

肖不平瞧着本命灯若有所思："方才大炎可汗将狻猊的本命灯斩掉，狻猊就死了。如果我现在把大炎可汗的灯吹灭，大炎可汗会不会死呢？"说着猛然一口将灯吹灭，连吹五六口，眨眼工夫，灭了的烛焰复又燃起。

大冢灵花笑道："别白费力气了。这里埋个死人，太晦气，去别的地方瞧瞧。"

两人穿过一间佛堂，佛堂中密匝匝扔满铜塑木雕的佛像和鬼俑，大小不一，有立有卧。本来此屋都是佛像，临近那屋尽是鬼俑，兵卒们清场时，检查一遍，都给扔到了这屋。有的为了验证里面是否藏人，都给用榔头敲碎了。其中一个月老像，慈颜善目，笑容可掬，左手托姻缘薄，右手提着红线团。大冢灵花虔心下拜："月老月老，保佑我和肖不平赤绳系足，百年好合。"肖不平打个哆嗦。又看到一尊金塑释迦像，大冢摩挲不舍："这金子得有上千两吧。"肖不平道："小心有毒。"嘴里这样说，却也上前摸了几把。

大冢灵花道："我这鼻子比那瞎老道的葬獒都灵，有没有毒一闻就知。不过我纳闷，史万夫为什么不在这些东西上埋下机关呢，比如放毒烟安毒箭，那样岂不是又能杀死很多人？"肖不平道："制造机关极其复杂，将军又不是墨家弟子，哪会那么多机关术。"正说到此处，忽听那边叫嚷声隐隐传来。两人预感不妙，穿门过屋，来到柴房外面，恰巧听得里面有动静，便往前凑。门外侍卫按刀低喝："没有大汗谕令，所有人不得靠近！"

此间是个禅房，墙上一个小小佛龛，佛龛里供了一座瓷塑的救苦救难观世音像，桌上摆着香炉素蜡，地下的云床蒲团都被拆了归拢到那间佛堂里，只剩这小小佛龛没动。大冢灵花将肖不平扯到观音像前，低声耳语："你要干什么？"肖不平用嘴型回应："救人。"大冢冷笑道："想学观世音么？有我在，你休想。"肖不平冷眼瞧她："你可以试试。"铁链一圈，扼住大冢脖颈，大冢灵花面红耳赤，咬着嘴唇："你要舍得你就杀！史天骄的命运在鬼谷女的《僭天书》上业已注定了，你改不了的！"

偏房正室鬼点灯，去日来朝星犯斗

刚说到此处，忽然砰的一声，桌上蜡烛火焰腾起。肖不平一愣，手一松，大冢缓过气来："嘘，又玩鬼点灯那一套。"话音未落，忽然咦了一声："怎么还有鬼点香？"果然那香炉中的线香也燃着了，香烟袅袅，其味醉人。肖不平压低声音道："观音流泪了！"大冢灵花一惊，借着烛火看去，果见那土烧的瓷胎上，观音两眼垂下两道泪痕。

忽然门口侍卫骇叫："鬼鬼鬼，鬼脸！"大冢灵花循声望去，但见对面石壁上赫然出现了一张脸，白发飘然，额上有疤，脸部线条清癯瘦硬，五官扭曲，龇牙咧嘴，作势噬人。紧接着，旁边又出现了一张史万夫的脸，双眼流血。继而接二连三四面墙壁都出现了史万夫的脸，有的长着獠牙，有的血肉模糊，有的状如骷髅，千形万状，极为恐怖。

大炎可汗听人叫有鬼，也是一惊。无意间一抬头，不由吓得啊的一声惊吼，险些跌倒。但见火把照耀下，史天骄的头上赫然现出一张鬼脸，白发萧然，两眼大如碗盏，血丝密布，正恶狠狠地盯着他，直欲扑下墙来，把他生吞活嚼，瞧那神情不是史万夫是谁？

这时，一个声音如同挤过门隙钻进大炎可汗的耳朵："还我头来！还我头来……"

此刻，整个地宫乱作一团，各个屋中都出现了异状。磨坊中的磨吱吱嘎嘎自动辗转，琴室中琴弦自鸣伊呀呀呀奏出如哭如泣的哀乐，钟磬房中钟槌自动撞钟叮当自响，书房中书页自翻，佛堂内偶像行走，瓦盆内纸钱自燃……做饭洗衣声，敲门声，僧侣唱经声就在各人耳边萦匝不去，可是推门去看，四下去找，却偏偏连一个人影也瞧不见。此情此景，众人恍若堕入幽冥鬼界，身前身后正有无数鬼魂在做一场盛大的法事，鬼推磨鬼点灯鬼流泪鬼敲门鬼唱歌鬼烧纸鬼敲钟鬼撒钱……

侍卫吓得四下乱窜。

这回轮到肖不平得意了："好玩好玩！有趣有趣！"

大冢灵花也傻了，但她还是不服，戴上麂皮手套，伸手去摸墙壁上的鬼脸，但那鬼脸上既无姜黄碱水也无油漆彩画，仿佛就是石头上天然花纹。"这究竟是怎么回事？"肖不平松下锁链，悄声说："还用问么？《阴宅血咒》上部，将军已经说了，要打开地狱之门，放出恶鬼，你听，恶鬼们出来唱歌了！刚才钟磬室无头将军显灵就是警告。"

"胡说，无头将军是有人在墙壁上挂了幅将军画像！"

"画像怎么会动呢？"

大冢灵花从怀中掏出一本拳谱来："那是因为墙上挂的不是一幅画，是数十幅叠在一起的薄绢画一个将军的不同动作，然后一页页快速拉下，我们眼神跟不上，看起来动作连贯便会动了。你看过走马灯吧，就是那个样子。笨，就像这本书一样。"说着她快速翻动书页，里面绘制的小人伸拳踢腿练起武来。

肖不平瞧她一眼："你说的那个我能不懂么？不过你看看现在的场景，你给我解释一下，到底是怎么回事？"

大冢灵花气鼓鼓道："我虽然不明白，但一定是有人捣鬼！"

肖不平偷听着柴房动静，若有深意地道："其实，这世上真的有鬼。"

农具室。眇道人在四名侍卫的监视下开启窃天匣。木匣打开后，又是一只磁匣，不同的是，匣子上有一封叠起的信纸。眇道人打开信纸一看，吓得额汗涔涔面色瓦灰。便在此时，房中红光迸现，眇道人抬头一看，登时身如筛糠——对面墙壁上出现了一个独眼吊死鬼，五官扭曲，血红舌头伸出老长，正是他自己！唬得他手一抖，磁匣脱手落地。几名侍卫也乱成一团，一人拔刀便砍，刀砍中石壁上吊死鬼的脑袋，火星一冒，那吊死鬼依旧吐舌瞪眼，不为所动。

初始的恐惧过后，大炎可汗镇定下来，这一切虽然诡异万分，但一定是史万夫设下的机关，见怪不怪其怪自败。想到这里，大炎可汗喝道："死鬼史万夫，妄想装神弄鬼吓退朕，朕岂能上当！史天骄，你就认命吧！"说着一把扯住史天骄的肩头，裂帛一声，史天骄香肩裸露，一片乳白。

猛然间，对面房门咣当一响，眇道人急如风火跑进："大汗！大汗！"侍卫低声冷喝："站住！"眇道人听得屋中动静，急得脸上冒汗直跳脚："大汗不可，大汗不可啊，窃天匣我打开啦！"

但听里面大炎可汗一声："进！"眇道人一步踏进。但见大炎可汗俯身盯着史天骄的脸，呆呆出神，口中喃喃自语："史万夫是黑眼珠，你怎么是一双碧眼？"灯光映照下，但见史天骄睫毛弯翘，碧眼幽艳，许是因为愤怒，白眼珠微微发红。

"这肩头，怎么有一块伤疤？"史天骄浑圆的香肩，牙雕般锁骨上，竟有一块碗口大触目惊心的伤疤，伤口才结痂，想是受伤不久。

猛见大炎可汗这屋里也出现了鬼脸，眇道人骇得不轻："这、这是怎么回事？"大炎可汗咬牙道："这是史万夫的机关诡计。窃天匣打开了？"眇道人气喘吁吁："大汗，窃天匣里有史万夫一封信！"

大炎可汗拿眼一望，但见眇道人手上只托了一张薄纸，心下稍定，戴上麂皮手套，接过书信一看，脸色惨变，但见书上写道："大炎可汗你这个畜生，当你见到我这封信时，肯定已经做出了禽兽不如的恶事！你做梦也不会想到，史天骄是我收养的义女，知道我为什么给他起名为天骄么？你不是自诩为成吉思汗之后的新一代天骄吗？用的就是你的名号啊！在你与俺答的战斗中，你妻子抱着你女儿被俺答兵劫走，俺答兵将她砍成重伤，还欲图非礼，恰巧被我遇到，杀光了那些兵。你妻子临死时，托我照顾你的女儿。当时是冬天，你女儿不过二三岁，穿着灰色貂鼠皮袄，耳朵上坠了两只银耳环，一只珊瑚吊坠，左肩有红色七星痣，对不对？哈哈！你这个强暴亲女的畜生，禽兽不如！哈哈！这还不算，我早在史天骄身上下了断子绝孙合欢散，只要行男女之事，三七二十一日必死无疑！后悔么，后悔也晚了！史某在九泉之下等着你！"

大炎可汗双手颤抖，汗流浃背，牙齿错得咯嘣嘣响。当年在和俺答的战斗中，妻子女儿确实被劫走了，至今下落不明。史万夫所说女儿衣着特征确凿无误，难道、难道……

"史万夫，你这个畜生，竟然想出如此毒计算计朕！"大炎可汗转向史天骄："你、你这肩头伤是怎么弄的？"史天骄呸了一声："你管不着！"

大炎可汗母亲是钦察人，金发碧眼，他遗传了父亲粗犷的脸型，遗传了母亲的一头金发和一双碧眼，他娶的头一个妻子也有钦察人血统，也是碧眼金发，他们的女儿自然也是金发碧眼。大炎可汗伸手批开史天骄头发，但见她那头发乌黑，好似墨染过一般。但头发根处却有二三分长短都是金黄色的。大炎可汗豁然醒悟，史万夫真够狠毒的，为了诱他入彀，逼他行乱伦苟且之事，竟然将女儿头发染黑，可史万夫千算万算没算到，过去了将近一月，本来黄色的头发已经长出少许，这黄色发根才是本色。况且你能染发却染不了眼珠的颜色，你铲掉女儿肩头的七星痣，更是欲盖弥彰。怪不得史万夫将女儿闺房设置在珍宝室前面，他料到如果搜到闺房，必先急不可耐侵犯女儿。然后用匣子装信件放在后面珍宝室，而且层层套装，让我打开之时，业已犯下不可饶恕之罪。好歹毒的诡计！若非今日机缘凑巧，只怕早已行下猪狗不如之事。

"孩子，你是我的女儿！"大炎可汗老泪纵横，絮絮叨叨将陈年往事一一叙出。史天骄看见鬼脸也骇得不轻，大炎可汗唠叨半晌她才听见，哪里肯信："我父亲是天地间大英雄，你个杀人不眨眼的屠夫，怎会是我爹爹！"

大炎可汗此刻心情激动，早已忘了周围鬼脸恐怖，跺脚道："孩子，虎毒不食子啊！你怎么才能相信父汗呢？"

肖不平在屋外偷听，听个囫囵半片，总算大致明白了前因后果，喜出望外："哈哈，真相原来竟是这样！将军果然留了一手，这个绝密可没告诉你哥哥！"大冢灵花气得七窍生烟："不听了不听了！"忽然咦了一声，"不对啊，《阴宅血咒》里结局写的是史天骄被大炎可汗强暴……写书人输了。"肖不平莞尔一笑："你以为写书人都是那么坏么？为了一个狗屁结局就去毁掉一个人？"大冢灵花哼道："闹心，走走。"扯着肖不平便走。

　　两人钻进琴室，只听琴声凄婉，闻之欲泣，奏的正是一首挽歌《薤露》。但见架上悬着一具伏羲古琴。琴弦自动，好似有个隐形人在弹奏一般，极是诡异。肖不平戴上麂皮手套，上前按住琴弦，琴声顿止，手一放，琴声又起："咦，真是邪门啊！大冢捕头，你看这是为何？是不是将军的鬼魂就咱们面前弹琴呢？"大冢皱眉道："我见识浅薄，确实不知。但绝对不是史万夫的鬼魂。否则我还有命在么？"

　　越过琴室再入佛堂，但见满屋热闹非凡，木偶满地乱转，你拥我踏，摔倒的依旧抬膝伸腿做行走姿势。大冢灵花提起一只木偶雕的钟馗，折断其头，探头一瞅，果然里面有齿轮机括："哪有鬼？就是机关！"肖不平沉吟道："只是这么多机关，同时发动，确实骇人听闻。"两人钻入偶像中间，东看西摸。正探看间，满地偶像戛然止步，隔壁琴声也消弭一空，墙上鬼脸亦都隐没不见。一切仿佛就是一场梦，如今这梦醒了。

　　肖不平奇道："这是怎么回事？"大冢灵花道："不知道，太奇怪了。"

江山最重谁承担，人心太冷某消受

过了一阵，房门一响，两名侍卫来找大冢灵花。原来大炎可汗见鬼脸隐没，异象消失，心中大宽，便遣人寻大冢灵花来劝史天骄。

柴房中。大炎可汗及侍卫放开史天骄，都撤出门外，但依然把守门口，怕史天骄趁机逃跑。大冢灵花终于见到闻名已久的史天骄，只一眼便为之倾倒，她自己也算个美人，但相比史天骄的倾世红颜，也不禁自惭形秽。偷眼瞧肖不平一副目不转睛魂不守舍的痴样，更是气不打一处来，狠掐肖不平大腿，皮笑肉不笑："这等美人我见犹怜，今日为你作伐，当回月老如何？"肖不平梦呓般道："好啊！"大冢灵花将嘴凑到他耳根，恨恨道："史万夫七宝都有毒，你要不怕死就娶她吧。"肖不平也将嘴凑到她耳根："死了也愿意，气死你。"

大冢灵花气得直翻白眼，转向史天骄，怒金刚立即换成了笑菩萨："史姐姐好，我是大汗妻侄，论起来你还是我的表姐。"

史天骄警觉起来："我不认识你。"

大冢灵花笑眯眯道："我叫大冢灵花，这个是我丈夫大冢之夫。我俩成亲三个月了，估计明年春天就能生小孩。"肖不平气得差点没晕过去。大冢继续道："姐姐，你喜欢孩子不？"大冢灵花东拉西扯，净唠些家长里短，女儿家喜欢的话题。果然史天骄渐渐放松了警惕，偶尔接上一两句。

大冢灵花看火候差不多了，道："姐姐你说，我们的孩子以后会像我俩谁呢？"史天骄道："女孩像你，男孩像他。"大冢灵花摇头道："不对不对，老人都说女孩像父亲男孩像母亲。我就像我父亲，黑眼珠。姐姐，你像你父亲么？"史天骄目光闪烁，咬着嘴唇，不置可否。大冢灵花道："姐姐你的绿眼睛真好看。要是我生的孩子也是绿眼睛就好了。"史天骄盯着他俩的眼睛："不会的,你俩都是黑眼睛,孩子怎么会是绿眼睛?"大冢灵花恍然大悟,捶了肖不平一拳:"你怎么不生个绿眼睛?"转头向史天骄道:"你父亲肯定也是绿眼睛了吧?"史天骄犹疑道:"不,是黑眼睛。""那你母亲一定是绿眼睛?"史天骄道:"我娘前年饿死了。她也黑眼睛。"大冢灵花挠挠脑袋:"这就奇怪了。你父母都是黑眼睛,怎么你会是绿眼睛呢?"

绕了半天终于触动了史天骄的心底那根弦:"难道,我真不是爹爹亲生的?"

大冢灵花道:"咱们来推算推算就知道了。你这头发根为什么是黄的?"史天骄迟疑半晌:"一个月前,爹爹忽然来我屋中拿了一罐乌黑的膏汁,气味刺鼻。让我洗完头后将膏汁涂满头发,过了一夜,第二天洗掉,我的黄色头发就完全变黑了。"大冢灵花伸鼻嗅嗅:"这就对了。这是用黑豆何首乌膏还有厌墨石粉加醋熬制的,能将发色变黑。我听姑父说你肩头有块伤疤是怎么回事?"史天骄道:"爹爹给我染发之后,看见了很满意,第二天晚上又来让我脱衣服,然后用刀将我肩头的七颗红痣削掉了,又敷上药。"

大冢灵花瞧了一眼肖不平,两人心照不宣,原来《阴宅血咒》上半部写过一情节,史天骄曾大叫:"爹爹你脱我衣服做什么?"那便是将军去铲史天骄肩头的七星痣了。

大冢灵花道:"你知道你父亲这么做是为了什么吗?"史天骄道:"我问过他,他不说。"大冢灵花叹气道:"你父亲好狠!你想过没有,你金发碧眼,你父母都是黑发黑眼,你怎么会是他们的孩子。你是大炎可汗的孩子,这是你父亲的诡计,他要让你们父女乱伦,被天下唾弃。你看看这封信,是不是你父亲写的?"说着把史万夫写给大炎可汗的那封信递给史天骄,史天骄看罢,信纸失手落地,蓦地一声哀号:"这不是真的!不是真的!爹爹不会这么对我!不会的!"说罢两手抓住头发,痛哭失声。

过了半天等她宣泄完毕,大冢灵花才将她搂入怀中:"姐姐,你也不用太伤心了。我相信史万夫虽然这么做了,但他还是爱你的,只是他太恨大汗,迁怒于你了。毕竟他将你从仇家手下救出,养育你成人。算了,就让这一切都过去吧。你现在要做的就是认祖归宗。"

史天骄咬牙摇头："不，我不会认大炎可汗这个屠夫！爹爹他、他会来救我的！"大冢灵花道："你可能还不知道，你父亲已经死了。"说着将前事简略说出，当然该说的说不该说的没说。史天骄听罢，如五雷轰顶，呆然木立——自己亲父是一个杀人不眨眼的刽子手，养父是一个以血还血的薄情人，而且还死了，自己该何去何从？

大冢灵花劝道："虎毒不食子，你既是大炎可汗的女儿，他一定会对你好的。你还是认了他吧。"史天骄道："我爹爹是大英雄，不是刽子手。除非大炎可汗退出拒胡城，否则我绝不认他！"

大冢灵花眼珠一转道："拒胡城汉人都死绝了，该换个主人了。"史天骄脱口道："没有，地官里还有……"忽觉失言，急忙掩口。大冢灵花狡狯一笑："如果你肯认大炎可汗，我会劝他放了地官里的人。"史天骄后悔莫及，但事情既然已败露，地官里几百条人命就在自己手中……想来想去，再无他法，只能点头应允了。

大冢灵花将此消息报告大炎可汗，大炎可汗大喜，立即同意。

史天骄领着大冢灵花来到房屋尽头，指着一圈石壁："就在那里面，但是爹爹用了机关，我进不去。"

大炎可汗命人叫来眇道人，花了半个时辰，终于在一块异常的石头纹理上找到了隐藏的机关，打开了石墙上隐藏的暗门。里面是一个阔大石厅，厅内镶着夜明珠，昏暗的光下，男女老幼数百人瘫坐在地，一个个衣衫褴褛，瘦如骷髅，惨不忍睹。猛见有人闯进，略微强壮的挣扎起身，体弱的根本动弹不得。有兵丁闯入巡视一番，但见尽头有几个屋子，分厨房溷所住处，米缸内已经见底，数十口水缸存的水也所剩无几。还有几间屋子扔满了死尸，尸臭熏人，想来都是饿死的。地官内无法举火，这几百口人就这样用凉水浸米，勉强撑到现在。

大冢灵花将来意说明："大家不要怕，我们鞑靼人以仁爱待民，这就放你们出去。"

断龙闸是大炎可汗放下的，为的是试探忽雷怒、狻猊等人，他自然有办法出去，黄立当初在信中早已告知，而且他也偷着试验了几回。当下启动了正门旁一个暗门，命兵丁将这男女老少放出。

一切安顿完毕，大炎可汗引着史天骄给祖父上坟拜祭。祭奠完毕，让大冢灵花陪着女儿。把眇道人叫到柴房密室，剩下这个磁匣，镶着一个特殊的磁锁，里面锁芯锁环皆是磁石秘制，连环相扣，挠针是钢制的，一探进去就被吸引，根本无法开启。眇道人换了不太顺手的铜针，探进去才感觉到里面是九宫连环锁芯，有八十一种变化，一步弄错就会锁死，没有钥匙想打开难比登天。大炎可汗道："打不开就算了，史万夫要给我看的就是那封信。朕现在有点担心，祖先坟墓现在是埋进了龙穴，但是怎么做才能保险呢？"眇道人会意道："我有本盗自鲁班门的书，内里都是详细的机关埋伏制作方法，大汗可按其方法将地宫重新改造，必能万无一失。"说着将鲁班书掏出递给大炎可汗。

大炎可汗略略一翻，道："嗯，很好。还有个纰漏，这天下龙穴甚多，如果找到别处龙穴，别人葬了先祖，会不会和我争天下呢？"眇道人不以为意道："大汗勿忧。天下观阴术士都是虚有其名，便如史万夫一样，错葬凶穴，引来杀身之祸。只有贫道拥有天命罗盘、葬燹和这只阴眼这三宝才能勘准吉穴。"大炎可汗叹口气："朕就是不放心你啊！"眇道人大惊失色："大汗，贫道忠心耿耿，绝不会再给别人相地……"

大炎可汗眼露凶光，将眇道人逼到墙角："龙穴人人觊觎，连朕的儿子为了它都要弑父，你说你一个汉人怎么才能让朕放心？"眇道人骇得面如土色："怎么让你放心？"大炎可汗阴恻恻道："除非你死了！"眇道人恍然大悟："兔死狗烹，你、你要杀我！"大炎可汗狰狞笑道："不错！"说着抽出肋下佩刀。眇道人骂道："你这个魔王，你忘了史万夫的鬼魂了么？贫道观阴相地，知神晓鬼，我死后必然化为厉鬼，杀你报仇！"大炎可汗冷笑道："你不说我倒忘了，史万夫祖坟那个凶穴'白鬼挂锁'，是不是能锁住你的怨气呢？还能祸及子孙，我要让你子子辈辈永无报仇的机会！"眇道人这是搬石头砸自己的脚，吓得魂飞天外，不停哀号："不、不要把我葬入那个凶穴？求求你了，求求你了！"

大炎可汗狰笑道："这就由不得你了！"举刀便刺。眇道人突然一声兽吼，右手圈起扼住自己脖子，嗬嗬而呼，转眼眼突舌伸，咕咚栽倒，倒地而亡。大炎可汗唬了一跳，低头看时，眇道人嘴角露出一抹诡异微笑，不禁心中打个鹘突，转瞬明白："想跟我玩诈死的把戏！休想！你哪里知道'夺我匣一手自扼毙'这句诅咒就是朕用来蒙人的！"噗噗补上两刀，见他确实活不了，这才罢手。

出门叫来侍卫，将眇道人尸首扔入史万夫祖坟那个凶穴里埋掉。眇道人本是明人，贱如犬豕，死了也无人在意。

肖不平见大炎可汗叫走眇道人，心中便有一丝不祥升起，抽空偷瞧笼内蜘蛛，眇道人那只一只前爪缠住脖颈，业已死掉。等大炎可汗走后，大冢灵花拉着肖不平偷偷钻进柴房，在墙角捡到了那只扔掉的磁匣。肖不平问："这是什么？"大冢灵花嘻嘻一笑："当然是窃天匣。"肖不平疑惑道："大炎可汗怎么把它扔了？"大冢灵花道："不扔才怪。七宝中各有机关，姑父岂能为了这么个破匣子不要命了，它又不是国色天姿的史天骄。""那你不怕死？""怕。不过我可死不了。""你好像比我知道的多很多？""是么？是你太傻了吧。"

曾经彼时你尚在，除却此身我何有

大炎可汗命人看守石坟，自己率众出去。鞑靼兵一见大汗安全归来，举营欢呼。

是夜，鞑靼营中灯烛通明，敲锣打鼓，大排筵席。金顶黄罗帐中，红烛高烧，照如白昼，案上杯盘罗列，蒸羊烤肉，熏香袭人。大炎可汗满面春风居中而坐，左边史天骄，右边大冢灵花。他不断举杯，向几人敬酒，除了史天骄比较拘束，肖不平二人甩开腮帮大快朵颐，酒到杯干。

一直喝到斗转星移天交五鼓，肖不平扶额揉眼，舌头打卷道："马奶酒虽不如烧刀子烈，却也醉人。大汗，失陪了。"大炎可汗笑道："哎，莫要扫兴，陪朕喝个痛快！"肖不平挣扎起身，谁知脚下无根，一跤绊倒。大炎可汗猛地站起："来人！"埋伏在帐外的刀斧手一拥而入，不由分说，便将肖不平用牛筋绳索五花大绑。更奇的是，连史天骄都绑了。更不可思议的是，大冢灵花手一抖，手铐自落，闪在一边，和肖不平划清了界限。原来她说手铐没有锁钥本就是骗他的。

大炎可汗一摆手，刀斧手退出。

肖不平吓得酒醒了一半："大汗，你这是何意？"大炎可汗哈哈大笑："你还不明白么？灵花，你告诉他。"大冢灵花瞧了一眼肖不平，眼中狡狯得意歉疚伤心诸般情感杂糅："肖大哥，我早将你的真实身份告诉了父汗，菜中下幽灵蕈也是我的主意。我在找你之前就和父汗见面，并设好了计策，包括我们手中牵系的铁链。方才你的酒中下了麻木不仁散，你不用挣扎了，既定的命运你是改不了的。"

肖不平简直不敢相信自己耳朵："你叫他父汗？"大冢灵花道："不错，我不是他的妻侄女，我是他的亲女。黄立也不是我表哥，是我同母异父的哥哥。当年史万夫剿灭倭寇，我母亲领着哥哥远走蒙古，是父汗收留了她们，而后才有了我。我骗你是怕你对我有防备。"

肖不平猛吐一口浊气："便是如此，大炎可汗，你绑我也就罢了，为什么还要绑你亲生女儿？"

大炎可汗咬牙道："狗屁亲生女儿？你可能还不知道，朕一共有两个替身，除了死在地宫中的那个，还有个双胞胎兄弟，进入地宫的大炎可汗实际上就是他。地宫中危险重重，我怎能轻涉险地？小时候他处处输给我，有一次我们被敌人追杀，坠入蛇窟，他哀求我救他，我冒着生命危险将他救出来，自己却被毒蛇咬了，险些死掉。他感激我，发誓以后一定要处处让着我，于是他诈死埋名，把汗位都让给了我。但我成亲后，一次战争中，被敌人追入深山，得知我的凶信后，他便冒充我保护我妻子。过了几年，我逃回来后，发现他竟和我妻私通，生下了狻猊，又生了这个孽女！我质问他，他自觉无颜对我，要自刎谢罪。我夺下他宝剑，又一次救了他。这次离开地宫，他将里面发生的一切都和我说明了。他欠我的债，如今都要偿还，既然他占了我妻，我便辱他女儿。"转脸向帐外道，"你进来吧！"毡帘一挑，一名武士走进，肖不平大吃一惊——这个人和大炎可汗生得一模一样。大炎可汗向那人道："我要你女儿，你同意不？"那人腮肉一颤："我欠你的，还你。"

日上三竿，卿云烂漫。四野绿色嫣然，苍翠欲滴。蒙古包缀在这满眼碧色中，像一朵朵圣洁的雪莲花。风中传来桂花的馨香，熏人欲醉。

鞑靼营点将台。旌旗招展绣带飘扬，三千侍卫持戈按刀列成方阵，眼望点将台，严阵以待。拒胡城八百零三名老幼妇孺跪在点将台下，身后围着一圈刀斧手，都是裸臂抱刀，面色狰恶。

点将台上竖起一根石柱，肖不平被五花大绑捆在上面。在他眼前横放一块砧板，史天骄仰躺其上，被缚住手脚，捆成大字形。大炎可汗戎装佩刀，杀气腾腾。左边是乔装的同胞兄弟，右边是大蒙灵花。大炎可汗眼望肖不平，冷笑一声："我听灵花说，你喜欢改变别人的命运。如今我要杀你易如反掌，你连自己都救不了，还敢妄想救别人？"

肖不平淡然一笑："这世上坏人太多，总需要有一两个好人让我有继续活下去的理由吧。"

大炎可汗冷笑道："你们汉人有句话叫'好人无长寿，祸害一千年'。今天我就当着你的面，享用史天骄，我看有哪个好人肯来舍命相救？你要记住，狼永远是狼，羊永远是羊！"说着哧啦一声撕开史天骄前襟，露出绯红抹胸。

大炎可汗兄弟浑身一颤，大冢灵花美目流波，瞧着肖不平似笑非笑。肖不平仰天大喊："将军，你还不回来么！"话音震荡四野！

便在此时，忽听鞑靼军营外希律律一声激越的马吼。大炎可汗面色骤变："是麒麟豹！"紧接着鞑靼兵卒如长堤溃岸，阵势大乱。一骑宝马好似割裂乌云的闪电纵蹄飞来。那马豹睛宽鼻，身上毛旋如佛髻，额头赘生一个拳大肉瘤。马上端坐一将，那将手提宝枪白蟒乌龙刺，顶太岁盔，贯衍天甲，额上一道新月形伤疤，面有菜色，颧凸腮陷，五官线条清癯冷硬。

不是早已断头死去的史万夫是谁！

麒麟豹纵横驰突，白蟒乌龙刺舞动如飞。肖不平眼睛模糊了，那不可一世的气概，那震烁古今的勇力，早在书中见过，如今重温，恍如初见。大炎可汗喃喃自语："不想当年的七命杀星，还是这般威风！"

"鬼，鬼呀！"鞑靼兵望风而遁。将军无头尸体一直没找到，大炎可汗耿耿于怀，总觉得不托底。就在前晚，从黑莲法王那里夺回的将军宝枪铠甲宝马忽然丢失，看守全部离奇死亡。大炎可汗算计肯定是将军余党所为，故此设下圈套埋下伏兵，大张旗鼓在点将台上准备淫辱史天骄，这招不灵，便斩杀拒胡城妇孺，引蛇出洞。不想余党没引出，倒把将军引活了！鞑靼伏兵一见将军活转，哪里还敢迎战，吓得哭爹喊娘，抱头鼠窜。

大炎可汗豁然省悟，想必史万夫和自己一样，有个同胞兄弟，但这个兄弟武功一定不济，否则岂能眼看史万夫受死。他只是仗着和史万夫一个模样，吓走了兵卒，自己岂能上当！急忙大吼道："大家不要怕，这是史万夫的同胞兄弟！不是鬼！"怎奈兵荒马乱，败局已成，怎样也约束不住。当下和自己兄弟打声招呼，两人飞身下台，纵马舞刀杀出。

兄弟俩都有万夫不当之勇。大炎可汗使合扇板门刀，他兄弟使勾搂象鼻刀，双刀如截断长云的利闪，划开浩浩长风斩裂茫茫乾坤，一刀斩马，一刀击人。

麒麟豹蓦地仰天怒吼，一跃而起，竟从刀锋上腾身越过。三匹马瞬间交错而过，史万夫摘镫离鞍，身子倒飞，白蟒乌龙刺咯地中分，黑枪扫中大炎可汗脖子，白枪扫中他兄弟脖子，两颗斗大人头霍地弯折，两道鲜艳的血箭激射冲天，绽开了两朵天下最美的花。

"夺我女藏娇折颈崩！"大炎可汗自己设下的诅咒居然应验在自己身上了。

长枪交合，枪尖挂地，史万夫撑枪弹跃，纵身上马。点将台下刀斧手早就走个精光。马如飞龙，跃上点将台，枪尖一划，史天骄绑缚落地，喊了声："爹！"史万夫一把将史天骄拽上马背，纵马便走。肖不平叫道："哎，哎，还有我呢！"

史天骄道："爹，他是我朋友，天下第一神捕肖不平。"史万夫打个愣神，兜马圈回，枪尖划断肖不平的绑绳，却不说话，转身纵马跃下点将台。那群拒胡城妇孺看见将军回归，登时欢声大作，也不知哪来的力气，全都挣起身来。将军热泪盈眶，引着众人如雁行鸿阵，逶迤而去。

肖不平眼见一骑绝尘，渐渐隐没，出神半晌，回首往事，真如南柯一梦。好半天，他摇摇头："好人真难做呀！"

忽听身后有人嘻嘻一笑："坏人也不好做。你看我吓得都没敢出来。"大冢从石柱后面转出。肖不平奇怪地瞧着她："你爹死了，你也不难过？"大冢灵花脸一红，恨恨道："昨天、昨天夜里父汗竟然给我酒里下了美女颤声娇，把你们押出帐外等待天明受审的空当，他偷偷摸入我的帐篷，亏得被我识破，趁早溜出，这才、这才没……我黑发黑眼，和母亲一个模样，他一直怀疑我不是他的女儿。思己及人，现在我真有点同情史天骄了。"说着眼中隐有泪光闪动。

肖不平知道，美女颤声娇是一种流传在宫闱间的春药，大炎可汗意欲何为，不用想都知道。

大冢灵花道："我将你的身份告诉了父汗，骗你吃了幽灵蕈麻木不仁散，还将你捆了，你恨不恨我？"肖不平道："不恨，你明知这些东西困不住我还用，说明你还不太坏。"两人一路上藏拙守巧尔虞我诈，此时方有一丝真诚袒露。

鞑靼兵群龙无首，早作鸟兽散，整座大营空落寥廓，一派萧索。

虽然大炎可汗暴虐寡恩，但大冢灵花念着骨肉亲情，还是找到他和叔父尸体，寻了一处草茂林密的缓坡，就地掘坑。肖不平道："为什么不把你爹尸体葬入龙穴，成就千古女帝，做回武则天？"大冢灵花黯然道："武则天的下场好么？多少王朝煊赫一时，最后也不是树倒猢狲散，子孙被人杀戮妻女遭人蹂躏，我还是老老实实做个捕快，练好武功保好自己，也免殃及子孙。"

肖不平叹口气，帮她将二人葬了，将坑填平踩实。肖不平知道蒙古殡葬习俗，一般以石葬、天葬、风葬为主，贵族一般深埋不留坟包，叫做秘葬。然后杀死幼小骆驼，洒血坟茔上。欲祭时，则以被杀小骆驼之母为向导引路，母骆驼踯躅哀鸣之处，便是坟地。如今既无骆驼，这些都省了。

肖不平忽然想起一事，偷偷取出促织笼，但见那笼子都被压扁了。神奇的是，那几只蜘蛛居然没扁，大炎可汗那只已经死了，但是，黑莲法王的却还没死！

肖不平惊叫一声："不好，将军有危险！"

心遭凶谶狠狠惊，命被连环深深扣

城西乱葬岗。浮云翳日，阴风嗖嗖。目光所及是一座座凸起的坟丘。万点寒鸦盘旋其中，嘎嘎哀鸣。坟丘中有几个巨大沙坑，尸体累积。这都是拒胡城中被杀的军民，鞑靼兵打扫战场，将尸体集中扔到了这里。便在这大片坟茔中间，一群男女老少正在埋锅造饭。他们正是拒胡城中被救出的老幼妇孺，方才在鞑靼营中顺手掳了米面灶具，每个人脸上的表情都写着"劫后余生"四个字。

一大片茂密的槐树阴中，史万夫帽檐低垂，躲在其中，史天骄正拿了水壶在给他喂水。

久违的炊烟升起，饭香飘出，人们再也忍不住，有碗的用碗舀，没碗的用板条铲，用手捧。可是他们没有自己吃，都围来送给将军。史天骄眼睛也红了，接过一碗饭，对其他人道："大家都去吃吧，我喂爹爹就好，大家好久没吃饭了。"众人席地而坐，吃着香喷喷的饭。

一碗饭还没吃尽，忽然平地升起一团浓雾，转眼间，浓雾蔓延滋长，彻底吞噬了这片乱葬岗。顿饭工夫，浓雾消散，坟包渐渐露出真容。拒胡城老幼或坐或卧或立或蹲，端着碗的捧着饭的，往嘴里塞饭的，都定格在那里，一动不动，仿佛被点中了穴道。连飞舞的老鸹都掉落在地上，张翅蹬腿，不动弹了。

一阵阴恻恻的冷笑响起，一只花斑豹从草寨中钻出，豹背上端坐一人，戴八宝毗卢帽，面如橘皮，寿眉耷拉，神情阴冷，身背六道轮回盘，后面跟着一队喇嘛僧兵，各持弓箭。原来在虬龙岭山洞里被狻猊杀死的黑莲法王是个替身，那个逃跑的才是真身。经此一役，黑莲法王识破大炎可汗诡计，将计就计装死，却在暗中窥伺，等到大炎可汗被复活的史万夫杀死，他才现身。

　　离槐树三十步，黑莲法王叫住豹子。僧兵将弓箭对准槐树下的史万夫。黑莲法王冷笑道："史万夫，你很聪明，用七宝引诱我们自相残杀，你得逞了。若你能将重生秘术告诉贫僧，贫僧可放你一条生路。"

　　史天骄守在史万夫身侧，噌地拔出一口弯刀。树上不知何时挂了几只铜铃，风吹铜铃，发出叮当碎响，凄然如哀乐。史万夫坐在树荫下，缓缓开口，声音如砂纸磨过生铁："你用什么方法让他们都不动了？"黑莲法王冷笑道："当初在营中大战，六道轮回盘我用了天人阿修罗地狱畜生五盘，唯独没用鬼盘，因为鬼盘里有我炼制的毒雾离魂瘴，他们中了瘴毒都不动了。我很佩服你，你居然没事。"史万夫喟然长叹："那是因为我们的家族被诅咒过，不惧任何毒药。"

　　黑莲法王道："你的家族？""不错，我的家族叫窃天氏。从很久以前就生活在这片土地上。不知何年何月，天空坠下一颗美丽的流星，就落在了那个地宫所在。族人看见天降神石，奉若神明，天天对着神石朝拜。但后来有人心生邪念，武士说这是一块神铁，能炼出无坚不摧的宝刃；商贾说这石头内含黄金，取之富可敌国。一时谣诼四起，每个人都来争夺。可是争夺神石的人莫名其妙都死了，而我们族人的后代都产生了可怕的畸形，人们说都是因为我们盗窃了天上的杀星惹下的祸端，所以便自称为窃天氏。后来神石被一位得道高僧琢磨成一尊石佛，打造了一只磁匣镇住妖气，还配了一把龙凤钥，一同埋在了地下。这只匣子就叫窃天匣。高僧告诫族人，这匣子就是地狱，里面关的不是佛，而是魔鬼，千万不要打开。那些畸形人后来都死了，劫后余生的人们渐渐忘了这段可怕的历史。后来一个孩子好奇，偷偷挖出了匣子，并用钥匙打开了匣子，偷出了石佛，于是魔鬼又被放出来了。族人开始大批死亡，并且变异，有的生出鳞片，有的长了獠牙，有的浑身溃烂，暴病身亡。族人痛定思痛，把石佛装进匣子锁好，藏入地宫，再也不敢拿出。再后来，族人几乎都死绝了，只剩下一支后裔带着可怕的畸形苟延残喘。他们一代单传，口耳相传着祖先的故事。四十三年前，这个家族又一个畸形的孩子出生了，这个孩子叫史万夫！也许是因为埋着石佛的缘故，地宫上面始终弥漫着一层紫气，后来有相地术士说这是王气，地下藏有龙穴。于是史万夫悲惨的命运再也不能扭转，他被皇帝猜忌，被异族觊觎……"

起风了，树上铜铃响得更急了。

黑莲法王冷笑道："你的故事很好，可是我不相信。如今大炎可汗已死，这天下就是我的了！你若识相，趁早画出七宝中藏宝图，供出断头复生的秘术。否则，嘿嘿，你的女儿很漂亮，我们僧人也不介意大开色戒！"

史万夫道："七宝藏图本来就是个陷阱。至于复生秘术，更属无稽之谈。你若不信，便看看我的真身吧。"说着缓步踏出，黑莲法王摘下修罗盘，暗暗戒备，定睛一看，不禁微感惊讶。史万夫此刻已摘下头盔，脚尖朝前对着自己，但不知为何，一头白发垂下，遮住了面容。

"史万夫，你敢撩起头发，让我看看是不是易容的么？"黑莲法王话里还是有明显的戒惧之意。

史万夫叹口气，脚跟碾地，转身将后背对他。黑莲法王大吃一惊，史万夫后背对准自己，脸却转到了正面。这、这个人头竟然是倒着长的！

"你、你真有掉头再生之异术？你将脑袋又安在了脖颈上，只是着急安反了，对不对？"话一出口，黑莲法王也觉幼稚可笑，史万夫脑袋早炸开了。小时候曾听过封神故事，里面的申公豹脑袋是倒着长的，但现实中怎么可能？

史万夫淡然一笑："我告诉你吧。我和史万夫是同胞兄弟，是两个人，也可以说是一个人，因为我们拥有一个共同的身子，却长了两个脑袋。我是畸形家族中的畸形。"

黑莲法王恍然大悟："史万夫的脑袋是正着长的，你的脑袋是倒着长的！我明白了，我明白了！怪不得史万夫背后背个棺材，但那个棺材又不大，原来就是为了隐藏第二个头！怪不得史万夫头颅被砍之后，无头的身子还能动弹，还能认镫上马，原来他还有另一双眼睛认路。棺材上一定有很多缝隙，你才能呼吸才能看到外面吧？而且你们一定吃了秘药凝血，否则脑袋掉了一个失血过多，也活不多久。哈哈，我们猜测半天，想不到真相原来如此！"说着叹口气，"想不到重生秘术居然也是假的。"

史万夫道："正是如此。"

黑莲法王道："可你入城之后，便失踪了，你藏在了哪里？"

"我躲入地宫，伤势养好又跑了出来。"

黑莲法王皱眉道："我有一事糊涂，昨天鞑靼营盛传史天骄是大炎可汗的女儿，是你用计想要大炎可汗强暴亲女，那你为什么还要救她？"

史万夫冷道："史天骄是我亲女！她本是黑发，是我配了黑色膏汁染了头发，而头发根处却用黄色染料让她每天涂抹。这样的目的就是为了让大炎可汗相信她本是黄发。而她的肩头根本没有七星痣，是我用刀特意削掉来作伪装，伪装其伪。至于眼睛的颜色，我用了两块翠玉揎成眼球形状的圆片，用银粉打磨光滑，扣在了眼珠上。"（由于《阴宅血咒》的故事辗转传到欧洲，德国人菲克和法国人卡特得到启发，同时实验将玻璃镜片制成大于角膜的角巩型镜片，用于矫正视力，这就是隐形眼镜的由来。至于如今美瞳大行其道，史万夫乃始作俑者。题外话：敬告本书读者，本书所述种种奇谈怪论，实属天马行空胡思乱想，切勿效仿，若有偏差，作者概不负责。）

黑莲法王不解，问道："那你为何不将自己女儿救走，而冒险将她扮成大炎可汗女儿？以你的武功，救走她不算难事吧？"

史万夫道："是不难。但我要救走拒胡城这些无辜老幼，只能行此下策。我知道鞑靼兵有的是人，风水术机关术只能杀死些兵卒，但机关有限，根本杀不完。有兵卒做替死鬼，你们这些王侯将相永远不会上当。只要你们不死，我们的百姓就别想活着。所以我——不知道应该怎么说，他和我共用一个名叫史万夫——就算是我们吧，总之我们查阅了你们的密档，根据你们之间的关系，精心设计了三重杀局：断头局、易容局、重生局。因为我的头是倒着长的，所以从小我就和那个史万夫商议，为了不惊世骇俗，我隐藏起来让他做正常人。后来事急，满城人都将饿死，那个史万夫便和我计议，用自己的头换来一个杀局，只有这样，才能震慑你们，让你们退兵。没想到你们并不撤兵，又杀入城中。城中的机关也没杀绝你们。于是第二局易容局便用上了。大炎可汗的女儿确实是被那个史万夫救走过，但是我们是男人抚养女孩多有不便，便将她送给了哈格沁草原的拔力老爹收养，取名阿齐格，所以她的衣装特征我们都清楚。这个局大炎可汗是重要的一环。只有让大炎可汗认了她做女儿，听了她的话，才能将藏在地宫中的老幼妇孺救下。所以说，杀谁也不能杀了大炎可汗。而大炎可汗的继子黄立潜入我城卧底，我们早已知悉。他这人本性不坏，只是各为其主，不得已而为之。于是我们便利用他，将断头局、七宝秘密和地宫中机关说出，让他传信给大炎可汗——当然，易容局我就隐藏了。断头局中，他于阵前幡然醒悟，配合我演了一出戏，佯作自杀想要吓走大炎可汗。他用自己的生命帮了我最后一次，是一条好汉。但大炎可汗虽然心中犹疑，仍不死心，于是按照情报一一试验，果然七宝中的秘密都是真的。他利用七宝将你们几个都杀死。最后到我女儿易容局出手的时候了，这要把握好分寸，要在开启窃天匣得到我的书信之时恰巧被大炎可汗捉住。晚了大炎可汗会怀疑，早了我女儿有危险。可我千算万算，没算到大炎可汗的女儿竟然不是他亲女，我女儿虽没被识破，却面临极大危险。今早我听到鞑靼营吵吵嚷嚷就是为了这事，只有冒险冲营救出女儿和拒胡城百姓。这就用到了重生局。果然我一出现，鞑靼兵吓得四散奔逃，让我轻易得手。"

黑莲法王击掌赞道："一个死人的三重迷局，竟然杀了这么多活人，绝妙好计！可是你在冲营之时头为什么是正着长的？"

史万夫道："因为我的脖子太软，可像麻花般拧转，否则我正面冲锋，头向后看，怎么杀敌。"

黑莲法王道："天下竟有如此奇事，我不信。"史万夫道："我让你看看。"说着脖子一扭，转过头去。

机不可失时不再来，黑莲法王猛然大喝一声："射！"手指弹动，修罗盘飞出，机括爆开，倏尔一裂二，二裂四，霎时间化作二十四把新月形飞刀，笼作一片刀山，罩住史万夫父女。不成想史天骄猛然跃起，弯刀旋转如怒海漩涡，层层绽开，二十四把飞刀瞬间绞成一个铁球。史天骄怒吼一声，铁球飞到黑莲法王头顶，轰然炸开，如晴天霹雳，震得黑莲法王七窍流血一命呜呼，临死嘴里还蹦出一句："你们怎么不射箭？"

箭是发不出来了。不知何时，尸坑中爬出好几十具僵尸，悄无声息摸到众人后面，将黑莲法王带来的僧兵都扼住脖颈掐死了。这些僵尸面色青紫，竟没有尸臭，其中就有将军的副将张雷孟烈等。原来将军料到满城将士必死，便挖出凶穴棺木中生长的尸菌，下到诸将的菜里，这些人虽然被杀，却因此变成了只有听觉视觉却无痛无感的僵尸。

史万夫从树枝上摘下铜铃轻摇，这些僵尸脚步僵硬，转身踱回尸坑，铜铃一停，便倒下不动了。原来史万夫被围，和黑莲法王说话拖延时间，偷偷挂上招魂铃，便为了召唤这些僵尸帮忙。

史万夫道："都杀干净了么？千万不能走漏消息。一旦被人窥见我的秘密，拒胡城再无宁日。"

史天骄冲着槐树大喝一声："你们俩，还不下来。"

身影一闪，两人跃下树来，正是肖不平和大冢灵花。他们俩寻到乱葬岗，正巧遇到黑莲法师施放毒气。大冢灵花取出避瘴丸，两人含在口中，借着浓雾遮掩，爬上树荫隐匿。在树上听到史万夫叙述前因后果，震撼不已——原来断头复生的真相竟然如此。至于史天骄的身份更是一波三折，当时看到《阴宅血咒》中将军在密室揎磨碧玉的桥段时，两人打破脑袋也没想出所以然。真是神乎其技，令人瞠目结舌。待看到黑莲法王被史天骄一刀震死，七窍流血，肖不平偷瞧蜘蛛，属于黑莲法王那只这才真的死了。

夺我头七窍流血死（黑莲法王），夺我枪宝刃穿心亡（麻狸虎），夺我甲图谋遭雷劈（赫花狼），夺我女藏娇折颈崩（大炎可汗），夺我马合眼下地狱（忽雷怒），夺我匣一手自扼毙（眇道人），夺我地成鬼变僵尸（狻猊）。虽然有几人并非被七宝害死，但这七个诅咒的七种死法竟然全部实现了，肖不平心中忐忑："这究竟是巧合，还是有人安排好的？"

听得史天骄喊叫，肖不平飘身下树，来到史万夫面前，双膝跪倒，恭恭敬敬磕了三个响头。史万夫道："你这是干什么，想求我饶命么？"肖不平傲然一笑："肖不平从不求人。今天这三个头，第一个是我自己磕的，你是我心中最大的英雄。第二个头，是替当今皇帝磕的，他对不起你。第三个头，是替天下百姓磕的。正是有了你们，他们才能安居乐业，免遭敌人踩躏。除了父母，我肖不平从不给人磕头，这三个头，只有你当得起。"

史万夫叹道："你这头磕错了，那个史万夫才是英雄，我不是，我只是一个见不得人的畸形人。"

肖不平摇头道："将军此言差矣。你和那个史万夫同身一体，不分彼此，他头被砍，痛的却是你。你数十年隐身棺内，不见阳光，这份坚韧，举世无匹。"

大冢灵花也跟着磕了三个头："将军，我是大炎可汗的女儿。我也从不求人。今天这三个头，第一个是我自己磕的，忠臣孝子人人敬，你当得起。第二个头，是替我妈妈磕的，当初若不是你放了我妈妈，也没有现在的我。第三个头，是替我叔父家未谋面的姐姐磕的，你曾经救过她。这是离魂瘴的解药，你给乡亲们服下吧。"

史万夫眉头一皱："你是不是想以诡计逃得活命，然后散布真相，再夺我城池？"

史天骄忽然上前一步："爹爹，她这人虽然不是好人，但也不会坏成这样。"

史万夫看着肖不平："我早就听过肖捕头大名，听天骄说你曾设下鬼塔迷局，杀死不少贪官污吏，你也是个英雄。"

肖不平赧然一笑："和将军比，我差得太远了。"

肖不平将离魂瘴解药给众人服下，和众人吃了一餐饱饭。大冢灵花也在旁相陪。

休整一夜，次日众人精神好了许多，便去辎辎营中收拾丢弃的辎重粮草，一一运回城中。几人紧接着修葺房屋，垦田畜牧，又在城外乱葬岗前给那个史万夫修了一座衣冠冢。将军的头早已炸成肉屑，和光同尘了。这个史万夫携了史天骄跪在坟前，痛哭祭拜。肖不平临风遥想书中种种，将军音容宛在，豪气干云，而今英雄已逝，缘悭一面，不觉悲从中来，泪洒秋风。

忽忽一月有余，这一日，肖不平问史万夫："将军这几日身子可好？"史万夫笑道："吃了一月你熬的汤，身子强壮了许多。原本断头之时，已经油尽灯枯，虽然养了一月，二次闯营还是动了元气，若非敌兵惧怕于我，只怕我就死在营中了。你这汤中是不是放了什么灵丹妙药！"肖不平笑道："这是当年一个朋友送给我的。不算灵丹妙药，我却视如珍宝。"说着眼望窗外，悠然出神。

　　将军道："你那位朋友一定是个女子了？"肖不平一笑："不，是个男子。"将军道："肖公子可曾婚配？"肖不平道："还没有。"将军犹豫半响："我想将天骄许给你，只是……"话没说完，门咣当一响，大冢灵花拎着扫把笑盈盈闯入："将军，你有所不知，我和肖大哥虽未成亲，却已双宿双飞月余，近来经常呕酸，想来已然有喜了。"说着哇的一声呕了起来。

　　将军道："这、这，恕我冒昧，恭喜恭喜。"

　　肖不平狠狠瞪了一眼大冢。

　　那时午餐过后，肖不平提出告辞，将军苦留不住。肖不平道："如今鞑靼丧胆，群龙无首，暂时不会滋扰。将军你放心发展生产，再造边关铁城。当初皇帝虽无援兵到来，但犒赏将军的酒却是美酒。都是那个姓陈的太监私通番邦，想暗害将军，所以回到鞑靼营中，十八金刚都走了，他却留下邀功。此事我必上告皇帝，以正视听。我这有张免死铁券，如果再有天使前来，只要对你不利，你可先斩后奏，便是皇帝也奈何你不得。你就好好镇守边关吧。如有战事，你可于城门处悬一告示，不出三天，肖不平必然策马而来。即使我脱不开身，也会派得力人手前来襄助。"

　　史天骄忽然道："爹爹有七宝，七宝中各有秘密，如今窃天匣已为大冢姑娘所得，肖大哥待我家不薄，我想将其余六宝相赠，不知肯惠纳否？"

　　大冢灵花眨眨眼睛："其余几宝也罢了，其中一宝就是你，你怎么相赠？"史天骄淡然一笑："当然我要陪伴肖大哥终生了。"大冢将脑袋晃得像拨浪鼓："不好不好，无功受禄寝食不安。肖不平这人最怕受人恩惠，告辞告辞。"说着拉起肖不平就走。

尾声 回头招手总擦肩，瞪目剔眉长邂逅

拒胡城外二十里。阳关大道。时令初秋，绿叶凋零，秋意渐浓。几人并辔而行，肖不平骑了自家青驴，大冢灵花也不知从哪把眇道人的葬鏊弄到手了，此时骑在上面摇头晃脑道："送君千里终有一别，二位请回吧。"

肖不平从怀中取出一幅锦帕，送给史天骄："史姑娘，离合匆匆，无以留念，一方锦帕，还请笑纳。"史天骄含羞接过，气得大冢灵花直翻白眼。

史天骄恋恋不舍又送出里许，这才与肖不平洒泪分别。

二人转过山脚，肖不平回头望去，史天骄犹在那里频频挥手。肖不平暗叹一声，催驴又走，再不回头。

等肖不平的影子隐没在大路尽头，史天骄微微一笑，摊开锦帕，上面绣了三个字："秦皇陵。"

两人一气行了数里，大冢灵花瞧路旁有两个树墩，招呼肖不平休息。她解下葬鏊上的褡裢，想取水壶解渴，谁知水壶没掏出来，却掏出来一个磁匣，正是窃天匣！

大冢灵花大吃一惊："咦，我的窃天匣在那日见过将军父女后，突然不翼而飞，如今怎么又回来了？"

肖不平也是一愣："你说的是真的？"

"嗯！"大冢灵花肯定地点点头。

肖不平道："会不会是史天骄搞的鬼？我一直觉得她神神秘秘，绝非简单人物。她有武功在身，一刀震死黑莲法王。而且她被大炎可汗擒住之时，面色虽慌张，眼神却淡定。将军和我说话间，无意透露了一句，他听史天骄说我曾设下鬼塔迷局，杀死不少贪官污吏。想史天骄幽居拒胡城，又被大炎

可汗围困，消息闭塞，哪里会晓得京城的事？难道她就是那个写书人？"

大冢灵花将窃天匣放在树墩上："不管是不是她，此人这么做定有深意。咱们打开匣子，看看里面究竟有什么玄虚。"说着从百宝囊中掏出那对龙凤钗，便要开锁。肖不平道："咦，你怎么知道这钗子是钥匙？"大冢灵花笑道："自然是书中写的，其实我的书比你的书还多了一些内容，只不过让我用食墨粉给抹去了。那些内容零零碎碎，其中有一段就说到地宫中有个诅咒室，诅咒室里有一对龙凤钗是开启窃天匣的钥匙。"

肖不平道："果然是你骗了我！"大冢灵花道："彼此彼此。我倒想问问你，书上写史天骄的结局是被大炎可汗强暴，如今她怎么安然无恙？是写书人输了，还是你捣的鬼？"

肖不平遥望簇簇秋山，怔怔出神。良久叹了口气，道："小时候曾有一个朋友为我毁了面容，眼睁睁看着别人用刀子划在他的脸上，一刀，又一刀，鲜血长流，他却一声也不吭。那时我太小，没法阻止这一切。等我长大有了能力他却因为貌陋无脸见我偷偷走了。有一次我在市集上遇到了一个疤面人，我一眼就认出了他，他的面容毁了，但是他的眼睛却依如当初清澈如水。我大喜过望，过去相认，谁知他根本不承认。我一时疏忽让他跑了，从此便疯狂地去找他，却再也没有见过他。从那时，我便下定决心，只要让我肖不平知道了，任何即将发生的悲剧都将无法发生。就算你被上帝抛弃，你也不要放弃，因为有我做你的耶稣。"

大冢灵花嘻嘻一笑："就算你被上帝欢喜，你也不要得意，因为有我做你的撒旦王。"

肖不平咦了一声："你也知道西方圣经？"

大冢灵花笑道："因为看了你的《鬼眼浮屠》里面写有西方教堂。我特意寻了本圣经读了。喂，休想转移话题，你到底有没有捣鬼？"

肖不平道："当然，我改写了鬼谷女那本《僭天书》上的结局。还记得我们当初交换看书的顺序么？最后一轮，是我看鬼谷女的书，我一边看一边嗑牙花，寻思改写之法。偶然瞥到你放在桌边洗土豆丝的水盆里残存一点粉浆，于是我就地取材，偷着剜了些在指甲内，一边装作蘸吐沫翻书，一边用这唾液混合粉浆的特殊墨水将自己改写的几个字覆盖在书中的结局上面。这是密写法，当时看不出来，只要用特制药水一抹，字迹便显形了。不管密写显写，我总算改了结局。"

大冢灵花笑道："你也不傻。"说着便将钥匙插进锁孔。肖不平阻拦道："将军说窃天匣里天外神石上有诅咒，每个拿到石头的人都惨遭横死。死了倒也没啥，如果你也像将军那样长出两个脑袋来，不知道好看不？"

大冢灵花嘻嘻笑道："那敢情好，万一我一个脑袋被砍掉了，还有另一个脑袋，长成哪吒那样的三头六臂才好呢！"说着嘎哒一声，窃天匣启开了，一尊一尺来高的石佛现出真容，顶髻合掌，宝相庄严，雕刻精美。大冢灵花伸手拿起，扭转石佛手指，但听咯的一声，石佛坐下的莲花宝座倏地弹开，一串珍珠般物事掉出。大冢灵花手疾眼快，一把接住，随手将石佛放入，合匣锁上。这几下一气呵成，没等肖不平看清，匣子已被大冢灵花锁上背起。

大冢灵花手里托着珍珠，笑嘻嘻道："知道这是什么吗？"肖不平定睛看去，但见那串珍珠样物事嫣黄可爱，晶莹剔透，只是大小不一，有圆有扁。虽然并无丝线牵系，却似有磁力般，堆在手心，自然粘作一塔。仔细一瞧，里面还有些阴翳，似乎包裹了一些虫豸等物，不禁奇道："什么？"

大冢灵花得意扬扬道："这叫琥珀塔，价值连城哦。"

肖不平皱眉道："你开匣取物的动作很熟练，好像你对这个东西很熟悉，这是为什么？"

大冢灵花笑道："因为窃天匣有域外妖佛，域外妖佛里有琥珀塔，都是我的书里写的。"

肖不平气哼哼道："写书人不公平啊，为什么我的书里没写这些？"

大冢灵花笑道："因为我比你漂亮嘛！这个写书的一定是个男的。"

肖不平哼道："这小子千万别让我逮到，否则一定像对付钱归泽那样收拾他。"

大冢灵花也不理他，自顾自坐在树墩上，从塔上揪下一粒琥珀，这粒琥珀椭圆，内有翳子，其形如眼。她一手拿了钗子，一手将眼状琥珀凑到眼前，隔着琥珀去看钗子。看了一会，忽然大惊叫道："相公，你过来。"叫了几遍无人答应，转头呵斥一边呆坐的肖不平："喂，叫你呢！"肖不平白她一眼，凑过来。大冢将琥珀递给他："用这个看钗子！"

　　肖不平拿过看时，却见钗子上的花纹被琥珀放大了，竟然是一个个微雕字迹。恐怖的是，这些微字竟是《阴宅血咒》的下部！从大冢灵花在荒山茅屋讲故事开始，三位捕头如何斗智，以及大冢用铁链锁住肖不平、破解史万夫无头复生之谜，大炎可汗如何将计就计杀人，地宫冒险，再到史万夫复活，叙述细致入微，竟与所发生的事件丝毫不谬。而且有些他不太清楚的里面都补述明白了。原来书中史万夫、黄立、大炎可汗等七人，以及肖不平、大冢灵花都各有各打算。文章最后说，鬼谷女曾经告诉过肖不平二人，《阴宅血咒》下部大部分线索都埋伏在了上部中，只要认真细读就能了解后文，果然不假。将军在密室查看敌人档案，其中已然显露出敌人内部四分五裂，将军要利用这层关系大做文章。其他人肖不平都猜了个大概，只是眇道人没有猜准。本来以为眇道人会倒戈投诚，真相却是眇道人因为相地卜宅损阴丧德，儿子天生呆傻，又被拍花先生拍走，在外面不知要吃多少苦，一直觉得愧疚。当他知道龙穴以后，便暗下决心，要舍身瘗龙穴，成全儿子。所以当拒胡城被攻破后，他本来已经测到将军府便是龙穴位置，却佯装不知，想偷偷进入。后来横生枝节，大冢灵花用蛤蟆夯砸出地宫，眇道人见无法隐匿，于是主动出击，寻找龙穴。天下龙穴确实多数是吉凶双生，不过史万夫祖先所葬龙穴才是吉穴，眇道人给大炎可汗点的穴反而是个凶穴。但凶穴下确实是吉壤，原来这吉凶之穴也如天地阴阳一般，吉中有凶，凶中有吉，而且千年之后，尚可吉凶互换。而吉穴必先用镇物剔除凶气。史万夫的祖坟恰巧充当了这个角色。眇道人利用葬獒吠声、天命罗盘叫声和枯枝开花的把戏欺骗了大炎可汗。但自杀不可能被埋在史万夫祖坟里，于是眇道人欺骗大炎可汗，说史万夫祖坟凶穴为"白鬼挂锁"，能锁住鬼魂怨气。他料到大炎可汗寻到龙穴后，必然杀自己灭口，因为临死前故意说出要变为厉鬼报仇，当大炎可汗说要将他扔入那个所谓的凶穴中，他又佯装害怕，坚定了大炎可汗的决心。

　　肖不平看到这里，吐了一口浊气，史万夫两兄弟，眇道人，可怜天下父母心。待往下看时，不禁大吃一惊："眇道人想被大炎可汗杀死，最后却自扼而死，其实这不是诈死，而是中了窃天匣的诅咒！"急忙转向大冢灵花，"你快把窃天匣扔了！"

大冢灵花嘻嘻笑道："没关系，我有这支钗子，天下万物都有生克之理，这支钗子专门克制窃天匣。"

肖不平继续看去："还有将军的双头畸形问题，《阴宅血咒》上部已经不止一次暗示隐喻过，比如强调将军的白蟒乌龙刺是双头，麒麟豹头上生了肉瘤，又说将军的脑后好似生了眼睛一般。而且在鬼谷女的书上多了一些数字密码，本来肖不平猜是鞑靼兵阵亡人数，而且人数确实符合，其实这是写书人设置的圈套，这是个密语。秘密就在小说的目录上。"三八九"，摘取目录第三章'天子王气上星文，将军宿命下渊薮'，第八个字和第九个字，得出'将军'二字。"七三"摘取第七章'已知二竖潜膏肓，倩谁念取回天咒'第三个字，得出一个'二'字。'九九'摘取第九章'白日凶鬼索命来，掉头老尸衔刀走'第九个字，得出一个'头'字。三组数字得出的文字连起来就是'将军二头'。"

大冢灵花恨恨道："这个写书人耍赖，如果目录在前头列出来，只怕我们早猜出来了。结局可能就不是这样了。"

肖不平长吐一口气："就算猜出来，也改变不了，因为我们都是写书人书中的角色，生死离合都由他决定。"

肖不平继续看下去："其实将军的三重迷局也有暗示，三个捕头对应大炎可汗、黄立、史万夫，三本书对应三支诡计，同样的顺水推舟，同样的螳螂捕蝉黄雀在后，是不是很形象？"

大冢灵花笑道："我们三个究竟谁是大炎可汗谁是黄立谁是史万夫？"

肖不平摇摇头道："是谁都没用，我们的后面还有一只鹰隼呢。"

大冢灵花敲着脑袋："史天骄是不是这个写书人？我怀疑我的窃天匣就是被她偷去的又放回来的。而且这支钗子在诅咒室，她也可以放，还有那个本命灯。"

肖不平心道："还有那个蜘蛛呢！"大炎可汗和真正的黑莲法王死的时候，肖不平偷藏的蜘蛛相应都死了，可见这蜘蛛必是专给他肖不平看的，目的就是要证明放蜘蛛的人神通广大，而这个人很有可能就是写书人！

心里这般想，肖不平嘴上却说："如今想来，她并不是写书人。她是可以放这些东西，但如果她有这个本事，又何必让自己父亲断头设局呢？她很可能知道一些我们不知道的事情，就像你也知道一些我不知道的事情，但她绝不可能是写书人。因为我曾试验在她后颈处偷偷放了一只蜘蛛，她毫无防备，发现的时候，吓得大叫，那种惊叫绝非伪装，可见她虽然敢杀人，却怕蜘蛛这类丑怪小虫，怎么敢弄那些人面蜘蛛呢？另外钗子上的微雕解释了一些谜题，比如猰㺄取忽雷怒的手掌印成手印变小，是因为那下面的土能吸血，手印会越缩越小。但有很多谜题都没有解释，比如那乌龟和蜘蛛是怎么来的？还有地官墙上出现鬼脸，偶像乱走，琴弦自弹……我问过将军和史天骄，他们都说自己也很奇怪，地官乐器佛像都是祖辈留下来，从来也没有发现这种异象。要我看这些都是写书人搞的鬼。他弄这些异象不是为了保护史天骄，也不是为了吓唬大炎可汗，而是要向我挑战，看我能不能破解其中之谜。"

大冢灵花刮脸道："胡吹大气，羞也不羞，要挑战也是向我挑战。"

肖不平道："不管向谁挑战，我们都输了，我们连写书人是谁都不知道。"

"会不会是鬼谷女？"大冢灵花忽然说道。

肖不平迟疑道："也不太像。"

大冢灵花又想起一事："我们的书既然是一个故事写一个侠客，那么这部书的侠客又是谁呢？是断头侠史万夫？"

肖不平道："也许吧。"转移话题道，"喂，你的琥珀塔可不可以送我？"

大冢灵花将那颗眼形琥珀夺回："可以，不过你要答应我俩婚事。"

肖不平打个冷战，道："那还是算了吧！"振衣而起，"不管怎么样，下一个故事正等待我们呢。这回和你无关，你不会再和我做对了吧。"

"那就要看我心情好坏了。"大冢灵花坏笑道。

前面有一道小溪，溪水清冽，水草可爱。肖不平蹲下身来，想要净面，清爽一下赶路。他刚用两手捧起一捧水便愣住了——手心处一只核桃般的小乌龟蹬开小腿，活泼欢游，背甲上刻有一个"爱"字。和地官诅咒室中发现的小乌龟一样。这只放在白沙上，又从溪里捉出六只来。七只乌龟排成一字长蛇阵，背甲上的字连成："你我他爱恨不要。"

大冢灵花也凑到眼前："这是诅咒室里的乌龟么？"

肖不平摇摇头："只有一点可以确定，有人要我看这些乌龟。这七个字可以任意组合成不同句子，而意思都不一样。"将乌龟重新排列，变成"我爱他你不要恨"。

大冢灵花道："你究竟要爱谁？"伸手组成"我要恨你不爱他"。

肖不平眼中露出惶恐："我似乎有点明白了。"

大冢灵花笑道："你明白什么了？"猛地掉头望向树林，"谁？"抖身如一只黄鹤袅袅腾起，蹿向树林。肖不平不知何故，急忙蹑足追去。

林密草深，但听兵器碎响，急如爆豆，风中传来大冢灵花的惊叫声。肖不平急道："你怎么了？"急忙拔草寻去，猛觉脚下一软，接着轰隆一声，尘垢迷眼。等他睁开眼时，发现自己被关进一只铁笼子里，吊在半空，晃晃荡荡。做笼子的铁棍粗如鸭卵，缝隙不能容拳，笼门已被一只巨大铁锁锁上。大冢灵花手持榔头铁钎，正在破坏锁眼。瞧他看来，坏兮兮笑道："我给你做的屋子结实不？"

肖不平后悔不迭，方才追得急，并未取挂在驴背上的璇玑盒——脸上却笑道："我又不是猴，你把我关笼子里干吗？"

大冢灵花笑道："因为我喜欢你，想把你当猴养着，闲来开心解闷。"

肖不平道："这样你不很麻烦，天天要给我做饭。"

大冢灵花笑道："给相公做饭，是妾身本分，荣幸得很哪。"

肖不平道："我手划破啦，你给我取药敷上。"说着从缝隙中伸出手来，手臂上果然划了一个大口子，鲜血淋漓。大冢灵花笑道："太好了！"从百宝囊中取出纱布，手指在兜囊中暗自捣鬼，捏碎一粒琥珀，将琥珀粉按在伤口上，飞快缠上纱布。肖不平叫道："这是什么药粉，痒痒的，好像有虫子往里钻。"

大冢灵花窃笑道："那就对了，伤口发痒是要愈合的表现。"转身取来青驴，将铁笼子绑在驴背上，边绑边气肖不平："相公，这个笼子比上回那个手铐结实吧？除非你变成一幅画，否则就算你用缩骨法都钻不出来。嘻嘻。"

肖不平倚着笼子，懒洋洋道："有人服侍，受用得很，我才不出来呢。"

大冢灵花笑道："鬼才相信，你不想改变下一个故事《画皮》的结局了？"

"当然要改。"

"我看你怎么改！"

两个黑点渐渐没入山霭云岚，风中隐约传来一阵缥缈的歌声，盘匝在漫天黄叶之中。

秋天真的来了。

画皮

窃天书之三

楔子 幽灵越狱，魔鬼潜行

八十年前。

牢房逼仄，恶臭熏人，蚊虫肆虐。花正好偎在一蓬乱草中，孤零零的好像一具死尸。栅栏外油灯如豆，宛如魔鬼的眼，打在花正好胸前，映出他裸露的胸膛，上面五彩斑斓，刺着一身好花绣。他两臂一左一右文着一对宝剑，光化氤氲，直欲破臂飞出。

翌日清晨，牢头巡房，向内一看，不觉大惊失色——牢内空空如也，牢房上两根铁栅栏不知何时被切断，闪出一个硕大空隙，地下则插着两把剑。捕头彻查一遍，守卫互有证言，排除内鬼嫌疑。用那两把剑一试，削铁如泥。最后得出的结论是，花正好用这两把剑砍开栅栏，逃出生天。

问题是，花正好被困死牢里，这对宝剑从何而来？既然逃了出去，为何又把剑留下？

六十年前。

又是死牢。外面春意盎然，花红柳绿。牢中死气沉沉，虱虫横行。花已残被枷锁镣铐死死锁住头颈四肢，又被四道铁索缚住周身，高高吊起，上不着天下不着地。浑浊的灯火映出他手臂上繁复的刺青，好像是两把钥匙。牢外三步一岗五步一哨，戒备森严。

翌日清晨，牢头巡房，花已残早已鸿飞天外，沉重的镣铐锁链萎褪一地。

四十年前。

花不败被挑断手脚筋脉，再一次逃出死牢。

二十年前。

花再生被砍断两手，逃出死牢，现场只留下一溜血迹。

五年前。

花雕龙被锁住琵琶骨，又一次逃出死牢。

这些人逃走后，生不见人死不见尸，从此销声匿迹。

十年前，花雕龙为弟子刺青。

"我要刺黄金力士！"

"我要金刚咒！"

"我要刺飞鹰在天，傲视天下！"

"我要刺金钱，无数的金钱！"

"小子们，不要乱刺东西，小心那东西活了，吃掉你们。"

"鬼丫头，你要刺什么？"

"我要学杨二郎，再刺一只眼睛，变成三只眼，让妖魔鬼怪都现出原形。"

"莎儿，你呢？"

"师父给我刺什么，我就要什么。"

为我画眼，与你送钟

云梦山，鬼谷。

仲秋季节，草木凋零，层林尽染。西风一刮，乱叶翩跹，让人没来由的心生忧郁。辰牌时分，岚烟瘴气氤氲成云，绵密的雨丝如同纷飞的愁绪，搅碎一天澄碧。

马栏道上蹄声骤起，车轮辘辘，骑士劲装结束，悬刀佩剑，哭丧棒引路。道旁乱木丛生，飞出无数怪异虫豸，纷纷叮咬众人。骑士们一边驱赶，一边咒骂，好在绕过一道弯，虫子便少了。

骑士们重新安静下来，挑着清一色的白幡，掩着七口棺材，绕着盘山鸟道，直如一条逶迤前行的毒蛇，钻入乱山深处，触目惊心的纸钱伴着落叶撒满来路。

万山圈里，绣虎山庄如同被儿孙遗忘的祖坟，深埋其间，孤零无依。自从战国鬼谷子隐居鬼谷，传下鬼谷神术，鬼谷声名鹊起。然而千年以降，物是人非，圣人墓木已拱，早已沦为栖鼠巢鸦所在。只有后辈末学花氏传下一脉固守田园，香火不熄。不过读心谋略已断，改成了刺青这一皮毛之术。

绣虎山庄坐落在不义峰下不归水旁，占地里许，周遭植木栽竹以成屏障。庄内馆舍各自独立，碧瓦红墙，或如剑戟排空，或如犀象伏地。此刻天色深灰雨丝飘摇，庄内却是张灯结彩，人头攒动，喜气洋洋。

大门四敞，人流如织，门上悬金字匾额"绣虎山庄"。左右一副楹联，上联"一阴一阳谓之道"；右配"一撇一捺叫作人"。此刻早被一副喜联"二星合彩耀家室，七巧同心守玉盟"盖住了。

今日正是庄主大婚喜日。

绣虎山庄以文身为业，门下弟子数十，按技艺高低分为七等，从低到高依次是黥人、刺客、雕工、文士、点将、绣师，画匠。庄内馆舍亦分成黥文舍、刺青馆、雕龙堂、文身楼、点兵阁、绣花轩、画皮坞。画皮坞居中，其余拱卫左右，中以墙垣隔断，月门相连。

绣虎山庄所处是一簸箕形山谷，周围群峰争峙，遮蔽天光，今日阴天有雨，更显晦暗。巳时一刻，鞭炮齐鸣，青色烟火将冷森森的抑郁天色炸开一抹热辣辣的生气。喜堂之上，雕梁画栋，整饬一新。庄主花绣虎瘦岩岩的身形隐藏在红艳艳吉服里，一双看惯世事浑浊浊的眼和一张吹弹得破的脸强行糅合在一起，颇为怪异。

一百一十年前，绣虎山庄还是座豁牙漏齿的烂草庐，主人花未开以文身为业，和盲目老娘相依为命。只因一幅隐藏着宝藏的刺青引来祸害，旦夕之间，老娘惨遭杀害，花未开身负重伤，逃走坠崖，不知所踪。后二十年，一名少年花正好突然回归鬼谷，自称是花未开的再传弟子，一改师门穷酸模样，出手阔绰，筑屋起厦，挂起绣虎山庄的金字招牌，大张旗鼓召集门徒。但嫡传子弟只限一人。

庄主还有个怪癖：不娶妻妾，每于初冬出门，访求贤良，直到隔年春暖花开万物蛰苏之际方回。十年后，花正好离奇失踪，弟子们检点遗物，发现一封遗书，说嫡传弟子已然找到，以背上羽蛇刺青为记。果不其然，两年后，一名样貌酷似花正好的少年，自称是其弟子，找上门来，脱衣裸背，露出羽蛇刺青，继任庄主。自此之后，一直到花绣虎，绣虎山庄换了数代庄主，全都不娶妻妾，冬季出门，最终离奇失踪，生不见人死不见尸。而后又有弟子找上门来继任庄主之位。仿佛中了诅咒陷入轮回，种种迹象诡异莫名。而庄内传言，这一切都是庄主后背上隐藏着宝藏的羽蛇刺青搞的鬼。

到了花绣虎这一代，破天荒的，他竟然要成亲了！新娘便是他的师姐夷女美杜莎，起了个词牌名《蝶恋花》作为名字，寓意爱恋花绣虎。

由于僻居山野，花绣虎又生性孤僻，故未延请宾客。眼见吉时已届，傧相朗声赞礼，一拜天地，再拜高堂。由于男女双方都无长辈在世，便将历代庄主牌位奉上，双双叩拜。

一个头还没磕完，忽然庄外马挂銮铃响起，一个粗豪声音吼道："六弟，俺给你道喜啦！"话落人至，一个黑塔般莽汉挟风带雨闯进喜堂。此人身高过丈，头如麦斗，眼赛铜铃，背插一口鬼头刀，刀把上铜铃叮当作响。脖子周围赘生八个婴拳大肉瘤，耳坠金环。身穿豹皮坎肩，这么冷的天还裸着左臂，露出疙里疙瘩的腱子肉。一角斑斓刺青从坎肩里蜿蜒而出，爬满裸臂。这人正是花绣虎的大师兄，通天寨主九头狮。

九头狮甫入喜堂，二话没说就是一记掏心拳，擂得花绣虎一个趔趄。九头狮咧着大嘴笑道："小兔崽子，这就是俺的贺礼，你要敢欺负五妹，俺天天喂你拳头餐。"

花绣虎苦笑道："大师兄，我岂敢。几位师兄都来了吧？"话音未落，院中熙攘声起，跟着步声橐橐，又进来三人：

为首是个肥黑头陀，着一袭灰绸缁衣，扫帚眉绿豆眼狮子鼻鲶鱼嘴，颈中挂着一百单八颗骷髅念珠。秃头没戴僧帽，额中束一金箍，满头满脸用朱砂刺满金刚咒，也盖不住满头癞疮疤痕。正是二师兄癞头陀。

第二个是名皂隶，皂帽乌靴，面如蟹壳青，唇似羊肝紫，腰畔缠着一对鹰爪双抓。正是三师兄鹰爪孙。

末了一人富商模样，肥头大耳，笑眯眯好似一尊弥勒佛。额头并两太阳穴文着三枚大钱。背后背着一只金笸箩。正是四师兄钱大笸箩。

几位师兄各有绰号，叫出了名堂，本名反而少有人提了。他们春夏赋闲，常住山庄，忙里忙外。每逢冬季，花绣虎外出，他们也各回朝野江湖，啸傲一方。

前几日几位师兄出门办事，花绣虎忽然心血来潮，便要成亲，几位师兄急忙忙赶回。

三位师兄握住花绣虎双手，一一奉上贺礼。癞头陀送的是一尊送子观音，鹰爪孙送一幅春宫画本，钱大笸箩暧昧笑着，袖底乾坤，塞给花绣虎一只瓷瓶。花绣虎偷眼观觑，药瓶上写了五个字——美女颤声娇，竟然是一瓶春药！不由得面皮紫涨。

刚想推脱，忽听门口脆生生一笑："六师兄，恭喜恭喜，小妹来晚了。"众人转头看去，顿时眼前一亮，但见一个少女挽飞天髻，配明月环，一袭淡黄筒裙，在风中若飞若扬，翩跹如花飘落堂上。但瞧她左眼幽蓝右眼碧绿，额上还有一只赤红眼。花绣虎一见，眼中掠过一丝春光——却是小师妹天眼妖瞳鬼谷女。

鬼谷女嘻嘻一笑："师兄大喜，小妹也有一件贺礼。"说着从背后鹿皮囊中掏出个巴掌大小的铜钟。

花绣虎面色一变：钟终同音，送钟等同送终，咒人早死。是送礼大忌。虽则如此，为了礼数，还是勉强接过。

三师兄鹰爪孙阴阳怪气道："小师妹，今天是老六大喜之日，你给他送钟，也太不吉利了吧！"

鬼谷女咯咯一笑："我观六师兄面色青紫印堂发暗，只怕不日便有血光之灾，师兄没有子嗣，我给他披麻戴孝风光大葬，他岂不是祖坟冒青烟前世修来的福气？"

同门师兄弟都知道，鬼谷女喜欢花绣虎，但花绣虎却钟情师姐蝶恋花。平时拈酸呷醋倒也寻常，没想到她竟恶毒如斯。

不想花绣虎将铜钟收起，绽颜一笑："有小师妹这句话，师兄纵死无憾矣！"

话音未落，庄外喊声四起，镝声大作。有人喝道："花绣虎，爷爷也来送礼啦！"

轰隆一声，大门碎若蝶翼，一口硕大的柳木棺椁横飞而至，落在天井当院，震得大地乱颤。棺上无盖，一具死尸卞服朝冠，仰卧其中。

启棺斗法，拔剑争锋

皮鞭山响，守门庄丁鼻青脸肿连滚带爬跑进喜堂："庄、庄主大事不好！"

花绣虎心中一震，顾不得行礼，率众抢出门外，立在滴水檐下。大门碎成粉芥，围墙坍塌半边，数百壮汉服饰各异，尽皆披麻戴孝，高举灵幡，驱赶马车驶入院中，卸下数口大棺材，一字排开。

花绣虎闪目一看，每口棺材后都挑着旗号，什么青阳县、仁义堂、黑风寨、鼍龙岭、飞叉门、漕帮、盐帮，真个官匪医商，沆瀣一气，不知怎么凑一块了。

花绣虎抱拳道："诸位英雄，远道是客，今日乃小可大婚之日，送礼就不必了，若不嫌简慢，请入大堂小酌几杯。"

黑风寨二寨主赛李逵抢起板斧，笃的一声，劈在棺材板上，吼道："酌你娘！俺哥哥在你这里文身之后，回去不过三日突然死翘翘，你赔俺个活的！"说着伸出黑毛大手，哧啦撕开棺内死尸殓服，露出胸膛上斑斓刺青。

青阳县令官服严整，率领十余武士，缓步踏出："花庄主，我县师爷半月前在你处刺青，前日忽然暴毙，你该给个理由吧。"

紧接着仁义堂医馆，鼍龙岭马贼，飞叉门门主，漕帮二帮主，盐帮管事，纷纷上前打开棺材，脱去死者殓服，露出刺青，讨要公道。原来这些门派中均有首脑来绣虎山庄文身后死于非命。花绣虎上前查看，果然，所有死者都是来文过身之人。

大师兄九头狮乃是通天寨大寨主，手下喽啰上千，惯于一呼百应，养成个撮盐入火的脾性，虎吼一声："狗日的，敢来绣虎山庄撒野！"鹰跃而起，半空按绷簧，鬼头刀脱鞘而出，电光石火，砰然大响，黑风寨的柳木棺碎成八半，漫天飞雨都被这气吞山河的一刀劈出了一道罅隙。

赛李逵见九头狮坏了大哥寿材，顿时火冒三丈，钢髯爆炸，巨躯踊动，身如熊扑，抡圆板斧兜头便剁。九头狮怒吼一声，鬼头刀直攫其锋，铿然大响，板斧断折，一线刀痕从赛李邃顶梁裂到下阴，倏忽间，血线激射，两爿尸身轰然倒地！

九头狮一动手，癞头陀、鹰爪孙、钱大笸箩更不怠慢，齐声怒吼："想动老六，须踏过爷爷的尸身！"身如鹰飞，骷髅念珠、鹰爪钢抓、黄金笸箩狂袭而出，顷刻间，对方便有数人毙命。

不过来敌亦非吃素的，阵脚一乱随即稳住，各掣兵器群殴，但见刀光飞旋，血肉迸溅，九头狮等几位弟兄也挂了彩。

喜堂顿变修罗场！

花绣虎见势不妙，急忙厉声止住众人。

青阳县令颜色倏变："大胆贼寇，白日行凶，该当何罪？"九头狮仰天狂笑："就杀你了，你能把爷爷怎地！"

鹰爪孙阴阳怪气道："你私闯民宅，执刃行凶，该当何罪？"

钱大笸箩颤着一身肥膘，笑嘻嘻道："照啊照啊，我等被迫自卫，何罪之有！"

青阳县令喝道："鹰爪孙，你也是公门中人，包庇罪犯，按大明律——"

鬼谷女接茬笑嘻嘻道："按大明律，你该剥皮剜心！"

青阳县令怒目而视，鬼谷女身形一晃，已如鬼魅陡至面前，纤纤素手握着一块令牌，抵到青阳县令眼前："狗官，睁开你的狗眼！"令牌金光耀眼，周围錾刻双鱼飞纹，中间雕篆字阳文"锦衣卫百户鬼谷女"七字。

青阳县令骇得冷汗如雨，险些跪倒，连声告罪。

在明朝，锦衣卫如魔鬼般存在，僭越六部，直属皇帝，专以缉私杀官罗织大狱为职。被锦衣卫盯上的官僚生不如死。肖不平所犯鬼眼浮屠一案，侥幸活命者无不笃定肖不平就是所谓的锦衣卫秘使，背后的靠山就是皇帝。是以全部讳莫如深，绝口不谈凶手之事。以致肖不平杀官讲书，逍遥法外，无人过问。

不过也有不开眼的，漕帮帮主就是个吃生米的，自以为强龙不压地头蛇，冷笑道："锦衣卫就不讲王法了么？花绣虎以文身为名，在针上下毒，刺死我二弟。今日若不讨回公道，漕帮的码头也没脸再停船了！"

鬼谷女笑意更浓，那是发飙的前奏。

花绣虎上前一步止住，施个罗圈揖："诸位，棺中这几位确实曾在我绣虎山庄文身，而且指名道姓要我亲自掌针。如今突然逝世，花某深感哀痛。但我绣虎山庄享誉百年，诚信做人，从未出过一点差错。花某与诸位亦无半点恩怨，怎会下毒害人。这期间必有隐情，还望诸位详查。若不信，可检验本庄针具颜料，还我清白。"

漕帮帮主叫道："你既有心害人，怎会留下罪证！你给刺青的七人几乎同时中毒而死，天下没有这么巧的事情吧！"

鬼谷女冷笑道："七大派同时上门兴师问罪，也是计划好的吧！"

漕帮帮主道："随你怎么说，今日若不还我等一个公道，决不罢休！"

鬼谷女冷笑道："我来验尸，看看是怎么中毒而死的？"揪出一具死尸摔在地上，裂裳查看，腹中文身处青紫骇人，将银针刺入，拔出颜色变黑。拔出短匕开膛破肚，胃中没有毒物残留，果然是文身处中毒而死。

七大派冷眼旁观，这时鼓噪起来。

鬼谷女骂道："嚎你爷爷的丧！你们帮派内部自相残杀，却嫁祸给我绣虎山庄！漕帮于大帮主，二帮主背着你另立码头私贩偷运，想取而代之，你要除掉他筹谋已久了吧。青阳县汪县令，你的师爷睡了你的老婆，你发现后，他却以你贪赃枉法的罪证要挟你，你也恨不得他早见阎王了吧……"鬼谷女侃侃而谈，言之凿凿，掷地有声，每一个字都如一把尖刀，挑开黑幕，直戳人心中最阴暗龌龊之地。

锦衣卫暗探无处不在，消息灵通，知道这点隐私毫不奇怪。

七派首脑的脸都青了。

说到最后，鬼谷女嘴角挑起："你们在他们刺青之后，又在刺青上补了毒针，现在却来贼喊捉贼嫁祸我师兄，你们这些狗东西看这苍天朗朗，真的可欺么！"

七派首脑颜色惨变，面面相觑，旋而怒吼道："血口喷人！"抽刀掣剑，又欲厮拼。

鬼谷女嘿嘿冷笑："玩刀么？狗东西也配！"腰畔一拍，数十柄小巧玲珑的新月弯刀联翩钻出，绕身飞旋，倏忽转急，不见其身只见其影，如银龙矫舞。纷飞雨丝给其搅动，旋出一个巨大漩涡，风雷之声殷动。

"鬼影神刀！"花绣虎惊喝一声，几个师兄妹除了他自己，都有一身绝世武功。急忙喝止："师妹住手！"

鬼影神刀出鞘难收，轰然巨响，斩入院中青石地，犁出一道深壑，石屑飞溅如雨，惨叫声起，已有数人挂彩。

鬼谷女收回神刀，怫然不悦："师兄，叫我何事？"花绣虎咳嗽一声："唉，冤家宜解不宜结。覆辙当前，弟子不敢忘却。"

说起往事，几位师兄妹脸色骤然一变。一百年前，也是数家强梁来夺宝藏刺青，花家祖师花未开不肯低头，以致耄耋老娘惨被杀害。

往事不堪回首，花绣虎神情悲戚，深打一躬："诸位既然笃定我是凶手，花某愿以命抵命，但求放过我合庄老幼。"

七大派互看一眼。漕帮帮主清清嗓子："花庄主，人死不能复生。如今我大明北有鞑靼来犯，东有倭寇滋扰。凡我汉人，无不忧心如煎。如今年荒岁歉国库空虚，拿不出饷银募不到兵勇，我百姓惨遭荼毒。如果庄主深明大义，说出宝藏所在，救我黎民于水火，此仇一笔勾销。"

花绣虎仰天狂笑："诸位既为宝藏而来，光明正大即可，又何必多嘴饶舌诬陷花某！"面色一冷，瞳仁紧缩，竟泛起幽绿邪光，宛如毒蛇的眼："自从一百年前，师祖花未开在身上文了刺青，便有人传言那是一幅藏宝图，师门怀璧其罪，惨遭灭门。今日我想重正视听，再说一遍，那不是什么藏宝图，那是一个诅咒。这个诅咒让我花氏传人生不如死，我劝诸位还是死心吧。"

众人哪里肯信。盐帮帮主冷笑道："既然庄主藏私，又有锦衣卫大人撑腰，我等不敢得罪。但我盐帮弟子遍布天下，人人都有血性！为了苍生福祉，也不介意拼了身家性命！你躲了初一，躲不了十五！"

癞头陀绿豆眼一翻："妈的，于老大，你敢威胁老六！"

花绣虎淡然一笑："既然躲不了，我就不躲了。诸位随我来。"回转喜堂。

众人互望一眼，按刀握剑鱼贯而入。

画皮妖术，拘鬼刺青

花绣虎在祖先牌位前跪倒："一百年了，没想到我还是逃不脱宿命。我累了，如今到了了结的时候。"缓缓站起，顾盼左右，突兀问道："世上什么最毒？"

七大派首脑面面相觑，不明所以。

鬼谷女道："毒箭蛙？黑寡妇？羽蛇？"

花绣虎道："错，是人心。"眼望窗外，氤氲雨气在他眸中欲滴欲流："以金针为笔，人体为纸，写字作画，古名黥肌、绣面、刺墨、文身、镂身、扎青、点青、雕青、雕题、刺青。我绣虎山庄承继祖业，文身数百年，独创画皮之术，无须针刺，而颜色永存，自谓震古烁今无可超越。不想传至花未开一代，武林中忽然召开万派刺青大会，晋身三甲者，赏金千两。花未开自忖稳操胜券，果不其然，前几场比试中，花未开以针法娴熟画技绝妙遥遥领先，引得同行艳羡，其中更是结识了六名同道，义结金兰，而且最小的七妹更是芳心特特，属意于他。花未开意得志满，只等决赛之时以画皮之术技惊四座，一举夺魁，得那千金，携美同归。

"谁知一日独游，误入崇山峻岭，回首望去，月轮东升，岚烟四起，来路已迷。彷徨之际，忽听一阵读书声传来，循声望去，前方有一草庐，灯火荧荧。急忙叩问，内有一书生开门，略致询问，接进门去。入室献茶，互报出身，原来这书生也是参赛者之一，不过生性孤僻，不在馆驿休息。虽觉面生，但参赛者多如牛毛，花未开也未细问。两人便在庭前对月小酌，谈起刺青之法，越说越投缘。酒酣耳热之际，花未开醉后失言，狂言深得画皮奇法，不须针刺，墨入肌理，自成图案，洗濯不掉，此次必可夺魁。没想到那人哈哈大笑说：'此法虽奇，与我相比却是小巫见大巫了。'花未开不服。书生

道："你的画皮之术如何神奇终究是死的，而我的刺青之术却是活的！'

"花未开百般不信。那书生道：'后周太祖郭威幼时曾遇一异人，替他右项上刺个雀儿，左项上刺棵稻谷，说：若要富贵足，直待雀衔谷。从此人都唤他是郭雀儿。到登极之日，那雀果然飞到左项处，吃到了谷子。'此乃文身史轶事，花未开自然晓得，但总以为那是后人附会穿凿的，不足为信。那书生又道：'兄台听说过画龙点睛的典故吧？'花未开画艺通神，自也知晓。传说梁时大画师张僧繇于金陵安乐寺，画四龙于墙壁，不点睛。每对人说：'点睛即飞去。'人都以为荒诞，张僧繇无奈，当下画上一龙眼睛。须臾间，雷电破壁，一龙乘云上天，未点睛者尚在。不过这些奇闻异事，未尝亲见，花未开岂会轻信。

"那书生见他摇头不信，便道：'我与兄台一见如故，今日不妨以实相告，画龙点睛确是真事。张僧繇早年得异人传授画龙之术，能拘神役鬼画物成真。与郭雀儿刺雀的道人便是他独传弟子，你想若不是拘来真雀儿，那雀儿又岂能移动。实不相瞒，我便是张僧繇的四十九代徒孙，身负画龙神术。此次大赛，魁首舍我其谁。花兄虽有画皮妙术，只怕也要让我出一头地，屈居榜眼了。'花未开兀自不信。那书生手指旁边枝头一只黄雀，言道：'便将这只黄雀拘来臂上。'挽袖露出白玉般手臂，从囊中取出笔墨，寥寥几笔，将那只黄雀勾勒逼肖，画在臂上。花未开再看枝头黄雀，竟然踪迹不见。那书生咯咯一笑：'兄台请看，我让这鸟儿飞到手背上。'果然，臂上黄雀如被水洇开，形迹渐淡，转瞬消失。而在他手背上，那只黄雀慢慢凸显出来。

"花未开大惊失色，拍案而起，连赞绝妙。两人越谈越投机，相见恨晚。当下撮土为香，义结金兰。酒意阑珊之际，花未开忽道：'愚兄卜居荒岭，家资菲薄，除了刺青，并无长技傍身，虽年过而立而内室虚托，我瞧贤弟衣饰华贵，相貌标致，想来家道豪奢，能否将魁首让我，得那千金，娶房妻室，以偿夙愿？'书生哈哈大笑：'兄长真乃井底之蛙，男女之情，若以金钱相系，岂会长久？兄长当寻一爱你奇才之人。岂能为庸女俗妇误了终身？若不嫌弃，小弟愿为兄长刺一文身，便如那郭雀儿一般，飞黄腾达有何难哉？不过我生性怕蛇，兄长若能将屋角一蛇窝除去，弟愿结草衔环以报。'花未开道：'这有何难？'当下把一麻袋，挖穴装蛇，徙去数里才回。书生大喜，令其除去衣衫，露出脊背，当下执笔蘸墨，运腕如飞，也不用针刺，须臾画完。

"花未开奇怪，书生笑道：'画皮之术，弟也擅长。'花未开问：'贤弟给我画了什么？'书生揽过一铜镜，花未开竭力扭颈细看，但见背后画了一个妙龄少女，宽颊尖颌，五官精致，眼波欲流，栩栩如生。手捻衣角，含羞不语。挎一剑匣佩一锦囊。花未开瞧那少女竟与这女生一般模样，虽则奇怪，也不便深问。书生笑道：'弟将此女拘来兄长背上，也有几句谶语，兄须谨记：金针刺玉体，点睛化飞龙。探囊取宝物，拔剑斩妖精。一念风云会，一念诅咒生。恶棍必横死，好人得善终。'花未开道：'贤弟与我画个少女是什么意思？'书生道：'你遇难时，此女可拔剑御敌，你落魄时，此女可探囊取宝。你欲成亲，此女必为佳偶。'花未开大喜过望：'可试之否？'书生道：'可！'花未开道：'如今逆旅他乡，资斧消乏，可否取金银些许？'书生道：'可！'书生虔心祷祝。花未开再回头望时，却见那少女扭着衣角的手不知何时平举眉端，手心托了一只元宝。元宝忽然隐没。书生道：'元宝已入兄长囊中矣。'花未开手入囊中，不禁大惊失色，果真掏出了一只金元宝。

"花未开狂喜莫名，又道：'可否再取十只？'书生蹙眉道：'此为锦囊，不是聚宝盆，十只哪装得下。'花未开寻思半晌：'只要装得下的，此囊中便有么？'书生道：'然也！'花未开道：'如此说来，藏宝图此中能有吧？'书生道：'有。'喃喃祷祝，果不其然，那少女探手囊中，又取出一张藏宝图来，上面圈线点划勾勒着地形地势。书生道：'兄长需要什么，只要虔心祷祝，说出物事名字，但凡囊中容得下，应有尽有。'花未开喜出望外，忽然又想：'兄弟画龙之术玄妙如斯，若再画与他人，神术便不能独享！'遂生歹念，将书生灌醉，扶在榻上，放火烧屋。花未开醉眼朦胧，被烟一熏，不觉晕厥过去。

"梦中忽觉心疼难忍，惊觉跳起。起身看时，曦光射眼，冷露临身，上身赤裸，浑身冰凉，鼻端犹存一缕烟味。举目四顾，丛林莽莽，哪有什么茅屋？落脚之地竟是一座孤坟，年久损坏坍塌半边，露出一口腐烂寿材，棺材上有大片烧灼痕迹。花未开依稀记得昨夜间事，心中一动，撬起棺材天，向内一看，顿时吓得魂飞天外。棺中躺着一个少女尸体，罗衫朽坏而面目如生，和昨夜所见书生一模一样。花未开豁然省悟，原来昨日所遇书生竟是这女鬼精魂所化，她把自己刺在了他背上。正惊愕间，忽然又觉心痛难忍，辨其方向，缘自后背，只是视之不见。急切间寻到昨夜那书生所拿铜镜，扭颈后瞧，却见昨日那少女文身起了诡异变化，转头过去，只留个背影，拔出宝剑，剑尖直抵自己后心。

"花未开心疼不已，知是那女鬼附身作怪，急喊：'滚开，滚开！'将后背蹭树，磨得鲜血淋漓，可惜越骂心越痛。哀求一番，心疼便轻些。花未开大惧，心道：'难道这鬼刺青能听懂人言。'更加恐怖，寻了一条小河跳入，洗濯半晌，把镜照处，那少女便似生在了背上一般，墨迹丝毫未褪，反而更加鲜艳。花未开无奈，只好寻了衣衫裹好，觅道出山。回到馆驿，先找到义妹，怕说话给那女鬼听见，只在纸上写字，又怕义妹误解，又怕她嫌自己潦倒，便隐了部分事实，只写荒野遇蛇，救了一个异人，异人为了报恩，在自己身上文了一个少女刺青，刺青里隐藏着一幅宝藏地图。等到翌日清晨，异人飘然而去，自己苦思冥想，猜不透内里有何玄机，愿与义妹共同参研，谋求泼天富贵。为示真实，又与其他弟兄同参，还是参不透。如此耽延数日，决赛出炉，花未开走火入魔，每日里只顾参研刺青，浑浑噩噩，发挥失常，名落孙山。当下告辞几位兄弟，回归鬼谷。没想到七妹对他不离不弃，相偕归隐。"

"谁知三月后，便在两人成亲当日，忽然山外闯来数百马贼，口口声声要花未开说出宝藏秘密！"花绣虎说到这里，顾盼左右："那日情景便如今日一般！"

漕帮帮主冷笑道："花老六，你以为我们都是三岁顽童，装神弄鬼便能吓走么！"

花绣虎也冷笑道："信不信由你！那是花未开担心七妹晓得真相，弃他而去。所以只推说自己参不透内里奥秘，绝口不提那女鬼之事。结果惹得马贼大怒，将他七十三岁的瞎眼老娘绑在树上，可恨花未开猪油蒙心，死活不说，累得老娘被皮鞭活活打死，白发苍苍的老娘啊，到死也没喊一声疼！"说到这里，花绣虎潸然泪下，泣不成声。

歇了半晌，续道："马贼将花未开囚禁在水窖里，每日严刑拷问，更狠毒的是，割断了花未开的子孙根。并想侮辱七妹，七妹死也不从，便给扔在水窖里陪伴花未开。花未开奄奄一息，万念俱灰，为了鼓励七妹活下去，便谎说自己其实已经参透了宝藏奥秘，只要能逃出去，便能找到宝藏，到那时或招兵买马或买凶杀人，必能报此大仇。两人隐忍数日，终于逮到机会逃了出去。只可惜一路逃亡，花未开失足坠崖，侥幸未死，却和七妹失散了，从此参商永离。

"二十年后，昔日茅庐已被荒草深埋，花未开的再传弟子花正好忽从闽越归来，修缮房屋，重挑刺青幌子。不数月，便有人慕名前来投师。原来花未开逃到海外，传了这少年画皮之术，只可惜不数年便心疼而亡。临死时，嘱托花正好一定要回到中原，寻找七妹。花正好寻了数年不见，只好重回绣虎山庄，放风出去，只希望七妹若尚在人世，能再回山庄，完成恩师夙愿。只可惜夙愿未完，他却离奇失踪。其实，他也暴毙而亡了。这一切都是花未开的那幅鬼女刺青的诅咒！

"当年花未开逃到闽越之地，在花蛇蛮部安顿下来。每日心痛不已，知是那女鬼作祟。花蛇蛮奉蛇为先祖，供奉蛇王，素好断发文身，刺青之术神乎其神。酋长听他遭遇，颇觉同情，又听说那女鬼怕蛇，便将蛇王羽蛇画在花未开背上，囚住了女鬼。只可惜女鬼怨气太大，还是咒死了花未开。最可怕的是，花未开死后，那女鬼恨意未消，一天，花正好忽然背痛，揽镜一照，花未开那蛇缠鬼的刺青竟然无端上了自己背上。从此花未开的痛苦又转嫁到了花正好身上。花正好知道命不久矣，为了不使画皮之术失传，便又事先找了传人。就这样，绣虎山庄代代相传，蛇缠鬼的刺青也如跗骨之蛆踵继不绝。成了每一代传人的噩梦。"

喜堂挂素，新郎逢凶

说到此处，花绣虎猛地扯住衣衫，裂帛一声，衣裳碎若蝶翼，露出脊背。众人闪目观看，不禁大吃一惊。但瞧花绣虎脊背胸腹颈项肩膊，密密匝匝刺满花绣，五彩斑斓，依稀可辨是一条五花大蟒，肋生肉翅，双睛暴突，蛇信如枪。头搭其左肩，尾盘右腹，蜿蜒盘绕，仿佛有腥腻之气盘匝不去，真如活物一般。

花绣虎冷笑道："诸位看到没有，这便是师门传说中的宝藏刺青。那个女鬼便隐藏在蛇身之中，每时每刻都在用刀刺我的心。所谓宝藏，本是花未开欺骗七妹的谎言，纯属子虚乌有。今日我违背祖训，自曝家丑，只希望诸位良心未泯，能高抬贵手，放过阖门老幼。"

盐帮帮主冷笑道："花老六，你要编故事也要编得靠谱点。太平世界，朗朗乾坤，哪有鬼神！鬼才信你的鬼话！今日你若不说出宝藏的秘密，只怕喜宴要变丧礼！"

其他人跟着煽风点火，威胁恐吓。

新娘子蝶恋花猛地扯掉红盖头，怒喝道："大哥二哥三哥四哥七妹，你们都是一方豪绅，武功卓绝，难道就眼睁睁瞧绣虎给外人欺负么！"众人闪目瞧去，但见蝶恋花身材窈窕，金发碧眼，五官细如雕琢，因发怒白腻脸蛋好似涂了一片胭脂，迥异中原女子。

九头狮一晃鬼头刀，刀环铮鸣："五妹说的对，他奶奶的，你们这群鸟人，竟敢到绣虎山庄撒野！嫌命长的站出来！"癞头陀、鹰爪孙、钱大笸箩一起亮出兵刃，剑拔弩张，一触即发。

漕帮帮主拱手道："几位当家的威名卓著，在下一直佩服得很。但我漕帮八十万帮众，为了给二当家的报仇，都发了毒誓饮了血酒，几位总得让我在弟兄们面前有个交代吧。"

听话听音，九头狮怒吼一声："他奶奶的，八十万算个鸟？八百万爷爷也不怕，通天寨等着你！"说着刀环一振，猱身便上。

花绣虎披衣站起，一把搂住九头狮袖子："大哥，且慢！"目光趸了一圈，"一百年前，花未开为了一己之私，赔上满门，今日岂能再蹈覆辙！自从我知道了寒门诡秘之后，便不再授徒，势必断了这孽根！"

蝶恋花惊叫一声："绣虎，你！"

花绣虎瞧着师姐，眼中柔情如水："师姐别怕。人之将死，其言也善，也罢，我便将另一个天大秘密说出来吧！自从这鬼刺青转嫁到我身上，我便与那女鬼心意相通，原来这女鬼生前遇人不淑，被情郎害死，死后总想找一好人托付终身，可惜这世上坏人太多，她终究也没找到。我知道了她的遭遇，很是同情。每当花氏传人为人刺青之时，那女鬼便霸占了他们的身体，所以凡姓花的给人所刺，都是画龙妖术！"

"啊！"鬼谷女率先惊呼出声，她额上第三只眼便是师父花雕龙所刺！

花绣虎微微一笑："七妹，这女鬼并非恶鬼，虽然你额上所刺天眼是活物，但只要你心存良善，它是不会害你的。但是作恶之人，刺青必会异变杀死你。"缓缓扫过众人，"早在我掌派之初，便立下门规：所谓身体发肤，受之父母，不敢毁伤。非有不得已苦衷不得行扎肤之礼。敝门文身有五不：寡德者不文，无由者不文，幼儿不文，老叟不文，病人不文。那便是在提醒诸位，千万不要随便刺青，文身如受刑，刺物于体等于惹祸上身，小心刺青杀死你！"

漕帮帮主冷笑道："一派胡言！"

花绣虎道："死者已矣，女鬼自会收回刺青，帮主不信，不妨看看棺中死者，刺青可还在身？"漕帮帮主心中一动，令手下出去，才出去便听一声惊叫声动屋瓦："帮主，二当家的，刺、刺青没了！"众人大吃一惊，皆跃出查看，果不其然，每具尸体上适才赫然在目的五彩刺青业已不翼而飞，只剩下瘀青的肌肤，那是毒药的痕迹。七派帮众一直注意喜堂动静，竟没人发觉文身是何时变化的。

漕帮帮主一惊之后，旋而镇定下来，率众人蹿入喜堂："花老六，你以为你的鬼把戏能糊弄了我么。人我们都不怕，还怕鬼！就算你被冤鬼附身我也不怕，因为你没给我们文身，哈哈！"

盐帮帮主也狂笑道："照啊照啊！花老六，就算你把阎王爷说成了老天爷，今天你也难逃公道！"

花绣虎仰天狂笑："大哥二哥三哥四哥七妹，希望你们保护好阖门老幼，放下一切恩怨。我死后，你们立即将我尸身焚烧，就让这害人的刺青和我同归于尽吧！哈哈，嵇康一殁，广陵散绝，画龙妖术从此绝迹江湖！"转头看向新娘子，"师姐放心，我身虽死而精魂不昧，定会守护你一生一世，风雨晨夕，堂前榻旁，寸步不离。"

蝶恋花听他话锋不对，急揽住他手腕，惊道："绣虎，你别做傻事！"

花绣虎忽然五官扭曲，面色突变青紫，哇的一声，污血喷出，仰面摔倒，口角流涎，四肢抽搐几下，寂然不动。鹰爪孙一声尖叫，跃身上前，扶起花绣虎，手指探他鼻息，又听听心脏："大哥，六弟、六弟他死了！"

几位兄弟聚拢过来察看，花绣虎鼻息心跳俱无。原来花绣虎死志已坚，早就偷服了毒药。

蝶恋花痛叫一声，伏尸痛哭，涕泪交加。

鬼谷女哼了一声，喃喃自语："死了倒好！"

七大派首脑面面相觑，盐帮帮主上前一步："花庄主畏罪自杀，我等深感憾然。我不杀伯仁，伯仁因我而死。便由在下出资，给花庄主风光大葬。来人，请庄主贵体。"手下人会意，闯出六条彪形大汉，便要上来抢尸。

蝶恋花怒骂道："先夫已死，你们还想怎地？"

九头狮吼道："他奶奶的，狗日的贼厮鸟，爷爷要给老六报仇！"振衣欲起。

鹰爪孙喝道："于老大，老六说了，他已被女鬼附身，你他妈不怕死，尽管将尸体拿去！"

盐帮帮主嘿嘿笑道："在下阅女无数，女鬼倒没见过，不知是什么滋味。"其他人俱都跟着淫笑。

笑声如三春发情的猫叫，蓦地戛然而止，仿佛被人扼住了喉咙，盐帮帮主一声惨叫，往后便跌，紧跟着扑通声起，七大派众人好似被伐倒的树桩，纷纷跌倒，口吐白沫，相继毙命，无一幸免。

蝶恋花大吃一惊，止住悲声。九头狮等几兄弟俱都吃惊非小，放开花绣虎尸体，移步这边查看。

七大派人面目青紫，俱是中毒而死。

忽然钱大笸箩惊叫一声："这、于老大额上有朵花！"鬼谷女转头来看，果然于老大眉心悬针纹中间出现一块类似莲花的青紫瘀痕，铜钱般大小，线条俨然，形如一枚刺青。

"这也有！这也有！"七大派每人或额头或脸颊或手背，都出现了铜钱大小、或浓或淡的莲花刺青。

同时中毒毙命，本就蹊跷，而身上同时出现刺青般瘀痕，更是诡异难测。

癞头陀身入释门，虽酒肉不戒但笃信鬼神，瞧瞧几位弟妹，眼睛瞪如鹅卵："六师弟姓花，平时又爱莲花，常以莲花自诩，印鉴配章俱以莲花为饰，难道这、这是他灵魂不灭，毒杀仇人，然后刺莲为记，通告我们？"

砰的一声，雕窗忽被吹开，凄冷的风裹着冰冷的雨丝，打着旋儿扑入堂中。众人盯着那诡异的虚空，那里是否有一个鬼魂正然微笑注视他们，无声地叫着大哥二哥三哥四哥五姐？倏忽间，沁骨的寒意悄然蔓延开来。

喜堂上方雕梁横陈，中心是一覆斗形藻井，四周斗拱依次向上延伸，装饰鱼浪莲藕花纹，上吊一盏硕大八宝琉璃灯。此刻，一只铁笼子巧妙地隐藏在斗拱与屋梁的一个死角处，外表做了伪装，和吊梁浑然一体，若不细看，绝对看不出异样。

人皮显字，死尸飞龙

铅云欲坠，寒鸦不飞。昏黄的日头，浑黄的天，苍黄的山，搅成了一片惨黄的幽怨，好似一幅被涂坏的水墨画。凄风冷雨衔愁赍恨，刮落漫天败叶残花。

绣虎山庄撤走了门口喜幛，摘下了匾上红绸，扯掉了窗上喜字，撕去了门上喜联，取而代之的是黑沉沉的灵棚，白惨惨的孝布，在风中呜咽的灵幡，压得人喘不上气的挽联。喜堂业已变成灵堂。一张停尸床停在堂上，花绣虎的尸体躺在上面，蒙着寿布。脚下摆着供桌，供品一应俱全，香炉中香烟袅袅，盘匝旋绕。

九头狮等几位师兄俱是豪杰，向来旷达豪迈，看淡生死。只是老六一死，念及往日同门恩义，几人忍不住号啕痛哭，声动梁尘，足有半个时辰才歇。正是：男儿有泪不轻弹，只是未到伤心处。

此时，新娘蝶恋花褪去了凤冠霞帔，换上孝服，跪在供桌前，正往瓦盆里烧纸，火光腾起，烤得脸上发烧，却烘不热那冰冷的心。她低眉垂眼，腮畔泪痕俨然，朝夕之间，新嫁娘变成了未亡人，人生无常莫过于此。

鬼谷女站在一旁，盯着停尸床上的尸体，眼珠乱转，不知在想什么。

便在此时，门外脚步声橐橐响起，鹰爪孙系着孝布跨进门来："那些狗娘养的死尸都处理完了，全给扔在山涧里喂王八了。另外车马旗帜全部拾掇妥当，该杀的杀该烧的烧，一点痕迹不留。五妹放心，我绣虎山庄可保万无一失。"

蝶恋花眼也不抬，沙哑着嗓子道："全赖几位师兄周全了。"

不多时，钱大筲箕迈步进来："天都黑了，五妹快去吃饭吧，我来守灵。"

蝶恋花叹口气："我不饿！"任谁叫她，她都不去也不动，只顾埋头烧纸。

鬼谷女瞥眼瞧去，那两只蓝汪汪的眼中又有泪珠滚下。鬼谷女眼珠乱转，忽然道："师姐，我也算师兄亲人，我替你烧会纸吧。"

蝶恋花浑身一颤，猛地跃起，揪住鬼谷女前襟，破口大骂："你这个狐狸精，都是你，都是你把绣虎害死的！"

钱大箢箩鹰爪孙急忙横过，扯开两人。钱大箢箩道："五妹，这就是你的不对了。六弟是漕帮那些人逼死的，怎么算到七妹头上了。"

蝶恋花气喘吁吁，紧咬银牙，嘴唇都咬破了："要不是她给绣虎送钟，怎会一语成谶！鬼丫头，你喜欢绣虎，也不用逼他去死吧！你的心肠怎么那么狠？绣虎觉得愧对于你，才要自杀的。"

鬼谷女嬉皮笑脸："我瞧师兄面有黑气，袖占一课，知他阳寿已尽，这才送钟，你怎么把好心当成驴肝肺。"

夜已深了，秋风秋雨兀自缠绵不休，雨水滑落檐瓦，打在青石台阶上滴答作响，更衬得夜色死寂。灵堂上，素蜡一星火光橘黄昏昧，在浓浓夜色中瑟缩着。瓦盆中纸灰已冷，蝶恋花跪在灵前，眼泪哭干，大半天未进粒米滴水，倦怠已极，纤细的脖颈撑不起头颅的重量，渐渐垂头合眼，打起瞌睡。

旁边的癞头陀早就歪在太师椅上鼾声大作了。

四位师兄陪着蝶恋花轮流守灵。

日间，鬼谷女提议按照花绣虎遗愿，赶紧火化下葬，免得刺青中女鬼生出异变。其他几位师兄觉得太不近人情，折中办法，是赶紧盛殓下葬。但蝶恋花执意不肯，毕竟她是未亡人，别人也不好强迫，只好议定守灵三日再出殡。

窗下草窠里，没冻死的秋虫有一搭没一搭地叫着，挣扎着生命中最后一点时光。忽然，叫声戛然而止，北边窗户无声启开，一条黑影如幽灵般游过窗户，伏地蛇行，滑过黑魆魆灵堂，悄无声息钻到停尸床下。停了少顷，见守灵两人并无反应，黑影慢慢钻出，撩开寿布，露出花绣虎那张青紫骇人的脸。黑影将尸体夹在臂弯，转身便走。

忽然风声厉响，正在酣睡的癞头陀黑胖的身子陡地弹跃而起，精钢骷髅念珠随手飞出，打着旋套向黑影的脖子。

与此同时，嗤的一声破空风响，盘龙柱后飞出两只鹰爪飞抓，截断黑影前路。大门霍地打开，一把鬼头刀挟着凄风冷雨，宛若冲出地狱的恶鬼，破开沉沉夜色，扑向黑影后心。

那黑影腰肢一折，贴地滑出丈余，三件兵器落空。不成想，呼的一声，一只黄金大笸箩半空中反扣下来。黑影躲闪不及，瞬间被扣在当中。

刹那间，胜负已定。

鹰爪飞抓半空兜转，锁住黑影左臂。精钢念珠套住黑影右臂。鬼头刀指住黑影前心。花绣虎的尸身扑通落地。

九头狮一把扯掉黑衣人面纱，却见那人面如傅粉，左眼幽蓝右眼碧绿，额头还刺着第三只血红瞳子——除了鬼谷女还能有谁！

九头狮厉声质问："七妹，你夜盗六弟尸身，所为何故？"鬼谷女眨眨大眼："那个、这个，不是，其实，我寻思六师兄已死，不过三日，便要埋到土里，给虫子吃掉，反正你们留着也没用，不如给我拿走配个阴缘。五师姐和他做阳间伉俪，我和他做阴间夫妻，都是好事嘛。"

鹰爪孙冷笑道："我看你是想和他背上女鬼做夫妻吧！"钱大笸箩道："老七，你想得刺青便直说，何必吞吞吐吐！"

蝶恋花业已惊醒，三步并作两步，扶起花绣虎尸身，怒视鬼谷女："绣虎说了，那刺青是女鬼的诅咒，并非宝藏，你难道就不怕惹鬼上身吗？"

鬼谷女斜眼歪嘴做个鬼脸："我叫鬼谷女，怕什么女鬼！"低头一看，忽然咦地一声惊叫："师兄的刺青！"

蝶恋花几人循声低头，却见方才一阵打斗，花绣虎寿衣扯开，露出上半身的刺青来。原本是一条斑斓毒蛇，谁知不知何时起了变化。花绣虎脊背上，毒蛇盘旋的腰身破了一个大洞，露出大半空白，虽也有细密花纹，但颜色较浅。里面现出一个少女的背影刺青。头挽飞天髻，长发如瀑，布裙曳地，腰畔左挎宝剑，右配锦囊，身上缠绕着一条竹叶青蛇。纤纤素手执了一管狼毫，似在墙上写字，只可惜看不到正脸。

九头狮等见此异状，不约而同放开鬼谷女，七手八脚将花绣虎尸身抬到停尸床上，盘腿坐好，人死尸僵，倒也坐得住。九头狮抓过素烛，仔细照去，却见那少女笔端上方缀几个字迹，蝉联而下："情为何物，至今难逢。灵蛇引路，恶死善生。"

几个凑到一处的脑袋纷纷转开，互看一眼，眼中疑云骤起："这是什么意思？"

鬼谷女哈哈笑道："这有什么不明白的。师兄死后，尸体必然腐烂，女鬼魂消魄散，急不可耐，挣脱克星羽蛇囚禁，钻出求救，急欲寻找下一个寄身之人。可能会有一条通人性的蛇指引我们去某个地方，到那时，善人会活着，恶人必然无幸。"

几人异常好奇，纷纷伸手摩挲花绣虎背上刺青，刺青上颜色不落，显然并非新刺的。

蝶恋花柳眉倏挑，哑着嗓子道："我活了二十九年，也没见过鬼是什么样。我看这刺青真的藏有某种秘密。绣虎可能洞悉了这种秘密，但碍于人多眼杂，这才假借鬼神之说，提醒我们注意，这秘密并非宝藏，而是诅咒，千万不要触碰。你们还记得他讲故事中曾说道：花未开祖师荒山邂逅那女鬼幻化的书生，书生与他刺青之后曾说了几句谶语：'金针刺玉体，点睛化飞龙。探囊取宝物，拔剑斩妖精。一念风云会，一念诅咒生。恶棍必横死，好人得善终。'佛家有言：一念成佛，一念成魔。这明明就是提醒我们，觊觎宝藏的人必然死于非命，只有放弃宝藏的人才能善终。"

钱大笸箩商人出身，心思缜密，在几人之中有军师之能。闻言沉思片刻，忽而旋风般旋出房去，四下里巡视一遭，这才转回，将众人聚拢，压低声音道："我同意五妹的话，不过我看这刺青既非宝藏，也非诅咒。而是以特殊染料，用特殊刺法，设置了多重文身。因为某种特殊情况，在特定时间内，第一重文身褪去，显出第二层来。所以先前的羽蛇刺青褪去后，露出这少女刺青来。而这多重刺青内隐藏着花氏家族的惊天奥秘。六师弟身死而无传人，故而以这种方式留下线索，告知我等。"

几人齐齐一惊，鬼谷女张口欲喊，鹰爪孙急忙嘘了一声。

蝶恋花蛾眉深蹙："如果绣虎知道刺青奥秘，早就告诉我了，何必故弄玄虚。"鹰爪孙冷笑道："汉人有句话，叫'非我族类，其心必异'。"

蝶恋花脸色一红，想要争辩，却又哑口无言。

鬼谷女嘻嘻笑道："三师兄，你这可说错了。我看六师兄根本就不知道刺青奥秘，不然他早就告诉我了。师兄的刺青在背上，他自己文刺不便。若没有鬼神，师兄的刺青肯定是师父文上去的。也许师父欺骗师兄，并没把奥秘告诉他呢。"

正说到此处，蝶恋花偶然一瞥，不禁惊叫道："那条蛇不见了！"众人闪目观看，烛光下，盘在少女身上的那条翠绿的竹叶青蛇业已消失不见。

突然，鹰爪孙一声尖叫："蛇！蛇！"一蹦多高，抖手扔出一条蛇来。那蛇细若竹节，浑身碧绿，弹到墙角，咝咝一叫，扭身瞧着众人，摇头晃脑，蛇信吞吐。

这蛇模样和刺青上那条竹叶青蛇一般无二。

"莫非传说中那女鬼的画龙妖术，画物成真是真的？"众人面面相觑。

不等众人寻思过味来，那竹叶青蛇将头向门外连点三下，慢慢爬出门槛。

"走！"钱大笸箩披蓑衣戴斗笠，从墙上摘下一盏灯笼，提起。一声吆喝："带着六弟尸身。"九头狮背起花绣虎尸身，几人互看一眼，有样学样，披上蓑衣，各提灯笼，鱼贯而出。

蝶恋花无奈，叫嚷："放开绣虎！"几人哪里肯听，蝶恋花只好紧紧尾随。

堂中霎时空寂下来。

片刻之后，梁上有人哎的一声长吐一口浊气："总算清净了，一群乌鸦，聒噪的紧。"声如莺啭，清脆悦耳。紧接着，哧啦一声，梁上一幅伪装画卷揭下，露出一只铁笼子，笼子后一人探头探脑，向下张望，但见她穿绯色和服，梳银杏髻鬟，瑶鼻樱唇，异常美貌，却不是大冢灵花是谁！

大冢灵花说了几句，无人答话，气不打一处来，怒道："呆头鹅，和你说话呢！"肖不平委在笼中，伸懒腰打哈欠，懒洋洋道："这一觉，睡得真香啊。"

　　大冢灵花气得七窍生烟，想要发作又憋了回来。这一路两人斗口，把个伶牙俐齿的她差点没气死。这回她是学乖了。

　　原来《阴宅血咒》一案后，大冢灵花和肖不平研究第三个故事《画皮》。这个故事与众不同，除了题目《画皮》，只有章节目录。

　　大冢灵花问肖不平："这个故事既没主角，也没情节，你怎么看？"肖不平笑道："用眼睛看。"

　　大冢灵花冷笑道："你以为你不告诉我便猜不出来么？这个讲的是绣虎山庄的故事。我早从塞北风信子客栈买来了消息，只有绣虎山庄才有刺青中的画皮之术。"

　　肖不平笑道："那你还问我作甚？"大冢灵花幸灾乐祸道："我在为你发愁啊，你被困在笼子里，怎么改画皮的结局呢？"肖不平道："不知谁是主角，怎么改？"

　　三日前，两人辗转来至绣虎山庄，大冢灵花将笼子隐匿藏好，偷偷入庄打探，发现花绣虎拾掇喜堂，即将成亲。算来当发生大事，趁着前夜月黑风高，背着肖不平的笼子，跃上雕梁，做了伪装，偷偷窥视。此刻，窥探众人离去，方才出声。

　　大冢灵花思忖道："没想到鬼丫头也是绣虎山庄的人。看来当初我们换书之时，她就骗了我们。她怕我们改了《画皮》的结局，对她不利，是以施展诡计，毁了我们的书，还觍着脸说她不好不坏，不喜欢改别人的结局。恬不知耻！一定是她将结局改成对她有利的了。这个故事只有目录，你不知帮谁修改结局，于是添个理想结尾'恶棍横死，好人善终。'鬼谷女本非好人，她肯定要添'鬼谷女生，其他人死'。"

　　肖不平道："我看未必，她既相中了花绣虎，如果写，也要写花绣虎重生吧？"大冢灵花道："人死岂能重生？"肖不平笑嘻嘻道："你别忘了，写这部书的人预知后事，神通广大，能起死人肉白骨也未可知。"

　　大冢灵花道："目录里有'喜堂挂素，新郎逢凶'一章，如果鬼丫头真爱花绣虎，就该勾掉这章，让他逢凶化吉。但花绣虎还是死了，证明她没改，可见她并不爱花绣虎。"

肖不平嘻嘻笑道："你还不懂情爱啊，情爱的本质是感恩。如果花绣虎死了，鬼谷女再把他救活，那么花绣虎岂不要对她死心塌地了么？"

大冢灵花恍然大悟："原来如此！好你个肖不平，你说你爱过几个人了？"

肖不平见势不妙，急忙岔开话头："你再不去追，只怕没有好戏看了。"

大冢灵花将笼子背在身上，肖不平加上笼子足有二三百斤，大冢灵花却如履平地，蹬墙踏柱，借物蹿纵，飞下雕梁，蹿出门外。

奇怪的是，此刻，除却秋雨滴瓦单调寂寥的音调外，绣虎山庄竟然变成了一座空园。庄主刚死，不来守夜，难道庄丁都去睡大觉了？

庄外，夜色阴沉如铁，秋雨冰凉如针，打在身上刺骨的冷。大冢灵花取出油布雨披，连笼子一起裹起。从囊中取出一只眼状琥珀，凑在眼前，调好角度，四周景物透过琥珀，顿时如被光照，清晰起来。庄后，盘山鸟道上行人如缀，正是鬼谷女一行。

大冢灵花刚想举步，忽然发现，树窠中一群人悄然钻出，跟踪其后。瞧其服色，黑衣黑帽，看不出路数，但瞧个个步履矫健，绝非常人。

大冢灵花揣好琥珀，偷偷跟上。肖不平忽而隔着笼子，在她耳畔窃语道："你背着我，就不怕我骈指点出，点你死穴？"

大冢灵花笑道："你舍不得，除非你有起死回生之术。"

初入鬼堡，再觅妖踪

盘山鸟道，秋雨缠绵。

九头狮一行踩着泥泞，跟着那条竹叶青蛇，深一脚浅一脚向后山跋涉。好在灯笼顶戴防雨帽，没被淋灭。橘黄色的幽光在无边雨幕里飘摇如鬼火，垂死挣扎。

那蛇极为通灵，在前引路，众人跟不上时，便停下相候。行有一个时辰，越过一座山峦，抵达一片黑魆魆深谷，渐渐鸟道终尽，芦苇丛生，脚下酥软溜滑，变成一片沼泽。空气中一缕腐败气息随雨丝萦绕鼻端。

鹰爪孙蓦地止住脚步，叫道："别走了，别走了！这里不是金兰泽么？都是泥沼，迈错一步，万劫不复，这条蛇是要引我们去绝路啊！"

鬼谷本是鬼谷子隐居授徒之地，谷中遗迹众多，多以他们师徒轶事命名。当年孙膑庞涓同拜在鬼谷子门下，两人义结金兰，相契甚厚，但庞涓深嫉孙膑之才，屡次暗中加害。一次两人相偕采药，庞涓将孙膑引入沼泽，失足陷入，亏得一条大蟒游来，孙膑攀上蟒背，逃得一死。后人因而将此处取名"金兰泽"，名虽好听，实则凶险。

九头狮胆子比自己块头还大，不过此时也踟蹰不前："老四，一幅莫名其妙的刺青，一条不知哪里来的青蛇，便将我们引入绝路，咱们是不是太傻了！"

癞头陀也道："是啊，这条蛇不知哪里来的，太过蹊跷了。还有这变化刺青，我觉得是个陷阱，也许是老六为了惩罚那些夺他文身之人而设的诡计呢。"

鹰爪孙也附和道："有道理。"

蝶恋花道："绣虎已死，你们就别再折腾他了。什么奥秘，知道了又能如何。"

钱大筐箩沉默片刻:"我问大家一句,你们寻找秘密是为了什么?"

九头狮挠挠肉瘤:"不知道。喂,你们说为了什么?"

癞头陀道:"我想看看世上究竟有没鬼神。"

鹰爪孙道:"我想完成老六的遗愿。"

钱大筐箩又问:"如果真有宝藏,你们的良心会让狗吃了,自相残杀么?"

九头狮吼道:"老四,放你奶奶的萝卜鸡蛋韭菜五香嘟噜屁!老子大块吃肉大碗喝酒大把花钱,几时皱过眉头?老六的山庄我也拿了不下三千两银子了吧!"

癞头陀鹰爪孙也道:"老四,你什么意思?"

钱大筐箩不答反问:"我们对老六如何?"

"推心置腹,肝脑涂地,在所不惜。"

"老六待我们如何?"

几人道:"亲如手足。"

钱大筐箩道:"这便对了,我们既不是畜生,不会做出不仁不义之事。老六也非薄情寡义之辈,不会害我们。那我们根据他的指引行事,有何可怕?"

鬼谷女笑嘻嘻接茬道:"谁怕死谁就退出。"

果然不出所料,众人跟着青蛇,东拐西绕,有惊无险渡过金兰泽。再穿桃花谷桃花瘴,攀兄弟岭游丝桥,登手足峪极目亭,跳结义峰舍身崖,趟香火口鹰愁涧。沼泽险峰,瘴气湍流,危桥绝路,令人胆寒。传说这六处都是庞涓害孙膑处。

不知行了几个时辰,灯笼早已熄灭。此刻,晨光如刀,劈开天穹,万里彤云如残兵败将拥沓卷走。众人摘下斗笠蓑衣,抖落满身雨水,脸面手臂火辣辣疼,原来被荆棘藤葛割出不少血口,众人都是武林中人,皮骨韧实,也不在意。长吐浊气,举目四顾,但见蒿草丛生,枝柯交织,藤蔓纠缠,早已不辨来路。

前面一片簸箕形山谷,山峰突兀,向内挤压,好像随时要倒掉。峰峦阴翳下，竹林暗影中，一座山庄露出一角。

鬼谷女咦了声："兜来转去，怎么又回到绣虎山庄了？"

几人一看，此处山形地貌酷似绣虎山庄，但脚下之处却与绣虎山庄前迥异。

望见山庄，那青蛇极是兴奋，嗞嗞一叫，弹身跃走。几人不敢怠慢，紧紧跟随。

那蛇入草伏莎，蜿蜒穿行，钻入庄门。众人追至，却见一座高大门楼耸立，形式仿制绣虎山庄，几无区别。只是山墙门楣俱是黝黑如铁，望之令人心生压抑。门上匾额写"画皮山庄"四字，上联"画虎画皮难画骨，骨仍傲立"；下联"知人知面不知心，心已颓靡"。

众人在鬼谷生活十余载，尚不知这山中有山，庄外有庄。钱大笸箩瞧着门前这副对联，搓搓两手，拍了拍那副对联，皱眉道："这对联不好，不好，忒也不好！为什么不写'三杯吐然诺，五岳倒为轻'。"

鹰爪孙道："我看'两个黄鹂鸣翠柳，一行白鹭上青天'还好。"

癞头陀呵呵笑道："我就知道一句'野火烧不尽，春风吹又生'。"

九头狮晃着九个脑袋："什么鸟诗，难听得紧。'一身转战三千里，一剑曾当百万师'还凑合。"

鬼谷女笑道："都不好都不好。我看贴'身无彩凤双飞翼，心有灵犀一点通'最合适不过。"

蝶恋花眉头紧皱："这当口，你们还有闲心背诗。鬼谷里到处都是庞涓孙膑留下的遗迹，这个想来也是。孙庞二人本是金兰好友，孙膑却被庞涓陷害，这个说'知人知面不知心，显然是孙膑的感喟。"

钱大笸箩打个哈哈，伸手叩门。笃笃有声，久无人应。钱大笸箩伸手一推，吱呀一声，酸牙的门枢摩擦声在静谧山谷中传出老远。门后青石铺成甬路，甬路上杂草纷披，沾着晶莹露珠，似乎久无人迹踏足。周遭植木栽竹以成屏障，甬路两侧松柏亭亭，密匝新枝下却也有修剪过的痕迹。几人互望一眼，心中明白，至少年前，这里有人落脚。整个庭院格局和绣虎山庄一般无二。

左右顾盼，因为适才耽搁，那条青蛇不知钻到哪里去了。

前方一座大殿，坐镇中轴主线，左右各有六座偏殿，高低不等，鹓班鹭序相辅相成。都是黑墙乌瓦，透着诡异。大殿七级台阶，阶上杂草枯黄。门上悬有一匾，写着"孤独门"三字。

几人没敢贸然闯进，只在外面高声问询："有人吗？有人吗？"无人回答，若非虫声唧唧，鸟鸣啾啾，几乎像个死地。

几人按着兵器，来回巡视一遍，见其余偏殿依次名为：冗余馆、颠倒塔、扭曲阁、循环巷、残缺地、错乱台。名字十分怪异。

九头狮想要入门查看，被钱大笸箩止住。

殿后是一座花园，数不清的奇花异草，争相怒放，姹紫嫣红，妖白碧绿，色彩极为艳丽。在这萧瑟秋日里残留着一抹浓艳春光，和周围建筑压抑阴沉的色调形成强烈的反差。

这些花草树木奇形怪状，众人皆不相识。嗖的一声，一只穿山甲受惊，蹿出花丛，钻入石缝不见。鬼谷女伸鼻嗅嗅，便欲攀折："好香啊！这些是什么花，咱们山庄怎么没有？"钱大笸箩提醒道："这花古怪，小心有毒。"

鬼谷女悻悻松手。

搜寻一遍，再没发现什么异常。几人走得匆忙，都未带干粮。九头狮想要进屋找吃的，被钱大笸箩拦住，招呼鹰爪孙，出去打点野味。

两人步出庄外，寻一僻静所在。钱大笸箩窥得左右无人，似无意间打了几个手势，自语道："光明光明。"鹰爪孙也做了几个古怪手势，回应道："灭他大明。"钱大笸箩长吐一口气："都是自己人。"顿了一顿，"我们当中混进了奸细。"

鹰爪孙道："蝶恋花？"

钱大笸箩道："是。昨夜给师弟守灵，为防有人盗尸，我们设下埋伏，结果小师妹闯进来，然后发现了六师弟身上刺青变化了。那时我们都用手去摩挲师弟身上的刺青，想要辨别真假。我发出了一个光明堂的暗号，结果我们都伸出了手掌，包括小师妹，我们右手无名指指甲上都刻了光明堂的标识宝剑刺青，只有蝶恋花的是一朵花。"

鹰爪孙点点头说："我也注意到了。"

钱大笸箩续道："而且方才在画皮山庄门前，我说了堂中唐诗切口，别人都回答了，又是她没说出来。若我猜测不假，六弟脊背上的刺青也可能是她捣的鬼。"

鹰爪孙差点没跳起来："什么？"

钱大笸箩一捂他嘴："小点声！你想，六弟身上的刺青为什么会变化？我检查了数遍，六弟身体僵硬，确实已死，并非用闭气之法。若用颜料定时，一个死人怎能控制自己的文身呢？若有人在外捣鬼可就容易多了。咱们查看六弟身上刺青的时候，五妹是最后一个摩挲的，之后那条蛇就变没了。我猜很可能五妹手上沾了特殊药水，而那条蛇就是她偷偷藏在某处，趁乱放出，用来迷惑我们，从而让我们对刺青更加好奇。而且她是六弟妻子，两人同宿同飞，她若在六弟刺青上做手脚，易如反掌。若依此推理，她很可能就是背后主谋，设下诡计，引我们到此。"

鹰爪孙犹疑道："那引我们到此要干什么？杀掉我们？七大派也是她毒死的？她一直陪伴六弟身边，怎么下的手呢？"

钱大笸箩犹豫道："这我也猜不准。但是不管怎样，她和我们绝非同路人。"

鹰爪孙眉头一挑："嗯，我们光明堂刺青卫士，以守卫刺青奥秘为己任，决不能让奥秘外泄。要不要将她……"说着并掌如刀，向下一劈。

钱大笸箩摇头道："五妹和我终归同门一场，不到万不得已，我不想手足相残。而且，若没有她引导，只怕我们也猜不出刺青奥秘。何不顺水推舟，将计就计。待会儿回去，瞅准时机，我将七虫七花丹与她吃下，反客为主，她便不敢轻易加害我们。"

鹰爪孙踌躇道："会不会是六弟瞧出了破绽，临死给我们下了个圈套，将我们引到这里杀掉？此次七派夺宝本是二王子定下的苦肉计，让我们拿七大派这些冤种开刀，力保六弟，以取得他更大的信任，套出刺青奥秘。但是没等我们大开杀戒，六弟忽然自尽，随之七大派也死光了。他们死得太蹊跷了，一点作用没起，二王子绝不会干着赔本买卖。除了他，下毒手的只可能是蝶恋花和花绣虎。但是蝶恋花一直在内堂，根本没接触到七大派人。"

钱大笪箩道："六弟也没接触啊，这确实是个谜团。我大元为了藏宝图，煞费苦心派我们这些内奸混到六弟身边。我们互不联系，若非老六暴毙，你我亮出刺青标记，暗中联络，我甚至不知道你也是刺青卫士。如此保密，老六怎么会知道？"

两人计议半晌，还是断不出个所以然。钱大笪箩道："庄上所有人都被二王子收买了，昨夜我已发出光明堂号令，他们追踪我们，现在应该快到了。刺青宝藏业已显形，绝不能功亏一篑。记住，不入虎穴，焉得虎子。我们回去，这一切就当没发生，不要露出破绽，继续演好这出戏。"

死亡倒数，各奔前程

　　枯柴架好，火苗蹿起。不多时，几只松鸡烤得外焦里嫩，肉香四溢。五人团团围坐，大快朵颐，分而食之。只有蝶恋花抱着花绣虎尸体，抓着鸡腿一口不动，眼中滴泪，嘴里叨叨咕咕不知在说什么私房话。

　　日上三竿，几人吃饱喝足。九头狮打个饱嗝，一跃而起："老四，就你鬼点子多，到底进不进去？不进趁早回去，老子是没耐心了，风餐露宿遭这个活罪。"

　　钱大笆箩抹抹油嘴："看六弟如何指示我们吧。"

　　几人来到蝶恋花面前，钱大笆箩道："五妹，人死不能复生，还是节哀顺变吧。现在最重要的是完成六弟心愿。"

　　说着从蝶恋花怀里抱过花绣虎尸身，尸身僵硬，入手冰冷。解开寿衣，露出脊背，果不其然，刺青又变化了！那少女笔端的字迹换成："人生擂台，费尽疑猜。恶生善死，天道悲哉。"

　　钱大笆箩嘴角勾出一丝微笑，瞥了鹰爪孙一眼，两人心照不宣。

　　九头狮道："他奶奶的，这是啥意思？"

　　鬼谷女永远都是那副大咧咧笑嘻嘻的模样："这有啥难猜的，说的是人生就像一擂台，如果手软就会被杀，只有心狠者才能生存。天道如此，实在是悲哀啊！悲哀！"

　　九头狮急不可耐："他奶奶的，猜什么鸟谜语，进去看看不就晓得了！"说着跃上台阶，曳住门环，一把扯开大门。

　　天光一缕斜斜滑入屋宇，细微尘芥在空中舞蹈。屋内景物慢慢现出轮廓。只见屋中阔大非常，四壁皆空，方砖地面，中央一座擂台突兀而起，高约一丈，四面有台阶上下接通。周围空荡荡没有看台。

钱大笸箩背着花绣虎，最后跟进。

九头狮挠挠肉瘤："他奶奶的，不好玩，什么都没有！"

钱大笸箩瞧瞧蝶恋花，目光中若有深意："五妹怎么看？"

蝶恋花眼珠通红："我一个妇道人家知道什么，只要不伤害绣虎，其余的事你们拿主意吧！"

钱大笸箩回头瞧瞧花绣虎身上刺青，还是那几个字，并无变化。于是淡然一笑："好！此处别无一物，只有这个擂台，看来奥秘就在这擂台上，大家上去瞧瞧。"

鹰爪孙道："小心擂台有机关！"

蝶恋花道："我相信绣虎，不会害我们。"说着噔噔噔拾阶而上，双脚着地，忽然指着台面，咦的一声惊叫。

鹰爪孙问："五妹，怎么了？"

蝶恋花道："这、这有幅画！"

九头狮不耐："什么画？"话未落地，长腿迈开，脚点台阶，蹿了上去。仔细一看，也是啊的一声惊叫。其他几人不知何事，争相跃上。钱大笸箩叫道："怎么了？"鬼谷女嘻嘻笑道："是一幅画，没有机关，四哥你上来看看吧。"

钱大笸箩背着花绣虎，拾阶而上。来到台上向下一瞧，顿时小眼瞪圆，怒气横生，腮畔肥肉突突乱颤。但见这擂台足有数丈方圆，十分阔大。台面似是一整块铁板，刷了白漆，墨笔勾勒，彩漆涂染，画了一幅巨画，占据大半个台面。画面场景是个囚牢。画面中间一人，裸臂光身，被五花大绑在一根木柱之上。长发披散，面色憔悴，眼中满是恨意——正是花绣虎。六人围成一圈，右手各持兵器，指定花绣虎，好像在逼问什么。而左手则从脸上揭下一张微笑和蔼的面具，露出的真脸狞笑扭曲。正是九头狮、癞头陀、鹰爪孙、钱大笸箩、蝶恋花和鬼谷女。

九头狮、癞头陀、鹰爪孙怒不可遏，蝶恋花脸色惨白，眼泪汪汪，娇躯微抖。只有鬼谷女笑嘻嘻不以为意："嗤，这是谁画的？给我画的这么丑！"

钱大笸箩脸色阴沉："这是有人挑拨离间，大家不要上当！"

癞头陀怒宣佛号："阿弥陀佛！哪个畜生画的？"

九头狮怒吼一声："他奶奶的，没想到俺是这种畜生，俺非剐了俺下酒不可！"按绷簧捏蛤蟆口，鬼头刀戛然长鸣，脱鞘而出，猛斩那画中的九头狮！

钱大笸箩心中一动，大叫："不可！"想要出手，为时已晚。但听砰然大响，烟尘腾起，机括转响，擂台周围忽然钻出一圈栏杆。同时吊顶伪装的纸画忽然破开，迅雷不及掩耳，坠下一只硕大无底铁笼，铁笼周围垂下一圈铁钩，搭住擂台那圈横栏，瞬间两相结合，搭成一只有底笼子，倏然上行。四周灰尘簌落，遮眼呛鼻。

几人立足不稳，跌成滚地葫芦。待烟尘散尽，只觉摇摇荡荡，头晕眼花。鬼谷女身小体轻，动作灵敏，率先爬起，左右一看，不禁哈哈笑道："我们被当成猴子装进笼子里了！"

另几人也爬起身来，四外一看，周围一圈铁栅栏。九头狮身体硕大，爬将起来，用力一蹬，那笼子忽悠一荡，他立足不稳，又跌了个狗啃屎。

钱大笸箩抓住栏杆，探头看时，不禁大惊失色："老大，别动，咱们被吊在空中了！"几人蹭到笼边，扒住栏杆，伸头瞅去，冷汗倏然滴落。但见这笼子离地足有三四丈高，而原来的方砖地面冒出无数尖刀，密如雨后春笋，寒光射眼，令人胆寒。

钱大笸箩用力敲敲地面，砰的一声，中央坠下一块簸箕大的木板，露出一个圆洞，正是画中花绣虎心脏所在——原来这木板是镶嵌在铁板上的。从洞中望下，原先擂台露出真容，里面花花绿绿蠕动不休，蛇头攒动，竟是一个蛇窝，瞧那蛇头都是三角尖棱状，必是毒蛇无疑。

上不着天下不着地，地下又是刀山蛇窝，几人已经陷入绝地。几人委在笼子中，呼呼喘气。

几人当中，就数钱大笸箩生意人精明，他一惊之后，马上寻计自救。周围栏杆太密，逾越不出。招呼九头狮用鬼头宝刀砍了几下，火星四冒，刀刃都卷了，铁栏纹丝不动。唯一出口就是那个圆形洞口，刚好能容一人立身穿过。

但下面是蛇窝，下去必被毒死。

如果一人能舍命先跳下去，拼着被毒蛇咬死的危险，接住上面跳下来的人，然后抛到台沿，其他人或有一线生机。

但，谁能做这个死士？

众人也都看出来了，全都缄默不语。

九头狮一挠肉瘤："他奶奶的，要是刀子，老子眼皮都不带眨的。但是俺，怕蛇！"癞头陀和鹰爪孙吞吞吐吐，欲语还休。蝶恋花和鬼谷女即便下去，只怕也接不住众人。

钱大笸箩瞧着众人："看看六弟的刺青有没有提示？"解开寿衣，花绣虎脊背上刺青依旧，没有丝毫变化。

犹豫不决间，忽然头顶嘎嘣一声，钱大笸箩心头一跳，举头一望，不禁骇然失色——透过头顶栅栏缝隙，看得明白，吊着笼子的棕绳缠在屋梁上，晃晃荡荡摩擦不休，许是年久糟烂，加上笼子太重，业已断了一股。侧耳细听，细碎绵密的嘎嘣声不绝于耳。

必须立下决断，不然绳子断折，笼子落入蛇窟，那蛇由栅栏缝隙钻进，众人有死无生。

嗖的一声，钱大笸箩先把黄金笸箩顺着笼隙扔到刀山上。鬼谷女把鬼影神刀随着抛出。癞头陀犹豫一下，扔出了骷髅念珠。鹰爪孙抛出双抓。钱大笸箩瞧着九头狮："撇刀！"几人的兵器就数他的鬼头刀最重。

九头狮怒道："老四，你他娘的是不是吓傻了！兵器扔了，笼子掉进蛇窝，瞅着变蛇粪么！"

钱大笸箩道："老大，尽量减少笼子重量，要不，马上就掉下去了。绳子只断了一股，丢把刀下去可能就保住了。有时间再思良策。这么多蛇，一把刀能砍死几个？"

九头狮欲待反驳，一时气结，忽然一眼瞥到了花绣虎，脱口叫道："六弟已死，不如……"话到半截，戛然而止，但弦外之音不言而喻。

蝶恋花大惊失色，一把揽过花绣虎尸体："你、你们要干什么！"

九头狮脸色一红："他、俺……"

鬼谷女鬼机灵，笑嘻嘻道："师姐，反正六师兄已经死了，扔到蛇堆里又有什么关系。"

钱大笸箩怒道："老大，老七，你们还有一点良心么？老六就算死了，我们也不能作践他尸身！"

癞头陀鹰爪孙欲语还休。

便在此时，头顶嘎巴又是一响，笼子剧烈摇摆一下。

再不决定，可能就要全军覆没。蝶恋花嘴角抖了两抖，猛地横下心来，揽着花绣虎爬到那个圆洞前，泪珠潸然："绣虎，我对不起你了！"说着捉臂把腿，将花绣虎僵硬的身子顺入圆洞，两手一撒。花绣虎尸体像一根柱子般坠入蛇窝。

"绣虎，等着我！"纵身一跃，步其后尘，如一片残花飘落，随着一声尖叫响起。

钱大笸箩拿不定主意，犹疑间，一手拉空："五妹，你怎能这样！"

两人二三百斤一去，吊笼缆绳压力减低，断声减小。

几人凑到圆洞口向下观看，但见两人身影已被蛇群吞噬。不多时蛇群骚动，有如巨浪翻滚，蝶恋花载沉载浮，满头金发被蛇涎胶住，打成绺子，贴在脸上。时有毒蛇张开大嘴，在她身上舔舐，吓得她尖声大叫，令人不忍卒闻。

几人面面相觑，纵然有心营救，不过瞧鲜艳蛇身狰狞大嘴，不免心怯腿软。

蛇群闹腾一阵，渐渐平息。蝶恋花衣衫破碎，血迹斑斑，抱着花绣虎奋力钻出蛇群。花绣虎寿衣早被蛇群扯落，露出光秃秃脊背。蝶恋花睁开眼，抹去花绣虎身上蛇涎，猛然发现，花绣虎脊背上的刺青业已变化——原先字迹消失，新字出现："七星齐转，转危为安。"

蝶恋花口中诵念，不禁抬头看去，但见擂台内部形如井筒，前面壁上镶嵌有七颗碧绿宝石，光华幽微。

"难道这是提示？"蝶恋花拖着花绣虎，踩着蛇群，爬到井壁前。说也奇怪，此刻蛇群不知何故竟然安静下来，低头顺眼，再没狰狞气势。

蝶恋花按照刺青指示，一一转动宝石，便听齿轮转动，轧轧响起。

在她齐腰处的地方，井壁左右两张铁板平伸而出，缓慢对移过来。蝶恋花大喜过望，忙将花绣虎抱上铁板，随即也爬了上去。转眼两块铁板相接，严丝合缝。

蝶恋花爬起身来，举目四顾，井外地面刀山隐没不见。她赶紧招呼吊笼上几人。

九头狮子等人跃身而下，去地面拾回各自兵器。

钱大笸箩见蝶恋花面色青紫，千载良机，岂能错过，当下上前一步，掏出七虫七花丹给她服下，低声道："五妹，我这七虫七花丹虽是毒药，却能克制蛇毒，待我们离开此处，我再把解药与你服下，可保性命无忧。"

蝶恋花也不傻，当然明白他的弦外之音，但此时哑巴吃黄连，有苦说不出。

此时轧轧声起，铁板上升起一只栲栳大罗盘，黝黑如铁，刻痕纵横交错，分成七个等宽格子。中间交叉区嵌一枚指针。众人凑近看时，轮盘上刻有铭文。中间大字说明："命运轮盘，中设机关，指针转动，随你挑选。选择一个，其余皆毁。请君慎之。"七个格子分别是："称霸、升官、发财、得美、成名、平安、重生。"内里还有小字详细注解。

九头狮哈哈笑道："果然，六弟的刺青果然有天大秘密！你们看这发财格上写着，敌国财富，就选它了！"

鹰爪孙道："选升官吧！"

九头狮道："什么称霸、升官、成名，最终的目的不都是为了发财么！老子年轻时只觉得有膀子力气便能横行天下，谁知一入江湖才他娘晓得，有钱走遍天下，无钱寸步难行的大道理，有了这阿堵物，什么得不到！"

余人面面相觑，都有同感。

蝶恋花猛然叫道："不行，我要选重生！绣虎死了，我要让他活过来！"

钱大笸箩道："对，救活六弟！"

重生格上写着："内有华佗再生丸一颗，人死未腐者，服之立活！"

九头狮挠挠肉瘤："他奶奶的，俺长这么大，还没听说过有令死人复生的灵药。"

钱大笸箩略一沉吟："有，湘西赶尸匠和茅山术士有一种活尸丸，能起死回生。"

癞头陀道："老四，那是无痛无感任人驱使的活尸。"

鹰爪孙也道："老六如果变成了活尸，只怕生不如死。"

钱大笸箩踟蹰道："世界之大无奇不有，也不一定是活尸丸。"

九头狮道："只有一次选择，别婆婆妈妈的了。"

蝶恋花听他话声不对，心头剧颤，伸手便往指针上抓去，谁知九头狮眼疾手快，后发先至，伸手抓住指针，霍然转动，咯噔一声，指针拨到发财格上，兀自不肯撒手。

咯咯，轮盘内传来齿轮咬合碎响，而后啪的一声，轮盘裂成七半，一股酸臭味道飘溢而出。其余六个格子中的物事都被酸液腐蚀殆尽，只有发财格里弹出一卷纸帛。

九头狮手疾眼快，一把攥出，展开便看，众人也凑过来："汉王巨宝，留赠有缘。本庄六处偏殿内各藏一块刺青碎片，相互拼合，便是一幅藏宝图。拼合完整，按图索骥，可得敌国宝藏。宝藏并非易得，六处殿中地下埋有烈性炸药，轮盘开启，指针转动，半个时辰后，便会炸塌宫殿。千万不要擅动指针，一旦触碰，你脚下立即爆炸。切记切记！"下面画有藏宝图碎片形状。

低头一看，轮盘下面是个圆墩，中间竖根立柱，指针正安在上面，缓慢移转。

鬼谷女道："怎么这么巧，我们六个人，正好六个宫殿？"

钱大笸箩思忖道："也许是老六给我们留下的。"

九头狮骂骂咧咧道："老六要给我们宝藏，为啥还埋下炸药，这不明显要整死咱们么？祖师爷前一个头是他奶奶的白磕了！"

蝶恋花怒道："绣虎不是那种人，你们自己寻宝藏吧。"说着抱起花绣虎尸体，转身便走。

鬼谷女一步抢上，伸手扯住她袖子："师姐，你别生气，这宝藏我们要定了。你想想，这世上没钱哪行，我小的时候，如果有一块铜板，买一个馒头，我娘也不可能活活饿死。从那以后，我发誓要赚好多好多钱。"

癞头陀也道："师妹，你别耍性子了，我从小没了爹，娘得了重病，四处大夫都看不好，花光了所有钱，最后寻到医神药千金的门上，我跪着求他给娘治病，把头磕破喇喇淌血，可是药千金诊费一次千金，我眼睁睁瞅着娘就在他家门口断了气。我的头也没钱医治，结果破伤风后长了癞。"

鹰爪孙也道："我娘……"

钱大笸箩截住话头道："大家都别说了，没时间了，如果同意寻宝，现在马上就去，不同意，赶紧离开。只是这刺青情况不明，只怕会有危险。"

九头狮道："舍不得孩子套不着狼。人为财死，鸟为食亡。"

鹰爪孙道："老大晦气，那叫不入虎穴焉得虎子。"

众人蹿出孤独门。时间不多，只能分头行动。当下九头狮等人各拣一屋钻进去。

钱大笸箩给蝶恋花服了七虫七花丹，若无他独门解药，绝难活命，料来她也不敢弄鬼。有了这道护身符，钱大笸箩胆气顿粗。不过临进屋之前，钱大笸箩兀自不放心，暗中叮嘱众人："遇到异常情况，千万不可造次。找到刺青，立刻离开。"

蝶恋花孤立无援，抱着花绣虎的尸体进了别人挑剩的那间。

此刻，正殿卷檐阴影里，藏着肖不平的笼子。大冢灵花正合上瓦隙，停止偷窥。原来他二人追踪鬼谷女一行，来到画皮山庄外面。发现那群黑衣人散入树丛埋伏下来。大冢灵花绕到后门，神不知鬼不觉悄然潜入。看众人分头走了，她背起肖不平的笼子，缒下墙去。

冗余世界，残缺人生

冗余馆。

门前左右廊柱嵌木联一副："九头鸟，三足乌。"

九头狮步入馆中。内里布置是一个县衙公堂样式，面阔五间，进深三间，摆设乱七八糟。绕墙一圈铁梨木法案，背后立着一溜海水朝日屏风，山正水清日明，象征清正廉明。法案后的椅子上密匝匝坐着木头雕的人偶，一尺来高的小人，乌纱朝靴官服玉带，挺胸叠肚，像模像样，数一数，足有上百个之多，而且都是两鼻子三只手四只眼五张嘴。

九头狮走路一向趾高气扬，这时抬腿迈去，脚下一绊，险些摔倒。低头一看，原来是一只狗头铡。扫视一圈，地下刑具如麻，狗头铡、水火棍、老虎床、脑箍、规木、重枷、钉床、木手、碾车、站笼等，数不胜数。

九头狮为防万一，拔出鬼头刀，护在身前，左右查看一遍，拨拨刑具，一无所获。转身扑到法案前，藏宝图必然是纸或布帛，眼前能见的只有人偶身上穿的衣服是布制的，所以他三把两把扯过人偶，撕烂官服，揪去乌纱，扯碎人偶，弄得满地狼藉，也没看到有什么藏宝图。

偶尔一瞥，忽然发现靠墙有一立柜，柜门没锁。九头狮伸手拽开柜门，柜子进深很大，竖着一架巨大天平。中间一根铁杠杆，左右各悬铜托盘。左面杠杆錾刻"官"字，右边錾刻"民"字，左边托盘是一颗铁铸的官印，右边是一摞高高叠起田契。田契上面，一块刺青残片赫然在目。

真是踏破铁鞋无觅处，得来全不费工夫。九头狮大喜过望，伸手抓过，一看无误，揣在怀中。刚想转身，忽而站住，揭下一张田契，仔细一看，竟是通天县辖地的田契，田契上姓名住址一应俱全，印鉴指押俨然，竟然是真的。

九头狮忽然想到通天县曾有一大批庄户田契丢了，后来被地主强行收走，原来田契竟然在此。若将地契拿走，威胁买卖，到那时自己的地盘岂不扩张数倍？一念及此，伸手便拿，掐起一摞，刚抬起，忽觉天平一斜，底下一动，他心思电转，马上放下。天平微一摇晃，重又持衡。

九头狮仔细查看，发现天平立柱对着自己腰腹处有一细孔，不同寻常。前后一想，顿时明白，这天平内设机关，只要一头倾斜，就会触犯里面吊钩，拨动机关，这个小孔不是喷出毒烟便会射出毒箭。试试那方官印，竟然是铸死在托盘上的，同时拿走根本不可能。但他又不甘心就此离去，几番转念，慢慢伸手，揭下一张地契，纸张太轻，天平未受影响。九头狮舔舔嘴唇，将地契揣入怀中，一次无事，便想第二次，又抽出一张，天平还是好端端的，贪心作祟，惯性使然，一旦伸手便无法停止，一张一张再一张，虽然天平微斜，但仍未触动机关。九头狮额角流汗，把钱大笸箩的叮嘱早抛到脑后，总想多拿一张，多拿一张……终于，嗖的一响，刺中耳膜，犹如晴天打了个霹雳！亏得九头狮寒毛竖立，提着十二分小心，手中方感一颤，立即蹬脚绷腰，仰身暴退。噗的一声，一支短箭贴其腰肋掠过，溅起一溜血光！

九头狮一跤跌倒，手中田契撒落一地。伸手一摸，一手鲜血，顿时转惊为安，看来箭上无毒。一安定下来，立即鲤鱼打挺跃起，伸手将田契拢在怀里。复又抢到柜前，伸手去抓天平上的田契，天平机关已被破坏，再取剩下田契已无风险。

可是才到柜前，忽觉浑身燥热难耐，热得他怒吼一声，撇了长刀，一把裂开衣衫，他在胸前刺着一个黄巾力士，裸身露体，肌肉盘结，靛脸红眉，怒目圆睁，手执降魔剑。九头狮只觉胸前肌肉突突乱跳，低头一看，那黄巾力士喷血衔须，衣襟剑锋中血痕如蛇凸起，奋然流转，整个人直要扑下身来，择人而噬！

九头狮只觉脑中天旋地转，全身血液尽往胸前涌来，啊的一声怒吼，胸前鲜血如万箭攒射，恍兮惚兮中，他只见眼前一个黄巾力士，顶天立地，嗔眉瞪眼，高举降魔宝剑，向他怒斩而来！

残缺地。
门口楹柱上挂着一副对联："二三四五，六七八九。"
钱大笸箩缓缓摘下金笸箩，顶在胸前，缓缓拉开门，挺了一忽儿，这才缓步踏入。

阳光穿窗而入，摇落一地金黄，给屋中残垣断壁，破败垃圾上镀了一层薄薄黄金。这里竟然是个垃圾场，日用琐物花里胡哨，肮脏不堪。碎瓦断砖，破被烂褥，干巴馊饭，瘸腿桌，豁牙碗，不一而足。更有不少纸扎的小人，心脏处都破了一个大洞。

钱大笆箩高抬腿轻落步，小心翼翼四下摸索，他已下定决心，不管找到与否，估摸时间一到，马上出去。

忽然，他眼光凝住，就在墙角堆着几床破被子，被子里露出几个人头，乱发擀毡，面目污浊。他掣出腰刀，一点点蹭去，全身寒毛倒竖，真气运至毫巅，一有异动，必能脱兔一跃。

他用刀轻轻挑开棉被，毫无异状，里面是七个扎得黑乎乎的纸人，断指缺手，都有残疾，画的衣服也是破破烂烂，补丁擦补丁，寒酸得紧。他用刀拨开小人头发，不禁大吃一惊——纸糊的脸上画着眉眼鼻嘴，模样酷似花绣虎，神情各异，分别是惊、恐、怒、思、哀、悲六种表情；第七个脸上蒙着一张纸帛，正是那刺青碎片的模样！

钱大笆箩没有马上取刺青，反而回手从兜囊中掏出鹿皮手套戴上，笆箩挡在眼前，这才小心翼翼捏起那块刺青，稍稍凑近鼻端，未见异味，检视一番，把刺青装入囊中。

大功告成，方要转身，忽见那第七张脸没画五官，是张白纸。白纸破了一洞，隐隐露出一抹金光。钱大笆箩犹豫半晌，将刀划开白纸，露出一尊金佛，奇怪的是，金佛面上也没有五官。照这个纸人大小，金佛最少不下二百斤。还寻什么宝藏，这就是宝藏！

钱大笆箩一双小眼顿时红了，胖脸上油光泛起，额汗涔涔而下。一只手颤抖着伸向金佛，到了半途，忽然止住，又收了回来。他在商海中摸爬滚打半生，早变成了老油条，深晓天上不会掉馅饼，掉下来的都是陷阱。但黄白之物勾得心尖痒，想了半晌，又伸了出去，伸到中途，再次撤回。如此三番五次，鼻息喷出，气喘如牛，显见内心正在天人交战。一刻钟后，他兀自重复着这一动作！

循环历史，扭曲心灵

循环巷。

门口楹柱上挂着一副对联："夏商周五千年历史，桀纣幽十万个罪人。"

鹰爪孙指上套着鹰爪钢爪，勾开大门，迎门一个过廊，空无一物。对面只有两扇门，左边门上刻着"盛"字，右边上刻着"衰"字。鹰爪孙眉头一皱："盛衰门？"想了一想，双爪护住前胸，一脚踢开盛门，待得并无异样，跃身纵入。

门里是一斗室，当地立着一尊木像，帝王装扮，将军大臣排列左右，标着名字。都是史上明君良相，皆为木雕，除此身无余物。对壁还有一门，门上依旧刻着"盛"字。进去之后，又是一尊帝王铜像，别无余物。连过五道门，鹰爪孙已无耐心，返身折回，重新打开"衰"字门，这一打开，登时珠光宝气，耀眼生辉。还是帝王铜像，更有将相臣佐，都是史上昏君佞臣，只是俱都披金戴银，华贵非凡。

鹰爪孙寻找一番，没看到刺青碎片。想取铜像身上金银，但又忍住。拉开另一间"衰"门，又是一番珠光宝气。帝王手中托着一张纸帛，屋中光华闪烁，鹰爪孙一眼便已瞧见，当下伸手拿过。仔细查看，确认无误。刚要转身，忽然脚底凝滞，当下驻足，转身从铜像中摘下一条金绶带。转身想走，又停住，掐指一算，方才进来不超过一刻钟，还有时间。还想再取，忽然念起钱大笸箩的叮嘱，一时逡巡不定。

走还是不走？满眼宝物已将他的心搅乱。

当下一跺脚，取出独门鉴毒奇药辨机散，撒在其余宝物上，粉末颜色未变，证明这些宝物无毒，当下挑拣贵重的揣进怀里。扫荡一番，意犹未尽，进入另一间衰门，又是一番狂扫。到第三间的时候，他已是满身披挂，直如金甲天神下凡。

第三间，那帝王像上戴着一顶皇冠，猫眼玛瑙翡翠不下数百块，以金丝镶嵌。鹰爪孙顿时眼冒金光，这顶皇冠，只怕价值万金。有了它，纵然不得宝藏也够本了。一念及此，伸手便捉在手里，谁想那皇冠边角锋利，满是芒刺，顿时扎得满手鲜血。

鹰爪孙心情激荡，也未在意，此刻急流勇退，捧着皇冠便走。才走出几步，忽觉浑身燥热难当，如被火焚，手一颤，皇冠失手落地。鹰爪孙一把扯开衣衫，掷在地上。在他后背上文了一只苍鹰，此刻他只觉得后背上气血鼓荡，如同蚯蜒蛇行，似乎有什么东西要破皮飞出。蓦地头顶一痛，如被啄击，一头栽倒！

扭曲阁。

门口楹柱上挂着一副对联："能挽世道曲如弓，难治人心毒过蛇。"

鬼谷女瞧瞧门口对联，嘻嘻一笑："为什么不写难猜人心狡似鬼！"推门便进。

这间屋子是一座阁楼。入门是个弧形厅堂，左侧一架楼梯七扭八拐，螺旋向上。阁中布置如家居。壁上挂着辣椒大蒜，屋角立着锄耙锨镐，簸箕篾篓。锅碗瓢盆各安其所，窗台上花盆陈列。但是这些家什物件，花木食物，或者天生畸形，或是人工扭曲，曲如弯弓，拧如麻花，全部拧着劲儿。瞧在眼中，异常别扭。

鬼谷女回身趴在门缝中，窥得左右无人，从怀中抽出一本书来，书上三个大字，赫然是"僭天书"。她快速翻到第三个故事《画皮》那页，只有一行目录，下面一片空白。她蘸口吐沫，抹在其上，不一会儿，空白纸张显出一片细若蚊足字迹来。她仔细看了一遍，然后揣好，想也不想，身形纵起，如蝶舞莺飞，直奔顶楼。

顶楼地板上有一只金瓦盆，盆中栽着一棵摇钱树，黄金干黄金枝黄金叶，虬如龙盘，枝上果实累累，都是玉石玛瑙珍珠水晶雕琢而成。

一张布帛就挂在一条金枝上。

鬼谷女将布帛取下，掖在怀里。瞧瞧摇钱树，自语道："这么大的树，怕不有三四百斤，要怎么才能搬下去呢？"

颠倒世界，错乱乾坤

颠倒塔。

门口楹柱上挂着一副对联："黑白上下好坏；白黑下上坏好。"

癞头陀无心细看，手捻骷髅素珠，开门步入。这屋子布置成佛堂模样，佛像、佛龛、经书、烛台、戒尺、拂尘、香案、香炉、木鱼等诸般法物一应俱全。不过这些法物全都是倒置的。密密麻麻的佛像大头朝下挂在屋梁上，好像一个个倒悬的蛹。周围一圈鬼像，高踞在佛龛之上，将佛像团团包围。

癞头陀喃喃自语："这是什么意思？"扫视一遍，没见到刺青碎片。将身一纵，穿行在蛹林中，忽然眼光一扫，止住不动——一个艳丽的妇人雕像立在当地，浓妆艳抹，眉目轻佻，嘴角如钩，挑逗着他一颗罗汉心。他不由驻足定睛细看，就在妇人头顶，一幅刺青碎片赫然在目。他腕子一抖，念珠飞出，一荡一回，早将刺青收入掌中，瞧那刺青边角形状，正与提示的符合。

揣起刺青，刚想转身，但那妇人雕刻逼真，太过诱人，不免多看两眼。忽然发现，妇人头顶发髻处有一圆洞，一角纸帛露出一丝端倪。"这是什么？"癞头陀心生好奇，低头嗅去，那纸帛上并无异味，显见无毒。伸手取出，却是一个同心方胜儿，幽香淡淡。打开一看，是一张薛涛笺叠成，上面字迹娟秀，词句暧昧，竟是一封情书，以簪花小楷写成，内容是约定情郎幽会日期，其间不乏月下西厢，香罗暗解，帏帐夜深，尤云殢雨，你侬我侬的露骨挑逗，而落款名字竟是一个丧夫寡妇，是上了贞节牌坊的。他也早闻其名。没想到暗里竟然行苟且之事。瞧得癞头陀血脉贲张，若将此信拿去要挟与她，自己岂不也能作其帏中客枕畔人了么？一念及此，狂喜莫名。

揣起刚想转身，心中一动，停脚回身，单眼吊线，却见那妇人雕像中空，里面方胜儿塞得满满的。癞头陀心如鹿撞，此时此刻，什么菩提摩诃，挡我者，一刀劈之。什么钱大笸箩的叮嘱，早扔到爪哇国了。将手伸进塑像中便往外掏，只可惜洞小手大，忒不方便。急切之中，一把提起塑像，大头朝下便倒，倒出一堆方胜儿，大手一抓，便向怀中拢去。

忽觉手掌一痛，如被针扎，将手一缩，一条小蛇甩飞。他骂了一句，也未在意，将一堆方胜儿拢在怀中，起身便行。

走到门口，忽然浑身燥热，如堕火窟，头几乎要炸裂，再也抑制不住，他一把撕碎缁衣，露出黑氄氄胸毛。在他头颅上身纹满梵语咒文。门口有一铜镜倒悬，他一眼瞅去，正好瞧见自己的文身。此刻，满身咒文，字迹鼓凸，如得生命，直欲裂肤而出。猛然间，他眼前血雾喷飞，化作无数咒文，落在铜镜之中，蚁聚蜂集，瞬间塞满视野，化作一片张牙舞爪的魔鬼！

错乱台。

门口楹柱上挂着一副对联："笑世上千秋功罪，几度张冠李戴；叹人间百年姻缘，一番接木移花。"

蝶恋花抱着花绣虎的尸体，用后背撞开了大门。瞧这摆设像是一间洞房，不过太也奇怪，喜字是白色的，窗帘是黑色的。蜡烛插在饭碗中，桌子放在凳子上。墙上挂着一幅裱装卷轴大画，是一幅市井百态图。水从天上流，云在地上飘；稚童出苦力，壮汉玩游戏；人拉车马坐轿，牛长翅膀兔生鳞。人左手长在右臂上，右手长在左臂上，眼睛长在额头，嘴唇生在肚脐上。种种错位，奇形怪状，不可尽述。其余诸物，无不错乱谬误。

蝶恋花舔舔干裂的嘴唇，抱着花绣虎的尸体，蹒跚向前，迎面是一领黑色喜幛，绣着鸳鸯戏水，不过不是雌雄两只，而是五雄二雌。蝶恋花微一愣神："这是画的我们兄妹七个么？"

将花绣虎扶起，倚靠壁上。伸手揭起喜幛，挂在床钩上。窗外阳光不约而至，照亮幽暗凄凉的一隅。一张雕床横陈其下，床头并排坐着六个木偶，雕琢细腻，惟妙惟肖。四个新郎打扮，两个新娘打扮。四个新郎，正是九头狮、癞头陀、鹰爪孙、钱大笸箩的模样。蝶恋花眉头一皱，挑开那两个新娘的面纱，一个正是自己，一个是鬼谷女。

蝶恋花怒不可遏，骂道："哪个混蛋做的！"劈手一把，扯过自己雕像，摔在地上，连踩数脚。怒气未平，又将其余几个雕像抓起，扔到墙角。床边一空，露出床上一个木偶，那木偶仰躺床上，心口刺着一把匕首，瞧模样却是花绣虎！

蝶恋花心下恻然，泪珠滑落，定定注视花绣虎的木偶半晌，这才小心翼翼拔下匕首，将它扶在床头坐好，爱惜地抚着木偶人头。又将地下属于自己的那只木偶拾起，扑打下泥土，和花绣虎的木偶并排靠坐一起，寻了一根喜带联结在一处。

忙活完，她眼光一扫，这才发现一张炕桌放在床里，上面覆着一张刺青碎片。蝶恋花伸手拿起刺青碎片，下面还压着一张羊羔皮制成的地图，上面几个字："大明山川经略图"。蝶恋花瞥了一眼，抱起花绣虎，转身出门。

惊天逆转，死而复生

雨过天晴。

那天，蓝得让人心碎。

一丝和暖的秋风携着草木芬芳，从山那边悄然而至，如情人的手，轻轻抚摸着你的脸颊。

蝶恋花坐在画皮山庄门口冰凉的石墩上，怀中抱着花绣虎冰冷的尸体，惨白孝服萎落一地。她手中掐着那块刺青残片，和天空一样颜色的眼睛里看不出一丝悲喜，茶呆呆毫无焦点。

不知过了多久，身后响起沙沙脚步声。鬼谷女咯咯笑道："师姐，我的刺青到手了，你的呢？"

蝶恋花也不回头，木然呆坐。

鬼谷女见她不语，也不纠缠，揪根草棍，蹲在地上瞧蚂蚁打架，指指点点，叨叨咕咕："这个小的是我，这个瘦的是六师兄，我们一伙。这个是壮的大师兄，这个胖的是二师兄……"

日上中天，算来已有一个多时辰，几位师兄依旧不见影子。鬼谷女扔掉草棍，一蹦而起，高声叫道："师姐，他们怎么还不出来？"

蝶恋花浑身一颤，手搭凉篷瞧瞧日头，沙哑着嗓子道："应该有一个多时辰了，是不是遇到危险了？咱们快去看看！"说着抱起花绣虎便要走。

鬼谷女急忙叫住她："师姐，命运轮盘里提示半个时辰后宫殿爆炸，我们估摸的时间可能不准，现在太危险了，还是再等等吧。"

庄园围墙湿漉漉爬满青苔，一只蜗牛缘墙上行。鬼谷女百无聊赖，满地乱转。那日头好像被绳子拴住了脚，走得比蜗牛还慢。

硬是又挺了半个时辰，山庄好端端的一点异象没有。鬼谷女叫道："死了便死了，走，瞧瞧去！"拉着蝶恋花钻进了冗余馆。

满地凌乱的刑具，靠墙柜门之下，九头狮硕大身躯仰躺在地，赤裸上身，面色死灰，身上血迹斑驳。无数张田契散落周身，中间便有一幅刺青碎片。

蝶恋花啊的一声惊叫！

鬼谷女纵横江湖，看惯死尸，倒是满不在乎，俯身伸指，九头狮鼻息已无。

十年前，几位兄弟拜入师门，师父花雕龙与弟子行刺青之礼，九头狮所刺便是黄巾力士。如今这刺青消失不见，皮肤上只留下一片血槽勾画的轮廓，好似黄巾力士从中挣脱出去了一般。

难道师传法门真是画龙妖术？真能画物成真？

花绣虎临终前的话如同诅咒般盘旋在她脑海："每当我花氏传人为人刺青之时，那女鬼便霸占了他们的身体。所以给人所刺，并非画皮之术，而是画龙妖术。千万不要随便刺青，文身如受刑，刺物于体等于惹祸上身，小心刺青杀死你！"

鬼谷女摸摸额头第三只眼，不禁打了个寒噤，拣起刺青碎片，装入囊中，然后和蝶恋花一起，将九头狮尸体抬出门，拾了领破席子垫着，暂时寄放在槐树荫下，乘隙瞧瞧花绣虎背上刺青，并未变化，没有下一步提示。

循环巷中，鹰爪孙背上飞鹰刺青没了，留下一片触目惊心的血槽。脚下躺着一幅刺青碎片。

颠倒塔里，癫头陀身上的经文也已消失，同样留下一片血槽，刀刻相仿。身旁同样有一幅刺青。

再入残缺地，钱大笸箩同样惨遭横死，衣衫半褪，血迹斑斑，旁边扔着一枚刺青。

里面珠宝无数，但几人莫名横死，鬼谷女多了个心眼，知道这些珠宝必有机关，绝不能动。无心细看，将三人尸首相继抬出，并排放在槐树荫下。

蝶恋花眼泪已干，沙哑着嗓子道："师妹，师门不幸，两日间男人都去了，就留下我们两个弱女子，这可怎么办？"

鬼谷女笑道："死了还不好么？宝藏你我对分！"

蝶恋花怒道："小师妹，你忘了当初结义的誓言了么？"

鬼谷女嘻嘻笑道："师姐，我开个玩笑嘛。"

蝶恋花瞪她一眼："这个时候，亏你笑得出来！"

鬼谷女忽然道："其实死未必可怕，师兄们临死前找到了自己梦寐以求的宝物，死而无憾了。可是我到死那一天，也不知道能不能找到我想要的东西？"说着破天荒一声长叹，怅惘看天，不知想些什么。过了半晌，忽而咯咯一笑："管他呢，明天的事明天再说，今天我们就要找宝藏。"说着将六幅刺青拼合一处，圈点线段对接拼合，一座建筑赫然成形。门楣宏阔，飞檐挑角，磨砖雕花，七级台阶，左右各有一只镇宅石狮，正是山庄大门。鬼谷女仔细一看，发现整个门第都是黑墨画就，唯有左边那个石狮用的铜绿色，狮子眼睛处点了红笔，特别扎眼。

两人来到石狮旁，鬼谷女绕着石狮子转了一圈，伸手用力按动石狮左眼，但听嘎吱一声，那眼珠陷了进去，再按右眼，吱嘎，机簧转动，石狮向后滑出三尺，地下露出井口大小一个地洞，凉气丝丝冒出，砭人肌骨。探头一看，一道台阶盘旋而下，没入浓浓黑暗。

鬼谷女狂喜莫名："师姐，我找到宝藏入口了！走，下去寻宝！"

蝶恋花蛾眉敛起："你愿意去你去，我不去。"

鬼谷女嘻嘻一笑："姐姐，等我们有了钱，找到医神药千金。说不定能救活六师兄呢。"

蝶恋花眼睛一亮，旋即黯淡下去："若论宝物，偏殿里就不少了。"

鬼谷女道："君子爱财，取之有道。主人不给我们的，我们绝对不要。另外，不弄清楚花氏百年刺青的终极秘密，我睡不着觉啊。"

巷道逼仄，盘旋如蛇，壁上苔花簇簇，凉气沁人肌肤。火折子亮出一团幽绿黯淡光亮，映着三条人影，蜿蜒前行。

不知行了多远，一扇大门拦住去路，门上三个大字"治世坊"。

鬼谷女素手纤纤，推门而入。门枢转动，喑哑酸涩，回音重重，久久不绝。门里摆一柜台，柜台后靠墙立一药柜，抽屉密密麻麻，贴满药名标签。柜台上放着一只青皮葫芦，葫芦口嵌一颗夜明珠，光华闪烁，映得满室通明。

鬼谷女嘻嘻笑道："商铺里摆金蟾，招财猫，摇钱树。药店也凑趣，摆个葫芦，莫非要悬壶济世。"

柜台里什么都没有，鬼谷女一步跨过去，来到药柜前，抽开一个抽屉，里面空空如也。一气全部抽开，别说珠宝，连药囊都没有。

蝶恋花将花绣虎倚着墙壁立好，指着抽屉上标签："你别翻了，这里没有珠宝，你看看这些药名。"

鬼谷女这才注意到药名，没有大黄地黄白术等药，有的却是：良心、爱心、公平、正直、勇气、无私等等。这是药名么？

鬼谷女垂头丧气，看到良心，不禁气乐了："常听人这么说：'良心？你跟我讲良心？良心多少钱一斤，给我来二斤！'总以为是个笑话，没想到今天真遇上了。"摇摇头道，"好晦气，难道良心爱心公平便是所谓的宝藏么？"伸手捉起那只葫芦，"这颗夜明珠就当个补偿吧。"

葫芦拿起，露出一张纸片，纸是三文钱一刀的黄裱纸，粗糙不堪，上面字迹却是端方雅观："来的人不管你是谁，是谁都好，我是你们的师父花雕龙，现在我就告诉你们真相吧。花氏传门宝藏并非子虚乌有。之所以百年不见天日，只是在等它真正的主人。正所宝剑酬壮士，红粉赠佳人。花氏历代传人德行第一，才华俱逊，无拳无勇，于事无补。你们六位弟子各有其能，独当一面，皆堪大任。所欠的只是为师不知你们品性如何。当你来到'治世坊'，就说明你闯过了我设置的七道难关。这七关考验你们的良心勇气。恭喜你，你胜利了，你就是我选定的人，宝藏理应该你所得。爆炸之说，不过是个善意谎言，若不限定时间，以你们的头脑，只怕会识破这个诡计，那么，我的考验便不真实了。画皮山庄所有机关全部开启完毕，再无任何危险，各个殿中珠宝无数。你可以用这些珠宝安家治国平天下。我相信，能闯过这些关隘的你，必然是一个好人、一个良相、一个勇将、一个明君。师父今天特别高兴，特赠你一粒华佗再生丸，藏于葫芦之中。凡人死未腐者，服之立活。"

鬼谷女哈哈大笑："原来如此！"抠下夜明珠，倒出一粒丹丸，浑圆油亮，清香扑鼻。再倒，没有了。再生丸，只此一颗。

蝶恋花狂喜莫名："绣虎有救了，绣虎有救了！"伸手便拿。岂料鬼谷女左手蓦伸，撮成鹰爪，擒住她手腕，右手暗度陈仓，早把再生丸夺走。

蝶恋花怒道："你干什么？"

鬼谷女嬉皮笑脸道："没什么！我是琢磨，大师兄二师兄三师兄四师兄加上六师兄，死人共有五个，一颗再生丸，究竟给谁呢？"

蝶恋花猛然一愣：是啊，五个死人，只能复活一个，究竟要选谁？

斗室死寂，落针可闻。琢磨半晌，蝶恋花鼻息渐渐粗重，艰难抬头："我、我还是选绣虎。"

鬼谷女笑道："我看不然，大师兄统领一方，劫富济贫，是条好汉；二师兄禅林大德，普度众生，德行如海；三师兄身在公门，少了他就少了一个好官；四师兄经商入世，没有他谁赈灾济民？只有六师兄，每天研究些刺青札肤的小玩意，于民于国半点用处也无。你看这上面师父都说，花门传人于事无补。"

蝶恋花拍案而起，面色狰狞："我不管，绣虎就是我的世界！"

鬼谷女道："是你的又不是我的。我的世界只有我，这粒再生丸我要了，多给自己一条命，比宝藏来得实惠。"话音未落，忽然劲风扑面，白影晃动，蝶恋花五指纤纤，屈曲如钩，掏耳挖眼掀鼻锁喉，一路小擒拿手，迅雷不及掩耳，骤然袭至！

鬼谷女遽然遭袭，应接不暇，被蝶恋花叼住手腕脉关尺，手指酥麻，再生丸脱手飞出。蝶恋花纤腰一扭，直如鹰击隼拿，直扑药丸。

鬼谷女哪肯服输，一拍左肋，一枚鬼影神刀腾空掠起，化作一道利闪，直插药丸。

噗的一声，鬼影神刀穿掌而过，血光飞溅。好在拿刀纤细如针，没刺中要害，倒不致命。

蝶恋花哼也没哼，脚点墙壁，一招细胸巧翻云，身子倒旋，扑向花绣虎，骈指急点花绣虎颊车穴，死人肉僵，她用力甚大，硬生生撬开其牙关，手掌抿处，再生丸钻入花绣虎口中。

这一连串动作一气呵成，鬼谷女怒不可遏，猛身扑上，双指如钩，便要抠花绣虎的嘴。此时药丸还在花绣虎口中，死人无津液，吞咽不下，欲找清水，已然不及，蝶恋花将牙一咬，合身扑上，伸嘴吻住花绣虎，一条丁香舌如一尾搅海翻江的鱼儿，卷着香唾滑入花绣虎口中。

鬼谷女大怒，伸手便扯她头发，但两人如胶似漆，怎么都分扯不开。

花绣虎十二重楼咕噜噜一响，那枚再生丸业已吞入腹中。

蝶恋花一屁股坐倒在地，吻得太狠，嘴角都流下血来。鬼谷女功亏一篑，撒开手呼呼直喘。同门一场，她再如何贪婪，也不好剖腹取药。

过了半晌，花绣虎腹中如雷鸣，咕咕直响。伸手一摸，心口渐渐有了暖气。再等片刻，青紫脸色渐渐褪去，泛出一片红晕来。蝶恋花狂喜莫名，解下满是血渍污垢的披风，垫在花绣虎身下。忽然，花绣虎喉咙一响，眼皮缓缓睁开，散大的瞳孔缓缓聚焦成像。

蝶恋花一蹦多高："绣虎，你活了！你活了！"

大冢灵花瞧两人钻入地穴，忙在附近将肖不平笼子藏好，也想跟进去。忽听院中槐树下有动静，四具死尸中竟有一具摇摇晃晃站起来！

"诈尸了！"大冢灵花怕肖不平有危险，急忙缩身回去。但见那死尸摸到地穴入口，窥探几眼，跃出庄外，庄外传来三长两短五声雁鸣。不一会，那死尸领着一群黑衣人，钻入地穴。

大冢灵花没敢贸然跟入，只从囊中取了一粒琥珀，塞入耳中，伏地倾听。

苍天太冷，我心好疼

花绣虎哎呀一声，翻身坐起。蝶恋花一把抱起花绣虎，就地转了十八圈，脚下一软，两人扑倒在一处，她就势搂住花绣虎，又哭又笑，状若癫狂。

足足过了一盏茶工夫，才消停下来，颠三倒四将往事叙述一遍。鬼谷女也凑过来，没事人般，补述前情。蝶恋花虽然不悦，也没揭露她。

花绣虎听完，长叹一声："几位师兄死得太冤了，我这就把真相告诉你们吧。"

三人团团围坐，花绣虎道："祖师花未开那年参加刺青大会，偶入深山，恰遇陈友谅的后人被朝廷密使追杀，身受重伤。原来当年汉王陈友谅与朱元璋争霸，节节失利，地盘越来越窄，为防万一，将倾国宝物悉数运走掩埋，并画了一张藏宝图传给后人。后来陈友谅战死，其后人怀揣藏宝图，不知所踪。但天下没有不透风的墙，大明皇帝晓得此事，密派锦衣卫四下追查陈友谅后人。祖师所遇书生乃是易钗而弁的少女，正是陈友谅的后人。走投无路之下，祖师将她拉入山洞躲避，锦衣卫架鹰嗾犬，在山中展开梳篦式搜查，犬吠声遥遥可闻，形式万分危急。那少女命在旦夕，想把藏宝图毁掉，却又不忍；要把藏宝图给花未开，花未开手无缚鸡之力，怀璧其罪，必遭飞来横祸。忽然看到花未开臂上刺青，询问才知，花未开是一文身雕客，巧的是，陈女也爱好此术，便在花未开兜囊中取出簇针颜料，将藏宝图文在花绣虎背上，为了掩盖，又以隔离之法，文了一个少女覆盖其上，以作伪装。最后将藏宝图烧掉。这时追兵益近，那少女强撑着跑了出去，于断崖上纵身一跃，就此香消玉殒。"

花绣虎说到这里，眼眶湿润："那追兵急去断崖下寻找尸首，花未开趁隙逃出荒山。可是他千不该万不该，为了赢得师妹芳心，将藏宝图一事半遮半掩泄露出去，从而惹来杀身大祸。当时知道此事的只有祖师几位结义兄妹，泄密者必在其中。是以祖师后来授徒，立下数十条规矩，非心地纯良品德极高且手无缚鸡之力者绝不相授。是以嫡系都是单传。后来每代祖师都根据藏宝图所示，挖掘一些珠宝，带回鬼谷，并建造了这座画皮山庄。可是后来问题又出现了，祖师们坐拥金山，却毫无用处，于事无补。便想多收能人异士，将偌大财富用之于民。但又担心能人异士见利忘义，于是祖师便设置了这七关，诱使弟子闯关。可惜历经数代，弟子数十人，全部葬身庄内，竟无一人成功。到了师父花雕龙这代，将此遗愿交托于我。"

"美色财宝在前而心不动者是圣人，诸位兄弟义薄云天，也只是凡人，恐怕过不了这关。我与你们情同手足，怎忍加害。但师父对我恩重如山，又不能违拗祖训。于是我便服了毒药，在奈何桥等候弟兄们；又临时改动了师祖故事，编了女鬼上身，刺青诡变的谎话，如此絮絮叨叨便是要告诫兄妹们，一定要断绝贪念。在那七关之中，有珠宝田契设下的陷阱，少拿一点也无妨，但如果贪得无厌，便会触动机关，必死无疑。弟兄们都死了，没想到我却服了这颗解毒药，活了过来！"

鬼谷女奇道："不对啊，如果大家都是被机关所伤，为什么身上刺青全都消失了，只留下一块块疤痕？"

花绣虎道："两位姐妹通过了师父的考试，可见心地中正，无私无畏。我便告诉你们真相吧，这就是花氏祖传的画皮之术。你们跟我来。"说着移开药柜，墙上露出一扇铁门，门上三字："扪心室"。

铁门打开，顿时一股药味扑鼻而来——又是一间密室。花绣虎按动墙上机关，屋顶旋出两颗夜明珠，顿时满室光明，纤毫毕现。只见屋中高柜低案，错落重叠，放满瓶瓶罐罐。柜子上贴着不同标签，有隐形、显形、变化、定时、荧光、香气等。

花绣虎指着各个柜子道："这些瓶子里装的都是特殊颜料，标签上标的便是颜料的功用。比如隐形，可用鸽子血文身，平时隐没不见，喝酒之后，气血活络，便可显形。但只有这些还不够，花氏有独特秘法。你们一定看到了后花园里的奇异植物了吧，适时取其花叶茎根，揉碎捣烂，沥干成粉，掺入颜料之中，便有了特殊功能。比如隐形颜料，便有数十种，用幽微草，涂抹飞黄藤汁即可显形；用无名花，须以风流草汁显形。显形之后，再抹别的药水又可隐形或者完全消失。"

"再如变化文身，便是将隐形和显形结合在一处。还记得当初我给你们讲的郭雀儿的故事吧，给郭威文身的异人便是我派先祖，用的是隐形显形之法，在谷子远处文一显形麻雀，又在谷子边上文一隐形麻雀，等他驾登九五，便将那显形麻雀除去，隐形麻雀露出，以此愚弄世人，以为是天赐气运。我身上所刺羽蛇刺青亦用此法，只是更为复杂多变。先画少女提笔作字，写下最后一行字迹，然后用隐形颜料在字上作字，如此写上数重。最后外面用显形颜料画上羽蛇。我临死之前脱下外衣，让大家看到我的羽蛇刺青，之后我披衣而起，那时我便偷偷将药水涂抹上去，第一重羽蛇刺青消失，露出第二重，那个少女刺青。此后无论你们何时再脱我衣服，那刺青都变化了。那个少女腰间盘蛇的刺青颜料中用弭天花粉，一旦接触空气，很快便会变成无色，所以过不多久那蛇便不见了。而那盘蛇刺青里又加了蛇环香，一旦衣襟解开，香气飘溢，便引来被我藏在壁橱中的嗜爱此香气的竹叶青蛇。我试验多次，这才将盘蛇消失的时间和引来竹叶青蛇的时间弄到一致，以符合画物成真的假象。第一重字迹会引得你们赶往画皮山庄，大概需要一夜时间，所以我加入了适量的别离果液。这种液汁一定时间内会褪色，等它定时褪色，露出第二重字迹之时，你们已经到了画皮山庄门外。之后第二重字迹引你们进去孤独门，登上擂台，触动机关，关进铁笼。铁笼上面的吊绳是特制的，有两股磨损，坠上重物，势必绷断。为了减轻重量，必然要有人牺牲，跳下蛇窝。因为那时我已死去，当然我会被扔下蛇窝，如果有人肯和我共患难，就会随着跳下。而这群蛇本身无毒，伤人不致命，蛇涎正可洗掉第二重字迹，露出第三重字迹，你们根据字迹显示，逃出擂台下陷阱，便会看到那只命运轮盘，如果你们选择了重生格，复活我，那么你们全部过关，考试结束，分得宝藏。如果选择其他格，那么便会有各种难关继续考验你们。"

花绣虎拉拉杂杂说了一大堆，还只是冰山一角。运用不同颜料，能将刺青千变万化，个中奥秘，实在烦琐得紧。

花绣虎又道："另外，多重刺青如用针刺，显形隐形便会留下针眼，给人瞧出破绽，是以祖师们苦心钻研，给颜料中掺入穿山甲涎和阴沉水，画在皮肤上，可渗入腠理，浣洗不落。深浅可按剂量调整。"

两人听得头大如斗，鬼谷女又问："六师兄，你还没回答我，几位师兄的文身是怎么回事？"

花绣虎道："那是师父将穿心莲、透骨草、跳舞草制成颜料，给众位师兄弟文身。这种颜料本身无毒，但是一遇到负心草、伤心花、窜地龙汁液，便会引起血液沸腾，血管爆裂，师父在这六关中便设置了六种机关，抹上了这种汁液，弟兄们中了机关，因而刺青处血管爆裂，颜料飞溅而出，便像是刺青之物离体而出一般。"

鬼谷女一吐舌头："亏得我没动那些珠宝。"

花绣虎微笑道："那蛇窝中的蛇涎正是克制此毒的解药，如果你当时随我去死，那么，即使你中了奇毒，也会安然无恙。"

鬼谷女嘻嘻笑道："我心眼直，可没有师父这些花花肠子。"

花绣虎叹口气道："可惜几位师兄死得太冤了。其实师父早将真相刺在了他们的刺青之上，可惜他们没有看出来。"

鬼谷女奇道："怎么回事？"

花绣虎道："知道师父为什么给那六处馆舍起那么奇怪的名字么？"

鬼谷女笑道："有何奇怪？无非就是旁敲侧击，隐喻世事，警示后生而已。"

花绣虎道："这只是其一。还有一点，这些馆名正是破解诸位兄弟身上刺青秘密的关键线索。大师兄的黄巾力士刺青，对应冗余馆，只要去掉冗余的兵器配饰，脸上五官包括手脚细看便是一个个字迹，说明的正是刺青的奥秘。二师兄对应颠倒塔，如果将他身上所刺梵文咒语倒向看去，便是汉字，说的也是刺青的奥秘。同样，三师兄若将他身上金钱刺青补上缺失的铭文，四师兄的飞鹰刺青若顺其翎羽细纹循环往复去看，都可以看出刺青的奥秘来。"

鬼谷女摸着额上第三只眼："我的呢？"

"你的要扭曲着来看。"

鬼谷女伸手掐住第三只眼，扭成几字形："这样可以吗？"

花绣虎道："应该可以了，不过你的刺青太小，需用鲁班门细刻鬼工的知微镜才能看清。"

鬼谷女气极反笑："为什么我的这么麻烦，师父太偏心了！"

花绣虎冲蝶恋花一笑："师姐需将错乱的月老红线重新拼过，也可看出。不过现在没有必要了。"蝶恋花身上刺的是月老牵红线。

话音未落，忽听门口一声冷笑："我看很有必要吧！"话音才起，一只金笸箩横空出世，如泰山压顶翻扣而下！

鱼龙百变，画皮千重

花绣虎措手不及，被扣翻在地。强自挣扎爬起，扭头一看，门外衣襟飞动，掠进数十个黑衣蒙面人，十余架弩机横担臂弯，冰凉铮亮的箭尖瞄准屋中三人，蓄势待发。为首一人肥头大耳，满脸横肉上犹带着血渍，正是钱大筲箩。他小眼眯起，露出狡狯笑容："六弟，久违了。"

鬼谷女奇道："四哥，你不是死了么？"

钱大筲箩阴恻恻笑道："六弟能诈死，我便不能死而复生么？我在残缺地中根本就没动机关，自然就不会死了。钱老四虽然最贪财，但所图甚大，岂为一点珠宝坏了大事。可惜那三个蠢货，利令智昏，中了老六的道。"

花绣虎冷笑道："可笑啊可笑，本是被鞑靼收买的灭明帮会，却起名叫光明堂。如此善恶不分，颠倒黑白，世所罕见！"

钱大筲箩浑身一震："你、你都知道了？"

花绣虎笑道："自然知道。从祖上得到宝藏刺青开始，用强得不到秘密，朝廷就出阴招，派人打入我花氏内部。后来朝廷派来的这些人又被鞑靼收买，摇身一变，成了双面内奸。现在山庄都是你们的人吧，张小三、李二虎、宋饼子，揭掉你们的皮吧！"

几个黑衣人面面相觑。钱大筲箩一摆手："让他做个明白鬼！"几人揭开面纱，果然都是山庄庄丁。

钱大筲箩道："六弟，我劝你也弃暗投明，投奔大元。所谓得道多助，失道寡助，你孤家寡人一个，用什么跟我们斗？"

蝶恋花喝道："绣虎还有我！"

钱大筲箩猛然喝道："老七，你还不动手！"

鬼谷女笑道："好啊！"说着身影一晃，滑如游鱼，从几人臂弯中钻出，蹿出门外。外面传来武士纷纷惊呼。

钱大笆箩追出一看，鬼谷女早已不见踪影。他怕中了调虎离山之计，赶紧转身回来，道："老六，你还不知道吧，老七也是我们光明堂的人。"

花绣虎面色铁青，一语不发。

钱大笆箩道："老七这个臭丫头，竟然为了私情背叛光明堂，不过她也没胆量救你，这叫大难临头各自飞。"

花绣虎怅然若失："剩我孤家寡人，又有什么好怕的！"

钱大笆箩哈哈大笑："我看你怕不怕！五妹吃了我的七虫七花丹，若无我独门解药，七日必亡。"

花绣虎惊道："师姐？"

蝶恋花泫然欲泣："绣虎，你别管我！"

花绣虎道："你交出解药，我交出宝藏，你我两不吃亏。"

钱大笆箩冷笑道："我为刀俎，你是鱼肉，还敢和我谈条件！做梦！"一挥手，两名武士猱身而上。蝶恋花意欲反抗，钱大笆箩喝道："动一动，立马将你们射成刺猬！"

蝶恋花束身就缚，钱大笆箩伸手托起她下巴，色眯眯道："五妹，碧眼金发，万种风情，从入门那天我就喜欢你。六弟，你不是不怕吗？现在我就替你与她入洞房，让你好好欣赏一番。"说着，便扯蝶恋花衣襟。蝶恋花大急，怒喝道："四哥，你干什么？"钱大笆箩嘿嘿笑道："马上你就知道了。"蝶恋花急怒攻心，冷汗淋漓，猛地张开大嘴，银牙如刀，便要咬他，后槽牙上一枚细小刺青，光芒闪动。

钱大笆箩猛地一惊，倒退三步。

花绣虎大急："不可！四哥，汉王宝藏还有大半未发掘。你敢伤害师姐，就永远得不到全部宝藏！"

钱大笆箩恶狠狠道："交出地图！"

花绣虎冷笑道："交出地图我还能活命么？不过，我可以带你去找。"

钱大笆箩喝令将蝶恋花先带下去，又冲花绣虎阴笑一声："你会说出来的！"

冗余馆中。

花绣虎整个人大字形被绑在木架上。后背上汁水淋漓，旁边瓶子扔了一大堆，全是各类显形药水，什么黄酒、盐水、药汁不一而足，但他身上的少女刺青依然毫无变化。

花绣虎哈哈笑道："四哥，别忙活了，我的刺青变化已尽。"

钱大笸箩笑道："是嘛？我还有几个方法没试呢！"吩咐下人取炉烧炭，随手拾起一柄烙铁，塞入火中，不多时，烙铁通红，青烟直冒。

钱大笸箩端起烙铁，笑道："六弟，针刺刺青总能变化，只有这烙铁烙上的才算刻骨铭心，终生不变呢。"说着猛将烙铁烙上花绣虎肩头，顿时哧啦一声，青烟升起，焦臭扑鼻。钱大笸箩狞笑道："六弟，滋味怎么样？"花绣虎痛得咝咝抽气，嘴里却叫道："痛快！真他娘的痛快！"

烙了半个时辰，除了背上刺青处外，花绣虎几乎体无完肤，连两边脸颊都烙上了莲花烙印，但他死也不说。钱大笸箩无法，又怕刑罚过度致死，自己竹篮打水一场空，只好丢下一句狠话："收拾不了你，拾掇你老婆！"

流云掩月，夜色凄迷，山那边正在酝酿另一场秋雨。冗余馆中，蜡烛高烧，数十条铁索捆住一只硕大铁箱，数十庄丁佩剑悬刀，守卫左右，不敢有丝毫懈怠。铁箱子名叫铁樊笼，壁厚半尺，通体镔铁打造，铁门一合，三把巨锁死死锁住，一丝缝隙也无，是一口名符其实的铁棺材。此刻，铁樊笼内还装有一只小型铁笼子，花绣虎被五花大绑，戴着手铐脚镣蜷居其中，辗转不得。

廊下新搭了一个窝棚，四下棉布帘子遮蔽，捂得严严实实。钱大笸箩扯着蝶恋花钻入其中，半个时辰还没出来。

辰时，周遭建筑渐渐显出模糊轮廓，天空益发阴沉如水。

钱大笸箩一脚踹开窝棚，腮帮满是通红指甲印，怒骂道："臭婆娘，不知好歹，竟敢不从我！等我收拾完老六再收拾你！"一路骂骂咧咧，三步并作两步冲进冗余馆，喊哩喀喳打开铁锁，奋力拉开铁门，把蜡烛向里一照，不禁惊呼出声："啊？！"蜡烛险些落地——铁樊笼中还有一只铁笼，此刻透过铁栅栏看得分明，笼中手铐脚镣绳索蝉蜕一地，而笼中的花绣虎竟然消失不见了。

钱大笸箩虽惊不乱，举着蜡烛四下照看，四壁空空，根本没人。再照笼子，笼子栅栏完好无损，铁锁也牢牢锁着，难道花绣虎化作苍蝇飞走了？

钱大笸箩脑中忽然想起祖辈传下的遗书，心中一个激灵，伸手拽出铁笼子，旁边一人惊叫道："在那儿！"

钱大笸箩一看，笼子撤去，露出向壁侧躺一人，衣着破烂，瞧背影正是花绣虎。不由得又惊又喜，喜的是人没跑，惊的是他是如何褪去手铐脚镣钻出隙不容拳的铁笼子里的呢？

事态紧急，无暇细想，钱大笸箩一把扯过花绣虎，拖到眼前，用灯光一照，顿时惊魂出窍，冷汗倏地坠下——眼前此人似乎被点了睡穴，紧闭双眼，沉睡正酣。看上去肌肤细嫩，如初生婴儿，容貌酷似花绣虎，但昨日脸上烙印却已不见。钱大笸箩一把扯开此人衣衫，露出白净肌肤，并无半点烙印。会不会是花绣虎用画皮易容了？伸手掐其肌肤，根本没有伪装。

这人不是花绣虎！

那他是谁？花绣虎究竟用了何种方法偷梁换柱？又是如何逃出这密室的？

脑中电闪，只有一个理由：有内奸放走了花绣虎。但铁樊笼连同手铐脚镣的钥匙都在自己身上，寸步未离，纵有人想放走花绣虎，也不得其便。究竟是怎么回事？

正百思不解，忽然寒风飒沓，笼中那人忽然贴地滑出，直如一尾游鱼，顺其臂弯处扑出笼子外，顺手打翻了蜡烛。

钱大笸箩一时疏忽，脑中雷鸣电闪，那和花绣虎一般无二的冰凉肌肤："他、他就是花绣虎，抓住他！"嗖嗖嗖，屋里庄丁反应机敏，纵跃如飞，堵住门窗。

虽已清晨，但天色阴沉，屋中晦暗，瞧不清楚。啪的一声，蜡烛灭而复明。一团橘黄焰火照亮斗室。地下刑具和四周围桌案历历在目，却失去了花绣虎踪影。

不过转瞬间事，门窗都有守卫，花绣虎仍在屋中无疑。昨夜已检查过，屋中并无机关暗道。花绣虎究竟藏身何处？

钱大笸箩纵身一跃上了雕梁，手把烛火四下巡视，根本不见花绣虎踪影。地下庄丁也不闲着，弯腰撅腚，翻箱倒柜，四下查找。忽然，一胖庄丁脑后一痛，被物猛击，扭身回头，只见一条案板横放身后，案上花纹俨然，除此之外，别无异样。刚转头，脑后又是一记，那人扑通跌倒。旁边瘦庄丁惊觉，过来查看，灯光幽晦，未见异常。转身之际，脑后又起恶风，瘦庄丁反应迅捷，一招黄龙大转身，脚尖为轴，蓦地趻身后旋，同时折铁刀划一半圆，向后搂出——

嗤的一声，一缕青丝飘然撒落，却不见人影。瘦庄丁心头剧跳："难道花绣虎变成鬼了？"眼光瞥处，蓦地发现，身后那条梨花案不见了。

便在此时，倚在墙上的一具狗头铡忽然跳起，向他砸来！

"鬼！鬼啊！"瘦庄丁被撞晕倒地前，牙缝里钻出凄厉尖叫。

钱大笸箩听得叫嚷，飞身落地："什么鬼？"一高庄丁结结巴巴道："铡刀，铡刀成精了！"钱大笸箩喝道："胡说八道！"话音未落，小腿一痛，如被锤击，低头一看，却是一具重枷夹住了自己。钱大笸箩掣刀便刺，那重枷忽地分开，滚到法案下。钱大笸箩目光如炬，那物事虽像枷锁，却飘着一缕发丝。

钱大笸箩心如擂鼓，俯身案下，枷锁不见了，却多出来一张胡床。他心胆欲裂，喝道："什么铡刀成精！是花绣虎变的！"举刀便搠。

那胡床就地一滚，果然是个裸身男人模样，钻到刑具堆中，又不见了。

钱大笸箩叫道："大家一起来，乱刀砍烂屋中所有东西！"

乱刀一起剁上刑具，那裸身男人变化不及，抱着糟烂衣物蹿出。钱大笸箩得理不饶人，率众乱刀砍杀。那人借物为障，东躲西藏，左支右绌，狼狈已极。钱大笸箩大喜，觑准时机，射出三枚金钱镖。眼见那人躲避不及，忽然哗啦一响，窗扇破碎，一条白影飞身而入，挡在那人面前，扑扑，白影痛哼一声，扯起那人，掠窗而出。

大冢灵花蜷身藏在屋顶，偷窥到这一切，惊得目瞪口呆。

情为何物，大笑三声

两人急急似丧家之犬，茫茫如漏网之鱼，夺路而逃，蹿入山庄后园竹林之中。

那白影呻吟一声，一脚软倒。裸身男人俯身问道："师姐，你怎么了？"正是花绣虎的声音。那白影却是蝶恋花，听他说话，捂着肩膀瘸着腿，道："没、没什么，中了两镖！"忽而抬眼，却见花绣虎赤身露体，不禁大羞："你？你背上的刺青怎么没了？"

花绣虎赶紧将衣衫掩住下体："师姐，这是我的变化之术，穿上衣服就不灵了。"

蝶恋花奇道："什么？"

花绣虎道："就是孙猴子的七十二变。"

刚说到此处，外面人声鼎沸，脚步杂沓。有人道："是五当家的杀了两个弟兄，扯开绑绳，救走了花绣虎！"接茬是钱大笸箩的怒吼："这个贱人，不顺从我，倒对老六那个病鬼死心塌地。"又有人喝道："他们跑到竹林中了！"钱大笸箩怒吼："团团包围，架上弩箭，花绣虎抓活的，那个贱人死活不论！"

紧接着，便听刷刷刷之声，有人将刀抡圆，成片割倒竹林，向里逼近。蝶恋花急道："绣虎你快跑！我受伤跑不动了！"花绣虎道："要走一起走，要死一起死！"

蝶恋花鼻子一酸，珠泪潸然："绣虎，有你这话句话我就满足了！"蓦地抽出匕首："你再不走，我就死在你面前！"

花绣虎嘻嘻一笑："你不会死，因为我不让你死，该死的是他们！"说着撮唇长啸。随着啸声，草木窸窣作响，腥气扑鼻，山石后，树洞里，无数条蛇虫钻出，大的小的长的短的，青白紫花各种颜色，令人眼花缭乱。瞬间汇成一股洪流，如长堤决口，巨浪奔卷。

钱大笸箩哪见过如此阵仗，慌乱之中大喊："快！快射死它们！"

弩箭齐发，破空锐响。领头几条五花蟒长身弓腰，肚子蓦地鼓涨如圆球，锋锐弩箭射在其上，纷纷弹落。钱大笸箩骇然失色，脚底抹油，转身便跑。一条黑蟒腾空跃起，身子一卷，将他扑倒在地，捆成一个大粽子。

花绣虎和蝶恋花迈步而出，一场毫无悬念的战斗堪堪收尾。钱大笸箩并其手下横七竖八倒在地上，面色青紫，一动不动。万千蛇虫左右排列，弓身抬头仰望花绣虎，宛如群臣朝拜帝王一般。

蝶恋花暗暗称奇："绣虎，没想到你居然有驭蛇之术！"

花绣虎笑道："蛇，没有人那么坏，只要你真心对蛇好，蛇是不会伤害你的。"

蝶恋花紧紧握住花绣虎的手："绣虎，我也是真心对你……"

花绣虎泛着绿光的眼中满是暖意："我知道。"随即呼哨一声，蛇群听得号令，瞬间走个干净。

花绣虎道："师姐，你方才不是问我为什么没穿衣服吗？因为我会七十二变，你看。"说着将外衣系在腰畔，稍稍遮住羞处。身子一纵，爬上一株老树："师姐，看仔细了。"

此刻天光熹微，云隙间杀出一抹鱼肚白。蝶恋花定睛细看，花绣虎裸露的身体原本白净处忽然变得和那树干一般颜色，苍灰褶皱，若非天色较亮，几乎分辨不出。他又爬上焦黄树叶之间，身子也变得焦黄，并且布满花纹，形如树叶。不过片刻，连变数种颜色花纹，这才爬下树来。

蝶恋花两只眼睛都看直了。

花绣虎穿上衣衫："师姐，这才是真正的画皮之术。"

两人将满院尸首掘坑下葬，忙活了一上午。

时近中午，西风一吹，秋雨淅沥，笼罩了整个山谷。两人打了野味，稍稍果腹。便取了马扎，在滴水檐下听风听雨，促膝长谈。

花绣虎慨然叹道："没想到祸起萧墙，兄弟相残。师姐，这宝藏都归你吧。"

蝶恋花包扎完伤口，淡然一笑："绣虎，你看轻我了。金钱虽好，生不带来死不带去，有何用处？日后有暇，我们可将其一点点取出，赈灾济民，也不枉祖师们一番心意。"

花绣虎道："就依师姐。"遥望苍茫远山，迷蒙烟雨，出神半晌，又长叹一声："师姐，其实我山庄秘传的画皮之术，并非刺青，而是一种巫术。当年绣虎山庄覆灭，师祖花未开惨被官刑，逃到闽越之地，在花蛇蛮部安顿下来。当年行刑人话犹在耳：'你不是不说吗？我让你断子绝孙，空有宝藏无法享用！而我们，子孙绵延不绝，有人在就有一切，风虎云龙，也许有一天这天下都是我们的！'花未开每每念及，伤痛欲绝。花蛇蛮酋长晓得实情后，见他郁郁寡欢，犹豫了几天后，对他道：'若想长生，也并非无法。只是有一法门，太过残忍，不知你肯不肯？'"

蝶恋花心中一动："什么法门，祖师后来答应没有？"

花绣虎长叹一声："答应了。这个法门便是让族中信奉的蛇王咬伤。这种毒蛇除了冬眠蜕皮之外，还有几项异能：变色、再生。一旦被蛇咬伤，如果不死，便会感染蛇毒而异化，和蛇一样冬眠蜕皮变色再生。"

蝶恋花一惊站起："那么，祖师？"

花绣虎眼望山外，怔然半晌，一个天大秘密就在他舌尖上轻轻滑出："其实，其实花未开就是花绣虎，花绣虎就是花未开，就是花正好、花已残、花不败、花再生、花雕龙。"

蝶恋花惊骇莫名："绣虎，你！"

花绣虎也不知是悲是喜，浑浊两眼潸然泪下："其实，师姐，我是你的长辈，也是你的师父花雕龙。"

蝶恋花一屁股坐倒在地。

花绣虎仰天长叹："当年我被蛇王所咬，一连高烧半年，中间所历种种痛苦，直如炼狱，也许是凭着长生的欲望，我硬是活了下来。之后身上开始慢慢变化，体温变凉，身上随我意念可随时变色并现出各种花纹。为了掩盖这种功能，我便在身上刺青。后来一到冬季，我便嗜睡不醒，犹如蛇虫冬眠，呼吸心跳俱无，宛若死去一般。但我仍有感觉，亦可随时控制醒来时间。其实我诈死，并没有服毒，而是冬眠。正因为每年要睡上大半年，等于刨去大半年寿命，所以今年我一百二十八岁，实际上却是花甲之年，六十挂零。因为要冬眠，所以我每年秋季便借口觅徒，来到画皮山庄休憩。而且每隔几年，我皮肤瘙痒，便开始蜕皮。蜕皮之后，肌肤细嫩，宛若新生，但所画文身一起褪去，只好又重新勾画。"

"当年我回到中原，陆陆续续将汉王宝藏取回。但我生性孤僻，不擅交际，又怕财宝露白，引来杀身之祸。是以重新挑起刺青幌子，广招门徒，想要寻一忠肝义胆之人，将宝藏托付与他，造福百姓。可惜那些弟子都被鞑靼收买了，平时假情假意，却将消息泄露，抓我无数次，有将我锁在笼口里的，有将我浸在水牢中的。但是他们不知道，我拥有异能，身子绵软如蛇，脱离束缚易如反掌，江湖上最厉害的缩骨法也无法和我相比。每当我逃离魔掌，便留下线索，让这些傻徒弟们跟踪来到画皮山庄，可惜他们都没经过考验，全部死在了这里。每当死一批弟子，我便冒充自己的嫡系传人，改头换面重新出现，对师门往事闭口不谈。"

蝶恋花喃喃道："原来如此！难怪你和师父的容貌如此相像，当初我们都以为你是师父的私生子呢。"

花绣虎眼光如钩，想要在她脸上也挑起一张画皮来。

蝶恋花长叹一声："绣虎，你在我心中，不是祖师，不是师父，还是我的绣虎。我也跟你说实话吧。你的那些弟子，其中就有我的父亲。父亲加入绣虎山庄之后，过了几年忽然和庄主一起失踪，我和我娘都很着急。我父亲爱好写诗，每每将秘密隐藏在诗作里。我也是读了父亲诗集遗作，知道了绣虎山庄，这才前来拜师，想要打听出父亲的下落。没想到真相竟然如此！"

花绣虎道："你既然知道了，恨不恨我？"

蝶恋花道："恨！你杀了我父亲，我能不恨你么？"

花绣虎递过一把匕首："那么，你杀了我给你父亲报仇吧。"

蝶恋花道："我下不了手，我恨你，但我更爱你。所有人拜你为师，都是为了宝藏，包括我父亲。这不能怪你。"说着起身。

纷飞雨丝打湿了花绣虎脸颊，他感到一丝凉意直入心尖："你、你要走么？"

蝶恋花道："对啊，难道你不想走么？我们一起走，再拜一次堂。"

花绣虎心生暖意："虽然我被蛇王咬伤，拥有了再生之能，男根断手俱已再生，但我毕竟已过花甲之年了，你不过双十年华，你不后悔？"

"不后悔！"

绣虎山庄。

天空依然乌云密布，喜联喜字再次贴满门窗。喜堂之上，没有傧相，没有喜客。山庄内只有两个人：花绣虎、蝶恋花。少了几许热闹，却多了一分安宁。

洞房之中，红烛高烧。两人腮畔如霞烧，口中如含枣，都喝醉了。蝶恋花铺好崭新被褥："绣虎，时辰不早了，歇息吧。"

花绣虎踉踉跄跄来到铺前："好。"

蝶恋花道："我去方便一下，你等我。"

房门啪地一关，一缕馨香越飘越远。

蓦然间，门窗破裂，无数支火箭射入，幔帐被褥登时燃起，不多时，烧成一片火海。

房外，乌压压围着百十人。为首一人帷帽貂裘，满腮虬髯，用蹩脚的汉语道："美人，这么烧死他太可惜了吧。"

蝶恋花手拢鬓发，妩媚笑道："二王子，做人莫太贪，一个妃子少，两个妃子正好，三个妃子就多了。财宝也一样，贪得无厌只会适得其反。奴家和你聚少离多，还没亲热够，我可不想这么死了。"

二王子哈哈大笑："等收了花绣虎的尸骨，本王和你亲热个够！钱大笸箩这些蠢货，个个饭桶，本王这么多内间，只有你一人掏出了花氏百年诡秘，解开了祖上数代疑惑。"

蝶恋花道："你还说呢，正因为我身为暗间，掩藏得深，差点给钱大笸箩糟蹋了。若不是我急中生智，将牙上绝密刺青露给他看，只怕早成残花败柳了。"

二王子哈哈大笑道："为了这些宝藏，残花败柳也不冤！"

蝶恋花道："我入戏了，若不是每当阴天下雨，你赐我的伤疤隐隐作痛，我真的会忘了你，以为我爱上了花绣虎呢。"

二王子哈哈大笑："我那刺青还不错吧。不过，要是能找到那蛇王就好了。这画皮之长生之法，实在神奇得很。"

蝶恋花白他一眼："你要不怕变成冷冰冰的毒蛇，不妨去找。"

二王子哈哈大笑："那还是算了。"

话音未落，忽然洞房屋顶瓦片四溅如雨，漫天火鸦飞舞中，一人乘着一条生翼白蟒腾空跃起，冷喝道："狗贼，蛇王来了！"

蝶恋花定睛一瞧，吓得魂不附体，那人正是花绣虎！

未等在场人反应过来，那飞蛇盘旋而来，宛如穿花蝴蝶，巨尾横扫，眨眼工夫，百十来号人骨断筋折，殒命当场。

花绣虎跳下蟒背，一步步走向蝶恋花。

蝶恋花体如筛糠："花、花、绣虎！"

花绣虎仰天狂笑："你可能不知道吧，蛇王就在绣虎山庄，密室地下。你这画皮揭下得太早了！"

蝶恋花哆嗦着嘴唇道："绣、虎，我、我错了！"

花绣虎仰天再笑："你没错，我错了。一百年了，我以为人心都是肉长的，再恶的人，只要我对他好，他也不忍心害我，没想到我真看错了！"

蝶恋花涕泪横流："绣虎，我错了。我和你重新开始，好么？"

花绣虎仰天三笑："你没错，是我错！我给你吃穿，教你画艺，对你唯命是从。你是怎么对我的！而这个狗一般的男人，在你身上刻下屈辱的字迹，你却对他一心一意。你别以为我不知道，我早在暗中窥到，他在你私处刻着'贱人'两字。你如此对我，这般对他，这是为何？为何！"

蝶恋花扑通跪倒："绣虎，我错了！"

花绣虎将身侧移："你走吧，我再也不想看到你！"

蝶恋花简直不敢相信自己的耳朵："绣虎，你真的肯放我走？"

花绣虎长吐一口浊气："你再不走，我可要后悔了。"

蝶恋花缓缓起身："绣虎，我对不起你！"低垂的眼帘忽然一挑，肩头一抖，三支袖箭劲射而出，直刺花绣虎前心。

两人相距咫尺，花绣虎避无可避。

砰的一声，袖箭命中，如击盾牌，弹落在地。蝶恋花一声惊叫，瘫倒在地。

花绣虎也不看她："我忘了告诉你，蛇王还有一项异能，便是力大千斤，身软如绵，身硬如铁。你可能还不知道吧，钱大笸箩将我浑身皮肤烙伤，困在笼子里，我便蜕下一层皮，然后将旧皮吞入腹中吃掉了。但是那笼子缝隙太小，我身体骨骼虽能伸长变化，脑袋却不能，根本钻不出去。那时我便把铁棍扯弯，钻了出去，又把铁棍捋直，所以谁也没看出破绽来。都怪你太心急了，不容我把话说完，如果奥秘悉数被你知道，或许你能想出一个更好的杀死我的方法。而且，我也不是孤家寡人，我有蛇王帮助，八十年前，我被困死牢，便是蛇王带着两把宝剑，钻入死牢，将我救出。还有当初七大派高手莫名暴毙，也是我事先得知消息，在山道两侧林中放了毒虫飞虻，凡人一被叮咬，若无解药，三个时辰后暴毙，伤处皮肤显出莲花瘀痕。你们有同谋狼狈为奸，花某也有朋友鼎力相助，哈哈！"

蝶恋花绝望了，恶毒地盯着花绣虎："我没想到你也戴着画皮，而且还不是一层！"

花绣虎道："彼此彼此而已。"

蝶恋花道："你杀了我吧！"

花绣虎道："我从不杀人。一百年来，闯入画皮山庄的弟兄们，全部中了蛇毒，陷入冬眠之中。我想以后研究一种能让人心变好的药，到那时给他们服了，再复活他们！毕竟不管真假，他们确实有一段时间对我不错。你走吧，我不杀他们，更不会杀你。"

蝶恋花如蒙大赦，转身便跑。水袖一拂，袖中一点细微光芒湮没在沉沉天色里。

花绣虎啊的一声尖叫，捂住左眼。

墙上蓦地亮起一道银光，蝶恋花叫也没叫，便被一剖两半，血光飞溅如彩虹般艳丽。

尾声 恶棍横死，好人善终

一人如蜻蜓点水，飞下墙头，嘻嘻笑道："师兄，这么坏的女人你不杀，只有我作恶人了！"不用看，听那银铃般的笑声就知道是鬼谷女。

花绣虎手捂左眼，没有回答，鲜血顺指缝流出。蝶恋花临走之时射出一枚银针，刺中了他的眼睛。

鬼谷女来到他身边，道："师兄，这回我们成亲可以了吧！"忽然惊叫："师兄，你眼睛怎么了！"花绣虎强忍剧痛道："瞎了！"伸手一抠，将眼珠生生剜出。

鬼谷女失声大叫，又从怀中取出金疮药敷上，用布条勒好。鬼谷女心疼不已，要帮忙，花绣虎毫不领情。

"你这眼睛能不能再生？"

"不能！"

包扎完毕，花绣虎忍着剧痛道："从画皮山庄到绣虎山庄，你一直都在暗中偷听吧。"

鬼谷女看着他痛苦，自己也疼得龇牙咧嘴道："是啊。"

花绣虎道："其实我是花未开的时候，你们六人的祖上便加害于我。你的祖上当时便是我七妹，和其他几人都是刺青大会的参与者。因为我技法高超，他们觊觎那千两黄金，便合谋要害我。被我无意中听到了，这才遁入深山，想要逃走。不巧遇到陈女，在背上文了宝藏刺青。当时我想带着刺青逃走，但又实在舍不得七妹，便铤而走险，说出了刺青奥秘，这样既可让她钟情于我，又无法杀我。没想到后来他们虽没杀我，却用尽诡计残害，让我生不如死。后来我改头换面，他们的后代又来了，还做我的师兄弟，以为我不知内情，继续害我。连你也是光明堂的人。"

鬼谷女笑道："他们是他们，我是我。难道秦桧的后代就没好人了么？师兄没听过那句话么'身在曹营心在汉'。还有个词叫'反间'，我就是打入他们内部的反间。师兄，你用一百年来考验人心，如今终于大浪淘沙选出了我。我们成亲吧。"

花绣虎没瞎的那只眼陡地瞪圆，咬牙切齿恶狠狠道："可怜我老娘就是死在你祖上之手，此仇不共戴天！父债子还，我不杀你也就罢了，岂能与你成亲？"

鬼谷女破天荒正容道："俗话说'恩不过百年，仇不传三代，冤仇易解不宜结。'伯母惨死我很痛心，但是一百年了，这仇恨你还放不下么？"

花绣虎冷笑道："酒越陈越香，恨越久越深。你和七妹是一个模子刻出来的，都是细眉吊眼歪嘴薄唇，生性最是凉薄。你以为我真的瞎了眼么？画虎画皮难画骨，知人知面不知心。你说你是好人，我凭什么相信！只有禽兽，你真对它好，它才不会害你！"说着扯开衣襟，露出胸膛。伸手一抹，现出两字："蛇王！"

"用我肝胆，刺你芳名。我的心里只有她。"

还是那个喜堂，还是那个新郎，只是新娘换了——凤冠霞帔下裹着一条浑圆修长银白花纹的蛇身，盘了半个屋地。

鬼谷女站在门槛上，气得跳脚骂："你个混蛋花绣虎，你居然和一条蛇成亲？"

花绣虎冷冷瞪她一眼，刚要说话，忽然脚下一软，咕咚栽倒。

蛇王见他摔倒，蜿蜒爬过，将蛇信子在他脸上乱舔，忽然咝咝一叫，身子一软，趴在地上也不动了。

鬼谷女骂得唾沫乱飞，赛过一场暴风雨。正起劲时，忽见异变，扑过来看时，却见花绣虎双目紧闭，业已气绝身亡。那条蛇也已死了。

鬼谷女骂道："花绣虎，你个混蛋，还用冬眠装死呢！"心中暗忖："天冷蛇才冬眠，须用火给他烤过来。"忙忙生了八九盆炭火，围在花绣虎周围，闹腾半晌，花绣虎还是一点动静也无。

鬼谷女心下着急，又烧了一锅热汤，用澡盆盛了，将花绣虎浸入其中，还是无济于事。

正当她忙得满头大汗黔驴技穷之时，屋梁上忽然有人笑道："鬼姑娘，别忙活了。"话出人到，大冢灵花背着铁笼子掠下雕梁。

鬼谷女心头一惊："你、你什么时候来的？"

大冢灵花咯咯一笑："来了好几天了，天下之大无奇不有，真是大开眼界啊，是不是，呆头鹅？"

肖不平倚着笼子长叹一声，并不接口。这几日的经历实在太过惊心动魄，他这个局外人亦感同身受。

鬼谷女奇道："肖大捕头怎么钻进笼子里了？"

肖不平道："笼子里憋屈，谁愿意往里钻，和你花师兄一样，是被人锁进去的。"

大冢灵花道："我天天侍候你，你还憋屈？"

鬼谷女瞧两人神色，心中登时明了，眼下也无心细问，便道："肖大哥，大冢姐姐，你们神通广大，救救我师兄！"

肖不平道："我倒有个办法，不过你要给我们做一顿好吃的，这两天啃冷馒头，我的肚子都快饿瘪了。"

鬼谷女大喜，立即下厨，做了桂花茯苓膏、八宝莲藕粥、什锦鸡、水煮鱼，一股脑端了上来。

大冢灵花要喂他，肖不平把脑袋晃得像拨浪鼓："好歹打个牙祭，我可不想再吃一顿巴豆粉。"原来一路上，大冢灵花斗嘴不敌，便使坏往他饭里下巴豆粉，把他折腾苦了。

鬼谷女喂他吃完，还没收拾碗筷，便问道："肖大哥，你有什么好办法？"

肖不平惬意地打着饱嗝："我的办法就是：问你大冢姐姐，她鬼点子多。"

大冢灵花摇头道："没有好办法。"忽然眼珠一转，"对了，你的《僭天书》中不是有《画皮》这个故事么？结局你没改？"

一句话提醒梦中人，鬼谷女一拍大腿："对啊！不过这故事只有章节目录，没有内容。我看了有'新郎逢凶'本想改掉，但瞧后面还有一个'死而复生'。猜到肯定师兄没事，谁想到师兄复生之后又死了。"

大冢灵花循循善诱："你一点没改？"

鬼谷女道："我抄了肖大哥的结尾：恶棍横死，好人善终。"

大冢灵花一拍大腿："错就在这！你师兄年过花甲，如今寿数已到，无疾而终，可不算是善终么？"

鬼谷女跺足哀叹："我没想到这点啊！那可怎么办？"

大冢灵花拍拍脑门："没关系，这写书人神通广大，你再添个结尾，复活你师兄。嗯？就叫'好人长命，绣虎重生！快快，时间长了腐烂了，神仙也救不活啦！"

鬼谷女心慌意乱，慌忙去怀中掏书，掏到一半，忽然住手："大冢姐姐，你不是想趁乱偷我的书吧？"

大冢灵花被人识破，尴尬一笑："谁像你暗中捣鬼，我要书也要光明正大的抢。不对，是换。"说着从兜囊中伸手掏出那只眼状琥珀："这是上古奇珍，名叫窥天神眼，可以看透人心美丑。知道秦王的照骨镜么？窥天神眼比其更神奇。花绣虎瞎了一眼，安上它正好。如果你愿意的话，我愿用神眼交换你的《僭天书》。"

鬼谷女想也没想，便道："好！"伸手入怀，手却僵在了那里，《僭天书》业已不翼而飞！"我的书丢了！"翻遍全身，也不见《僭天书》的影子。

大冢灵花瞧她不似作伪，只好快然道："既然无缘，我也不勉强了。"说着便要收起窥天神眼。

鬼谷女嗫嚅道："这眼睛能否给我？"

大冢灵花为难道："此宝我视同生命，你便给我汉王宝藏我也不换。"

"这？"

"也罢，瞧你可怜巴巴，我心就是软，忍痛割爱送给你了。不过你可要记住，欠我一个人情。"

云横长天，秋天萧瑟，眼见两人身影湮没在萧萧古木之中，鬼谷女忽然一阵酸楚：他二人虽然冤家路窄，却相依相伴，难舍难分。而花绣虎已死，自己飘零一身，又该何去何从？不自觉滴下泪来。呆立许久，泪水冰凉，她抬手拭泪，偶然一瞥，忽然发现手心处显出三个字："秦皇陵"！

有人在自己手上写了字迹，自己居然不知道？会是谁呢？细细回想，白日里接触自己的只有花绣虎和肖不平，花绣虎已死，难道是肖不平搞的鬼？方才肖不平故意让我喂饭，难道就是为了接触我？我的书会不会被他盗走了？我一点察觉也无，肖不平妙手空空之术难道这么高？

鬼谷女前思后想，如果追去向肖不平讨书，一来太过冒失，二来肖不平既能盗书，只怕还有更厉害的后招。又一想，肖不平心地善良，如果书被他盗走，不会对花绣虎不利……那么他提示我秦皇陵有何含义？不管如何，肖不平不会害我。

一念及此，鬼谷女立马收拾细软，马厩中牵出一匹好马，其余马匹尽皆放掉。套上马车，将花绣虎尸体放入其中，想了想，将那蛇王也搬上车去。

马鞭一响，车轮辘辘，两道车辙随着山路蜿蜒而去。

古宅深深，鬼气森森。

"客人，你要刺青么？墙上有画样，你随便挑。"斗室之中，光线晦暗，肖不平左右四顾，案上放着针具、线尺、颜料。墙上挂着大小不等的画本清样。不过画的物事只有一个，那就是蛇！肖不平一哆嗦，问那刺客道："你为什么总低着头？"那刺客阴森森笑道："我怕你害怕！"说着长发向后一甩，露出一张蛇脸，扁头尖吻，舌头分叉，吞吐不休。

肖不平心胆欲裂："我不文了不文了！"那刺客啐啐冷笑，抓起一排簇针，身子一弹，欺身而至，一把撕开肖不平衣袖，不容分说，向下便刺！

西风古道瘦马，不对，是瘦驴。也没有夕阳西下，天空彤云密布。两个人在天涯。大冢灵花骑着葬蘷，肖不平偎在笼子里……

猛然间，肖不平一声惊叫，大冢灵花一激灵："喂，你干吗？"

肖不平擦擦冷汗："我做了个噩梦！梦见一条蛇给我刺青。"

大冢灵花哈哈大笑："没想到肖大捕头也有害怕的时候啊！"

肖不平心有余悸："就刺在我胳膊上了，哎哟，我胳膊有点痒！"撸起袖子一看，不禁大惊失色，就在他胳膊上，出现了一道花纹，好像一条锁链，向肩头延伸！

"这是怎么回事？"

大冢灵花探头瞅瞅："哈哈，你这是被那女鬼附身了！"

肖不平白她一眼："你才被女鬼附身了呢？"

大冢灵花嘻嘻笑道："附我身的只有男鬼！"

肖不平低头沉吟，再不吱声。

大冢灵花笑道："你被困在笼子里，鬼谷女的书还丢了，被谁偷去都不知道？下一部《如梦令》，你怎么改？"

肖不平蹙眉道："只能去案子发生地了，但这个故事里人物地名，全用甲乙丙丁代替了，我们连要去哪找都不知道。而且后面这些故事发生时间接近，我们分身乏术，顾此失彼，真叫人发愁。"

大冢灵花哈哈笑道："反正我是无所谓，我又不想做侠客。"

肖不平冷笑道："真的么？先前你用一颗琥珀塞入我伤口，我身上便生出了花纹。这回你将窥天神眼送给了花绣虎，下一个琥珀你会送给下一个侠客吧？所以，你比谁都想找到下一个故事中的主角。若我猜的不错，你这么做肯定是依照《纂天书》指示，只不过这些内容被你抹掉了，我们没看到而已。"

大冢灵花笑道："不愧是肖大捕头！慧眼如炬。我的书上所说，这三十三颗琥珀，本是上古奇珍，各有奇能，若我想笼络人心为我所用，可以送人做个礼物。这也是写书人送我的礼物。本来第一颗我应该送给武玲珑，但我喜欢你，就送给你了；第二颗要送给史天骄，但是我讨厌她，所以本来应该给她的那颗等遇到武玲珑送给武玲珑吧；第三颗送给花绣虎，本想顺带换来《僭天书》，没成想，倒贴去了。"

肖不平冷笑道："看来你所图甚大啊！"

大冢灵花掐着手指尖笑道："不大不大，也就是中原这么一点点地方。"忽然眉头一皱："会不会是鬼丫头又跟我们玩诡计，书还在她那里，她却装腔作势嚷着丢了？"

肖不平道："不会了，因为她是真爱花绣虎。"

"真爱？什么叫真爱？"

"其、其实我也不知道！"

彤云万里，西风忽转北风，飘飘扬扬落下片片柳絮般的雪花来，这是今年的第一场雪。初时，还见路上两行蹄印，不大一会儿，便给雪藏得无影无踪了。

如梦令

窃天书之四

疑梦

啊！

鱼梦痕从噩梦中醒来，冷汗淋漓，拥被坐起，去摸床头衣衫，却摸了个空。睁眼四顾，却见衣衫扔在床尾，记得昨日临睡前挂在床头的，难道记错了？扯过来穿时，湿嗒嗒的，难道茅屋漏雨了？床下无水渍，屋顶也没窟窿，靴子胡乱扔在地下，沾满污泥。

连续几年，每隔几晚，一梦醒来就出现这种怪异现象。

难道我夜间出去做了什么？

鱼梦痕蹬上靴子，翻翻案头黄历，今天是嘉靖二十四年八月初七。

榆木桌上放着春梦无痕枪。这是条软枪，枪头为钥枪篆为锁，平时盘在腰畔，头尾相扣如一腰带。枪头缀七只银环，各錾刻四字，套入枪尾锁住，开时需拨转银环到特定位置，除了他，别人解不开。他捉起宝枪，拨转银环，枪头弹出，血槽中一缕，心头咯噔一声，又有血渍？

他盘枪腰间，一个箭步蹿出门去。虽宿雨已停，天色依旧阴霾。阶下水洼联翩，一行新鲜泥脚印赫然在目，从院外一直延伸到脚下。鱼梦痕低头细看，脚印鞋纹正是自己的，看来自己昨夜又出去了，可去做什么了？为何一点也想不起来？

他头痛欲裂，折身回屋，灌了一肚子老酒，躺在床上，蒙头便睡。

鱼梦痕虽然只是襄阳府一捕头，名声却响彻天下。本朝四大名捕：洞烛乾坤肖不平、幽冥鬼捕大冢灵花、天眼妖瞳鬼谷女、手到擒来鱼梦痕，四人各负盛名。鱼梦痕因藐视权贵，不受世人待见，屈居末席。但比起其他三位，他破案更是独辟蹊径，从不亲临现场调查，而是打一壶武当美酒极品佛手露，一口落肚，拉过床头大被，呼呼大睡。饱睡一昼夜，忽然掀被跃起，两眼如灯，雷霆一指，点出凶犯，将案情从头至末娓娓道出，宛如亲见一般，毫厘不谬，其神奇一至于斯。故而坊间有传言，鱼梦痕乃梦神周公转世，能入他人梦中窥得真相。

但今日他却睡意全无，脑中杂念琐碎，连不成完整场景。躺了一会儿，再也忍不住，鱼跃而起，拨转枪上圆环，四字连成一首诗："旧事经年浸雨痕，浮生如梦记不真。三生石堕阎魔海，遗梦瓶里悟前因。"看罢，终于下定决心，一跺脚，出门而去。

近年来鱼梦痕精神恍惚，破案缉凶成绩大打折扣。府尹令其赋闲修养，却不敢革职问罪。只因鱼梦痕有一个好朋友——肖不平。肖不平是皇帝的红人、武太师的快婿，谁敢得罪？（此时是发生鬼眼浮屠案的前一年）

鱼梦痕寻路下山。山路两旁，本来错落有致的农田被暴雨豁出无数沟壑，青禾黄穗歪倒在泥沼里，狼藉不堪。路边三两草舍，都被暴雨损坏，早起便有邻人苫草砌墙，忙碌修葺。又是个灾年，穷人可怎么活。正寻思间，邻居张老虎家破门一开，张老虎拖着个女娃娃冲出来，后面他媳妇呼天抢地哭骂。

鱼梦痕喝道："张老虎，你干什么？"

张老虎缩成了张老鼠："鱼捕头，家里揭不开锅了，俺寻思把娃儿换点米面，度过灾年。你放心，只要老天爷开眼了，俺马上再把娃儿赎回来。"

鱼梦痕大喝一声："放屁！娃儿卖了还能买回来吗？我家还有几斗米，你去拿，再敢动这歪脑筋，我送你蹲大狱！"

张老虎咧嘴笑道："那敢情好，有的吃了。"

鱼梦痕怒道："滚，快去拿粮食！"

张老虎放了女儿，拣条大号麻袋，腰间又别了两个竹瓮，屁颠屁颠去了。

鱼梦痕心乱如麻，飞沟越壑，不觉下了山冈，山脚是一片湖泊，碧波潋滟，浩渺之间，难穷尽头。今年雨大，堤旁垂柳早没了顶，一架新木桥就着一块巨石，搭成临时渡口。桥下系一扁舟，鱼梦痕跳下小船，解开缆绳，扳桨向湖心划去。

这湖有个名堂叫阎魔海，呈漏斗形，湖心最深，打着漩涡瞧不见底，勾去了无数人的魂魄。船到湖心，离漩涡数丈，鱼梦痕停下小船，换上水靠，潜入水底。

他要捞的不是鱼，而是他的秘密。因他从小喜欢做梦，且嗜酒如命，整日醉醺醺的，常把现实与梦境弄混，便将一些秘密写下，装入瓶中，藏到湖心，等以后捞取。在水中，他真就是一条鱼，无人能比。敢入阎魔海且能生还的，整个襄阳府唯他一个。

三年前，鱼梦痕曾因一起案件受伤失忆，忘记了很多事。这些日来睡卧不宁，醒来每觉浑身酸痛，种种怪异现象层出不绝。不由他不怀疑，自己以前究竟经历过什么？枪中刻字分明就是提醒自己，阎魔海中有丢失的记忆。但他一直逡巡不定，每到湖边，便怯步不前，冥冥中只觉得这湖中真有个封印的魔鬼，他实在不想触碰这个禁忌。今日又发生了这种怪事，他再也忍耐不住，决定先探个究竟。

大水汪漫，鱼梦痕钻入湖下百尺，压力剧增，水流如墙壁裹压过来。他封鼻闭口，只凭一口真气维系周身血脉运行。忽然间，脚尖一软，踏到沙地，他半睁开眼，周围混沌一片，丈许开外，视物不清。他随着水流摇来摆去，摸索一会儿，沙底露出一截断壁残垣，一块多窍石头赫然现形。他挨个探手摸去，终于在一个孔窍中捉到一只铜瓶。瓶子卡在孔洞中，被一条铁链拴牢。他解开链子，拿出铜瓶，钻出湖面，回到舟中。

青铜镏金瓶，金漆大半剥落，铜花斑驳幽绿。高有半尺，广口大腹，腹上錾刻三字"遗梦瓶"，瓶身刻有细密的螺旋花纹，看久了，那花纹好像在旋转一般。鱼梦痕头晕心悸，急忙转眼看那瓶口。瓶口有盖，盖子井字形列出九个铜铸方块，上錾七个阳文汉字：你、我、他、爱、恨、不、要。

鱼梦痕拧转几下，瓶盖纹丝不动。瓶子抓在手里，冰冰凉有一种熟悉的感觉，上面这七个字亦似曾相识，看来机关应该就在这七个字上。试着拨转，咯噔一声，机括响动，无字处凹陷下去，字块位置转换。开启瓶子的钥匙应该就是排列这七个字的顺序。七字组合，按玄天算经上记载的长阶数阵算来，共有五千零四十种。组成句子后，意思都不一样。细细品读，这短短七字，竟然包含了古往今来的一切悲欢怨怼。想了想，他拨转字块，排成："我要爱你不恨他。"嗒的一声，瓶盖中那个"不"字豁然启开，一卷纸帛倏地弹出。

那是一封花笺，笺是心仪堂所制薛涛笺，上面画了一支莲花，被一只黑手折断，旁有字迹："闻君有女，尚未破瓜。如此尤物，惹我情发。八月初八，某来采花。人间极乐，哈哈哈哈。"

"采花帖！"鱼梦痕托着花笺，双手颤抖。虽然丧失了记忆，但也听别人说起过，三年前自己未曾侦破并因之受伤失忆的那起采花案，便是采花贼先发采花帖。采花帖被采花贼寄送，自己搜罗后留作证据装入遗梦瓶中，也不奇怪——最恐怖的是这字体，一勾一画正气堂堂，正是自己的笔迹！

难道自己就是那个采花贼？

梦游

八月初八凌晨。

鱼梦痕一宿未眠，鼓捣遗梦瓶，但那七个密码文字再也没拼对，就此锁死了。正不耐烦时，忽听外面脚步噼啪，柴门响处，一人闯入，叫道："鱼捕头救命昨天早上我收到一封采花帖要害我儿梦蝶和三年前的一样昨天晚上我和萧公子守了一夜采花贼没来今天就是八月初八了鱼捕头梦蝶和你有同窗之谊你可要千万要救救她啊！"吐字不顿，一气呵成，说完最后一字差点没噎死过去。

鱼梦痕抬起通红眼珠看去，来人五旬开外，胖脸白须，一身名贵员外袍沾满泥浆——却是襄阳府大布商庄北溟。说起来，鱼庄两家本是世交，鱼梦痕幼时和庄北溟女儿庄梦蝶订了娃娃亲，可惜他父母早丧，庄北溟便翻脸不认账。鱼梦痕有自知之明，也绝口不提。如今女儿成年，庄北溟攀龙附凤，许与襄阳府尹萧南焱三公子萧梦虎为妻，昨日才办的定亲宴席。

鱼梦痕看到他，心里像打翻了五味瓶。详细询问，原来昨日宴席散后，庄北溟回到内室，就在书案上发现了这张采花帖——三年前，同样的采花帖出现在他的连襟刘农府上，鱼梦痕将刘家三女锁入密室，自己怀揣钥匙守在屋外。等第二日天明，刘农到密室前，鱼梦痕却不见了。破开密室，发现三女晕倒在地，衣衫凌乱，业已破身，屋中残留着一丝迷香味道。第三日傍晚，有樵夫在三十里外山涧边发现了卧在浅滩的鱼梦痕，鱼梦痕脑袋肿如麦斗，所幸未死，被救醒后，竟然失忆了。所以那夜究竟发生了什么，便成了一桩悬案。刘农是有头有脸的人物，家丑不可外扬，只能打落牙齿和血吞，和官府定了私约，草草了事。那案子，庄北溟也是见证人之一。以往，为避免家丑外泄，刘家亲眷对那案子一直避而不谈。今日庄北溟为了救女儿，才将当年案情抖个底朝天。

　　鱼梦痕脸色惨变。自己掌握钥匙，只有自己能开启密室，凶手岂不是昭然若揭？他接过庄北溟手里的采花帖，颤巍巍掏出另一张从遗梦瓶中取出的采花帖，两相对照，纸张、字迹、墨色分毫不差。就在那破榆木桌上，放着笔墨纸砚，他嗜好文墨，诗词曲赋无一不通，所以生活虽俭朴，于此道却甚是奢侈，砚是端砚，墨是徽墨，笔用三两银子一支的宣州春秋斋名笔"龙胎凤毛"，纸用一两银子一打的心仪堂薛涛笺。

　　两张采花帖的纸张和桌上剩余的一模一样。

　　眼前铁证，结合近日来种种怪象，鱼梦痕腮畔汗下如雨："你找对人了，我就是那个采花贼！"

　　庄北溟简直不敢相信自己的耳朵："鱼捕头，都什么时候了，你还和我开玩笑！"

　　鱼梦痕猿背蜂腰，身若春树，鹅蛋脸清雅俊秀，且一脸善相，这模样，是采花贼的脸谱么？

　　鱼梦痕一屁股坐倒："也可以说我不是那个采花贼，因为那个采花贼不是这个我，而是另一个我！"

　　庄北溟越听越糊涂："你有同胞胎兄弟？"

　　鱼梦痕摇头叹道："不是，我患有梦游症，那个我是梦游中的我。"

拾梦

时近中午，老天爷阴沉着脸，不时掉几颗泪疙瘩。连年旱涝不均，粮食匮乏，物价飞涨，乞丐满街。而街上多是男人，鲜有妇女。原来近些年海禁，禁了东西方贸易，但陆地丝绸之路尚在，不时有高鼻深目浑身长毛说着鸟语的西方商人和浑身黧黑的昆仑奴成群结队牵着骆驼混迹中原，用香料宝石象皮换走陶瓷丝绸茶叶，同时也对黑发黑瞳的汉家女子大感兴趣。一些汉女也厌倦了平脸黑发的汉子，垂青于那些夷人。于是，或明买或暗抢，中原妇女大肆西游。那夕阳西下，远去的一串串大漠驼铃和叽里咕噜的鸟语中，便多了些或欢乐或哀婉的秦腔京韵。

自古襄阳出美女，所以襄阳府受灾最重。不少富贾为了暴利，大肆买妻购妾，倒手卖给洋人。积年累月，早将襄阳美女搜罗一空。剩下的除了稚儿老妇便是丑女。女人一少，许多壮年男子讨不到媳妇，便往三瓦两舍里跑。勾栏本是销金窟，几个能填得起？于是夜黑风高，剜门撬户，淫辱妇人的恶案便屡屡发生。鱼梦痕曾经一日捉十贼，枭首示众，以儆效尤。但食色性也，禁是禁不住的。鱼梦痕坐困愁城，任是天大本事也无计可施。最近一年来，襄阳府又出现了一个夜游魔，深夜出现，专给洋人富贾割阳去势——说白了就是阉人，受害人数达数百。鱼梦痕亲自督查，却一无所获。

僻路小巷中，鱼梦痕行色匆匆，赶往庄府。刚才鱼梦痕磨破了嘴皮，庄北溟也不信他是采花贼，非要他一起去破案不可。

小巷深处，忽然传来一声女孩尖叫，叫到一半戛然而止。鱼梦痕一惊，腾身寻去，却见一樵夫将一小女孩摁在墙角，手忙脚乱脱其衣服。鱼梦痕大怒，一把扯过樵夫摔在地上。小女孩连滚带爬逃走了。

那樵夫刚想起身，鱼梦痕啪啪俩耳光将他又扇倒："狗淫贼！"那樵夫认出了他："鱼、鱼捕头！俺、俺不是狗淫贼！"

"你不是谁是？"春梦无痕枪倏地弹出。

那樵夫急红了脸："就算你杀了俺俺也要说！是、是你们这些狗官！凭什么你们三妻四妾，俺们一个暖被窝的都没有！俺老婆被这玉器行的钱大头买去了，他玩俺老婆，俺憋不住了就玩他闺女！凭什么他不是狗淫贼，俺是狗淫贼！凭什么！"鱼梦痕一愣，举起的枪慢慢收回："滚，你滚吧！"那樵夫如蒙大赦，撒脚就跑。

庄北溟道："就这么放他走了？"

鱼梦痕仰头看天："我抓得了小贼，抓不了大贼。或许，我也是一个淫贼。老天爷造出了男女，实在是造孽啊！"

庄北溟咧嘴道："天地造物本就不公，虎吃狼，狼吃羊，羊吃草。便说这男女，男人三妻四妾花天酒地叫风流，女人红杏出墙便叫淫荡。这也罢了，女人十月怀胎一朝分娩，受尽多少苦楚，末了娃子还要随男人姓。至于红颜薄命蒙人污垢，更是大大的不公，不公！"

鱼梦痕沉吟道："你所言正是我心中之结。亏我生为男人，尚可主宰命运。不过女人的命运，多被男人左右。我常发奇想，若有一天这男人全部变成女人，是否才能思己及人，感同身受？我忽然有点佩服那个夜游魔，也许他在替天行道。"

庄北溟尴尬一笑："只怕你所想的，未必便是女人的心思。"

转过一个胡同，一阵臭气扑来，巷子里蹿出一人，一把抱住庄北溟大腿："岳父大人，明年春闱会考，我定会金榜题名，相信我！"庄北溟低头看去，那人蓬头垢面，满身恶臭。不禁大怒，猛地一脚蹬开，喝道："谁是你岳父，滚滚滚！"那人勉强爬起，嘴里喷着血沫，歇斯底里叫道："岳父大人，我与梦蝶五年前订了婚约，父母之命媒妁之言，难道你因我家道中落便要悔婚吗！"

原来庄北溟断了鱼梦痕的娃娃亲，五年前，先将女儿许给了周梦熊。三月前，一身乞丐打扮的周梦熊拿着婚书信物前来庄家认亲。庄北溟得知其家道败落，当场悔婚。周梦熊一闻噩耗，撒泼耍赖。庄北溟软硬兼施，赶走了周梦熊。为了绝他妄念，马上找媒婆给女儿物色人家。府尹萧南焱得此消息，立马给儿子萧梦虎求亲，庄北溟大喜过望，欣然允诺。昨日乃定亲之日，周梦熊又来闹腾。萧家有权有势，他离门半里，便被几条壮汉架起，扔到郊外饱受老拳。

周梦熊见庄北溟如此绝情，破口大骂："姓庄的，君子之泽，三世而斩，我不信他萧家能永世富贵，我周某便不能咸鱼翻身，总有一天，你会后悔的！"

庄北溟哪有心情听他胡说八道，转过街角不见了。

鱼梦痕和周梦熊本有同窗之谊，早年同学武当，今天见他这般落魄，心下恻然，摸出一锭白银，放在地上，默默离去。

周梦熊恨得牙根痒痒，将拳擂地，搌得血肉迸开，恶狠狠扔掉银子："鱼梦痕，你个伪君子，用不着你假惺惺做好人！当年我抢走你的梦蝶，如今又被萧梦虎抢去，只怕最开心的就是你吧！"

斜风细雨中，桂花的馨香飘过巍峨墙头，夹杂着公子小姐的打情骂俏声，是那么讨厌可恨。周梦熊捂着瘪肚子，摸黑溜边，走近了一个垃圾堆。窥得左右无人，猫下腰，仔细翻找起来。哇，老天开眼，树荫下居然有一撮馊饭，在他眼里，这便是山珍海味——年荒岁歉，馊饭也不多了。饭下垫了一张黄裱纸，周梦熊双手兜起纸张四角，埋下脸去，吭哧吭哧几口便将饭团吞入腹中。左右四顾，到处是牛屎马溲，再无可充饥之物。想当年饫甘餍肥何等享受，如今竟然连一餐饱饭也不能满足，活着还有什么意思？周梦熊忽然悲从中来，旋即怒满胸膛，一声怪叫，双手一扯，便要将手中黄裱纸当成萧梦虎庄北溟庄梦蝶扯烂撕碎，可是他眼光一瞥，手忽地顿住了——纸上写四个大字："梦乡通告。"笔画苍劲，乃正宗柳体。周梦熊书香世家，诗书兼好，一瞧这四字，便不由喝声彩。下面数行小字："武当山梦乡圆梦山庄布告天下：道有三劫，佛有八苦，天残地缺，况凡人乎！然则人是万物之灵，逆天改命，今可圆之。穷变富，丑变美，懦变勇，女变男，只在一梦之间。凡有意者，可持此布告去武当圆梦山庄一游，请君入梦，凡君所欲，醒即成真。神鬼暗窥，天地同鉴，如有虚假，人神共弃。过路君子，勿以为笑谈。"下面落款："圆梦山庄庄主恭候大驾"。附有详细地图。

周梦熊满腹狐疑："这布告究竟是真是假？瞧这纸张，是三文钱一刀的黄裱纸，但看这字体，却是颜筋柳骨，出自大家手笔。书法有云：'心正笔正'，这笔体端方雅正，作者必然也是满腔正气之士，想来所言并非玩笑。也许这布告贴在某处，被村妇当成笑话撕了，又当成垃圾袋扔在此处，真乃暴殄天物。'凡有意者，可持此布告去武当圆梦山庄一游，请君入梦，凡君所欲，醒即成真。'此言若真，那我的梦想不就能实现了么？即便是假，我如今一无所有，还能损失什么？"一念及此，周梦熊再不犹豫，将布告揣入怀中，也不顾路人侧目，狂奔出城。

那边厢鱼梦痕转过街角，蓦地一支细竹竿拦住去路，鱼梦痕低头一看，竹竿上扯着幌子，写道："十卦九不准！"鱼梦痕天不怕地不怕，就怕这支竹竿的主人，随即掉头就走。那竹竿主人早探头过来，阴阳怪气道："鱼大捕头，我瞧你嘴唇干裂面色憔悴，肝火入脑，肾水枯竭，近来必定阴阳不调，失眠多梦，贫道有个药方，要不要试一下？"

庄北溟抬眼一看，那人扮相怪异，头戴九莲道冠，身上却穿了件儒衫，脚下蹬了双多耳麻鞋——正是这县城的阴阳先生姬梦邪！模样倒也周正，但打扮不伦不类，说话阴阳怪气，要多讨厌有多讨厌。

庄北溟赶紧上前打躬，皮笑肉不笑道："原来是姬仙长。我找鱼捕头有点琐事，恕不奉陪。"

姬梦邪两眼一亮，一把扯住庄北溟袖子："世叔，我已和你说过多少遍了。蝶儿属虎，萧梦虎属蛇，蛇虎婚配如刀锉，不是蛇吞虎，便是虎噬蛇，没有好结果。且蝶儿是石榴木命，萧梦虎是霹雳火命，火焚木，是为大凶。侄儿我属龙，龙虎相配，风虎云龙事必成。况侄儿又是金箔金命，咳，这个不算。我应该是井泉水命，水润木，是为上吉。我与蝶儿五行八字完全匹配，可谓珠联璧合佳偶天成。还望世叔三思，成全我们。"

庄北溟气得鼻子都歪了："属相八字，都是小事。你举止猥琐，家世累贫，哪点能与蝶儿相配，真是癞蛤蟆想吃天鹅肉！"一甩袖子，掉身行去。

锁梦

庄家。

鱼梦痕弯腰细细搜寻，好在昨夜未下大雨，终于在花园墙头发现了一个残留的足迹，鞋纹和自己的一模一样。扒开爬山虎叶子覆盖的枯井，发现里面扔着一条狼狗尸体，捞起一看，狗尸尚新鲜，看来死了超不过三日，一道三棱形血口贯穿狗腹，和自己的春梦无痕枪尖正好吻合。

庄北溟一拍大腿："这狗便是发现采花帖那日丢失的，当时晕头了，也未细找。"

鱼梦痕瞧着手中枪尖血槽里的血痕，面色凝重如铁："想来是我昨夜梦游到你家花园，翻墙而入，遇到这狗，一枪刺死，随手扔入枯井，然后潜入你房中留帖。"

遗梦瓶中三年前的采花帖属于私密，鱼梦痕并没说出，所以庄北溟半信半疑："也许这是敌人的诡计，盗走你的枪，冒充你行事呢？"

鱼梦痕思忖片刻："我的枪都有密锁，除我之外谁也打不开。哎，我头有点疼。这样吧，今天便是八月初八，须有个万全之策。你可将小姐闺房门窗锁好，闺楼外燃起松油火把，每隔三尺，放一头獒犬警戒。全部家丁手执兵器分三层守卫，发现敌踪立即示警。为防贼人乘巨鹰风筝等从天空缒下，屋顶藏十名弩手。闺楼内安排会武功的丫鬟八名，都拿着弩机，对准门窗。雕梁上罩上铁网，上缀铜铃。屋里地下摆满蒺藜床，用猪尿泡一百个灌满辣椒水放置其上，一旦有土夫子挖地道钻入，刺破尿泡，便可示警破敌。小姐可躲入铁浮屠中，外面以铁锁加固，只露头部，舌间含避毒丸，可破迷烟毒雾。决不可再蹈三年前覆辙。"

庄北溟眉头紧锁："采花贼既敢下书挑衅，必有偷天手段，我怕他易容成庄丁丫鬟，混入其间，我们岂不是引狼入室么？"

鱼梦痕道："那便将丫鬟撤出，闺房墙壁也挂上铁网即可。"

庄北溟道："还要鱼捕头亲自坐镇，老朽才安心。"

鱼梦痕苦笑一声："有我春梦无痕枪，就算是天下第一剑客东方游侠亲来也不怕，我怕的是我自己！今夜，请庄主将我手脚用铁锁缚住，锁在廊檐，众目睽睽下，我也想知道黑夜中的我究竟是什么模样？"

正说到这里，忽听一声朗声："梦痕，你还是那么天真可爱！"话出人到，一书生翩翩而来。秋风瑟瑟秋雨缠绵，兀自手摇牙雕折扇，仪态娴雅，贵气逼人。正是府尹公子萧梦虎。

早年萧梦虎与鱼梦痕、周梦熊、姬梦邪、庄梦蝶同入武当派，在万剑宗师万姓师门下习武。当时武当分为道武两宗，道宗修真养性，掌门长生真人李元婴；武宗练武防身，掌门万姓师。万姓师各传一门神功给五人。当时四人俱爱慕庄梦蝶，彼此间都算情敌，是以关系一直不睦。直到后来出师，各奔前程，更是形同路人。鱼梦痕在襄阳府谋职做捕头；萧梦虎自当府尹公子哥；庄梦蝶做她的布商庄家大小姐；姬梦邪摆摊算卦糊口；只有周梦熊举家外迁，离开了襄阳府武当地界。几人同学时，庄梦蝶已与周梦熊订了婚约，不想岁华荏苒，际遇无常，如今却是萧梦虎雀屏中选。

鱼梦痕淡然一笑："梦虎你倒说说，我如何天真？"

萧梦虎哑然失笑："这采花贼若是别人，还有趣，若是梦痕，却无趣得紧了。你太高看自己了，只要这世上有梦寐以求剑，春梦无痕枪就永远不是第一。"

鱼梦痕食指轻叩，嗒的一声，春梦无痕枪倏地弹开，绕臂如蛇："第一第二，试试便知！"

萧梦虎剑眉一挑："何妨！"

枪影如一抹轻烟淡雾，淡淡化入满园翠绿间，恍如春梦了无痕。剑光却似天际的那一道闪电，骤然生发，迫人眉眼。

庄北溟一眨眼间，胜负已分！

春梦无痕枪停在萧梦虎胸前半尺处，梦寐以求剑却已点中了鱼梦痕咽喉。

萧梦虎面无喜色，仰天长叹："无趣，忒也无趣！"剑还匣，摇折扇，转身施施然去了。

鱼梦痕执枪的手慢慢垂下，另一手扶额蹙眉。不知为什么，适才出枪的一瞬间，忽然头晕目眩，险些栽倒。

邀梦

雨丝袅袅，笼着碧树绿林中的华丽闺楼。鱼梦痕倚着回廊栏杆，呆呆注视着自己曾梦寐以求的圣地。眼前的芳草地，相伴着另一双脚印也曾印下自己那小小的足迹，相伴着银铃般的笑声也曾留下自己欢快的吟咏。只是几番春草枯荣，如今再也寻不到一丁点痕迹了。

琉璃瓦上雨丝如线，织成一帘幽梦，往事如隔帘照影，觑不真切。忽然，一扇雕窗轻轻推开，一双白腻手掌缓缓伸出，去接那檐下雨丝。鱼梦痕心尖一颤，眼光不禁粘住了那窗后的曼妙身影，一时痴了。单衫杏子红，双鬟鸦雏色，肩若削成，腰如约素，秀气瓜子脸不施脂粉，眉眼如画，恍如就在身畔，可凝目望去，却又遥不可及。那女孩正是鱼梦痕的青梅竹马庄梦蝶。雨水满盈一握，又从指间泄去，如悠悠往事，只可触碰难以留取。庄梦蝶似极爱那雨，接了一捧，溜走，又接一捧……隔着雨雾，鱼梦痕也仿佛看到了一个梳着双丫髻的小女孩，笑盈盈向他跑来，一时间，有种热热的东西模糊了眼睛。

等他眼泪被风吹干的时候，闺楼的窗户不知何时关上了，适才仿佛就是一场梦。

日暮时分，雨住云收，炊烟四起。庄北溟提着食盒，亲自叩打闺楼门扉。草木皆兵的他已不相信任何人了。

剥啄声声，门内却毫无动静。庄北溟大声招呼，还是一片死寂。一急之下，扔下食盒，一脚踹去，门栓断裂，大门四敞，庄北溟和庄丁们一拥而入——犄角旮旯都寻遍了，庄梦蝶踪迹不见！

庄北溟遣散庄丁，关好楼门，打开梳妆台后一扇暗门。本来这是最后的退路，一旦有风吹草动，自己便发暗号，通知女儿藏进去。难道女儿先藏起来了?

　　提灯的光照下，密道曲曲折折，通向庄外。寻到出口，也未见人。急忙返身叫来萧梦虎和鱼梦痕，三人继续再找，依旧一无所获。鱼梦痕偶一回头，却不见了庄北溟。萧梦虎道："这里岔路甚多，也许走散了，先找梦蝶再说。"

　　不觉来到地道出口附近，萧梦虎忽然咦了一声："这是什么?"

　　灯光照耀下，密道出口旁的墙壁上贴了一张黄褙纸，上面有字。鱼梦痕伸手揭下，只见上面写着："武当山梦乡圆梦山庄布告天下：道有三劫，佛有八苦，天残地缺，况凡人乎! 然则人是万物之灵，逆天改命，今可圆之。穷变富，丑变美，懦变勇，女变男，只在一梦之间。凡有意者，可持此布告去武当圆梦山庄一游，请君入梦，凡君所欲，醒即成真。神鬼暗窥，天地同鉴，如有虚假，人神共弃。过路君子，勿以为笑谈。"下面落款缀着："圆梦山庄庄主恭候大驾"几字。下面标注着详细地图。

　　鱼梦痕眉头一皱："这是什么意思?"

　　萧梦虎哈哈大笑："有趣有趣! 这还不明白? 有人要改变我们的命运。想我萧梦虎，金钱用之不尽，武功罕逢对手，美人投怀送抱，一切所得不费吹灰之力，人生寡淡如水，实在无趣得很。若我到这圆梦山庄，一定要废去武功，丢弃家财，变成乞丐，那才有趣。"

　　鱼梦痕骇然失色："不好，这布告定是采花贼的诱饵! 庄姑娘会不会也接到了这张布告，所以不辞而别，去所谓的圆梦山庄自投罗网? 即便她不去，贴布告之人晓得此密道，若想偷袭，那还不容易。"

　　萧梦虎冷笑道："一派胡言! 你便是采花贼，还在这里贼喊捉贼。按我说，这是圆梦山庄庄主暗中帮忙，要阻止你的暴行。"

　　鱼梦痕一时头痛如裂，他实在弄不清自己到底是不是采花贼："不行，庄姑娘有危险，我要去武当圆梦山庄。"

寻梦

八月初八夜。夜色浓如酒，上弦月似刀。襄阳府外大道上，萧梦虎、鱼梦痕纵马飞驰，溅起一路水花。

武当隶属襄阳府管辖，两人本是武当弟子，路径熟稔，半夜时分，健马驰到武当山脚展旗峰下，两人飞身下鞍，斗转蛇行，过金水桥，进入紫霄宫。已过夜半，八月初九了，庄梦蝶是否被玷污，已属未知。

紫霄宫属于武当派道宗李元婴居所，两人虽属武宗，但道武不分家，常来常往，因而对此地形了如指掌。半夜时分，万籁俱寂，道人们都去会周公了。鱼梦痕只想救庄梦蝶，不想惊动他人，两人摸到祖师殿东上善池。池后有一眼柳毅八卦井，因为天涝，地面经年潮湿，青砖缝隙间蒿草氄氄，簇拥着腐朽井栏。布告言，圆梦山庄的庄门就是这眼古井。向里一望，一轮水晕清亮晃眼，天地颠倒落入井中。井口苔痕上脚印杂沓，兀自新鲜，庄梦蝶是否已先前一步进入圆梦山庄？

鱼梦痕二话没说，纵身投入井中。将近水面，两腿劈一字马蹬住井壁。左侧井壁上镶有一道铁门，锈迹斑斑。鱼梦痕将枪一点，铁门吱呀开启，他身形一纵，已入其间，湿气迎面扑来。鱼梦痕点燃火折子，这才看清，门里是一条地道，上下左右都是巉巉山石，逼仄阴森，一团黢黑。一条石蹬蜿蜒如蛇，没进黑暗深处。

正思量间，衣袂掠空风起，却是萧梦虎来到身畔。两人摸索前行，不知行了多少里路，忽然前面亮光闪出，已到洞口。两人疾步向前，一脚踏出石洞，眼前顿时一亮——只见一片阔大山谷，夕阳西沉，将坠未坠。进入密道时是半夜，如今看来已是第二日傍晚了。一抹彩霞染红半个天穹，周遭群山屏障，古木苍莽，飞瀑流泉掩映于藤萝薜荔之间。多日阴雨，难得晴天，清风漫拂，带来草木芬芳，两人深吸一口，胸襟登时一爽。举目望去，谷中一泓圆形湖泊，如满月遗落人间。两人登坡眺望，但见湖泊周遭铜驼石兽杂处，繁花密灌点缀，章法有序，暗合八卦方位。湖中垒白石为堤，界出阴阳，形成一个大阴阳鱼。湖水一半清白，一半鳌黑。湖堤中央黑鱼眼处，筑有一厦，飞檐翘角，翼然欲飞。远远望去，这山中湖，湖中厦，气融烟岚，宛如王摩诘挥毫点染的一幅写意山水。

两人拔草寻花，来到近前，但见烟波浩渺，好大一片湖泊。鱼梦痕心神恍惚，此处景物怎么如此熟悉？似乎在哪里见过。庄梦蝶失踪，鱼梦痕方寸已乱，也不顾危险，顺湖堤大步向前，直到那屋宇前，并无异动。那屋宇筑在鱼眼之上，一溜水磨砖墙，弯环相绕，飞檐翘角，上盖琉璃瓦，宛若一庙，却无窗户，两扇红漆大门沉沉关闭。上悬一匾："圆梦山庄"。银钩铁画，苍劲有力。

两人对望一眼，鱼梦痕抓起门环，连叩三下："请问庄主在否？襄阳捕头鱼梦痕拜见！"高喊几声无人应答，鱼梦痕伸手一拉，吱呀一声，大门沉沉开启，一股阴风扑面而来。

择梦

鱼梦痕左手秉火折，右手提枪，缓缓踏入。萧梦虎随之跟进。才走两步，忽然大门吱呀闭合，门上方落下一块铁板，将来路彻底封死。鱼梦痕一惊，回头去推，哪里推得动。

萧梦虎笑道："有趣有趣，看来庄主好客，要留客用膳，怕咱们不辞而别。"

鱼梦痕眉头一皱。封死大门，看来这所谓的庄主没安好心。不入虎穴焉得虎子，且看他要玩什么花样。转身欲走，忽然长枪如龙，直挑屋顶，猛听屋顶有人尖叫一声："梦痕是我！"

一人如鸟落下，借着火折子看清，却是姬梦邪。

萧梦虎喝道："你来做什么？"

姬梦邪嘻嘻一笑："我也接到了圆梦山庄的布告，便跟着你们来凑个热闹。"

三人有同窗之谊，虽是情敌，也不至于不共戴天。因而姬梦邪这么一说，两人也难有异议。

行到游廊尽处，忽然哧啦一声，一篷火星亮起，紧接着火光簇簇，亮起一圈。三人立生警觉，退后察看，但见面前现出一圆形大厅。圆厅周围一圈石墙，每隔十步，是一扇铁门，门上各挂琉璃灯，灯中火焰正旺。圆厅中央放着一个三足铜鼎，鼎口有一根铁秤杆贯穿左右，秤杆上坐着一座三层黑白色宝塔，塔上嵌一立匾，写的是"鬻梦塔"。塔顶有一只琉璃太极球，半黑半白，内盛大半火油，两只鱼眼处是两小孔，两条棉芯子伸出孔外，燃着如豆火光。

三人一凑近，一股硫磺味扑鼻而来，定睛看去，不禁大惊失色，只见鼎内满是硫磺焰硝，此刻，宝塔半身歪斜，琉璃球中的火油离小孔极近，再倾覆半寸，火油势必滴落鼎内，鼎内硫磺焰硝必燃无疑，那时在这逼仄空间，三人就算不被烧死也得被呛死。

姬梦邪最是胆小怕死，见状大急，伸手便要抓那琉璃灯。萧梦虎手疾眼快，一把扯住他："不明虚实，且慢动手！"

鱼梦痕先是一惊，随即冷静下来："这里有块碑，碑上有字。"

另两人这才看到，在铜鼎阴影的掩盖下，立着一块石碑，碑上刻有字迹："道有三劫，佛有八苦，天残地缺，况凡人乎！人有四肢不全之人，穷困潦倒之人，丑陋如鬼之人，运途多舛之人。余每见之，深为嗟叹。余髫龄早慧，立志为天下苍生削平一切不公。幸得家传一部《梦神宝经》，载造梦神术，余苦习之，深得窍要。是故遍撒布告，邀君入梦，凡君所欲，醒即成真。神鬼暗窥，天地同鉴，如有虚假，人神共弃。此碑后有定世神鼎一方，鼎上有鬻梦塔一座，左右分为黑白两半。塔有三层，每层有一抽屉，内装钥匙一把，可开梦门一座，入门即可入梦。然世道诡诈，人心难测，故于三美梦外设三噩梦，白塔为美梦区，黑塔为噩梦区。中以机枢为轴，重力为引，美梦抽空，塔则倾覆，硫磺燃着，玉石俱焚。此鼎此衡此塔此球中机关暗布，妄图以外力阻止宝塔倾斜者，必得其反。另抽屉内钥匙各涂有秘药，沾染一种安然无恙，两种和合则成剧毒。勿谓余言之不预也，切记切记。老子曰，天之道损有余补不足，余深以为然，是替天行道，焉敢辞焉。圆梦山庄主人谨告，某年某月某日。"后面还用墨笔补了一行小字："美梦区上面黄粱梦蝴蝶梦两个抽屉已空，寻梦人周梦熊、庄梦蝶。"

三人看完，面面相觑，急忙涌到鼎前查看，果不其然，那塔一左一右分为黑白两色。白色上面两个抽屉已然开启，空空如也，想来钥匙已被拿走。两边轻重不一，怪不得宝塔倾斜。细看塔上鼎上，果然机枢时隐时现，几人不知就里，不敢乱动。

鱼梦痕眉头紧皱："这圆梦山庄庄主到底是谁，藏头露尾，弄什么玄虚？这上面写庄姑娘也来寻梦了，究竟是真是假？"

姬梦邪道："他奶奶的，好奇心害死人哪，来这劳什子圆梦山庄作甚！"

萧梦虎是唯恐天下不乱的主，见状哈哈大笑："好玩好玩！既然这主人要和我们玩游戏，那可太好不过了。还有四个抽屉，我们三人，够分了。"

姬梦邪嘴角一撇："好玩个屁！只有一个美梦了，再拿这塔就倒了。怎么办？"

萧梦虎笑道："这有何难，先拿一个噩梦钥匙不就行了么？"

姬梦邪邪邪一笑："你拿，还是鱼捕头拿？"

萧梦虎笑道："当然我拿。我这一生，荣华富贵，福运亨通，忒也郁闷，倒想做个噩梦玩玩。"瞧那噩梦区上三个抽屉，标签上分别写着："役夫梦、南柯梦、华胥梦。"

三人求学武当，学武之余，诗书礼乐也都涉猎，这三个梦的故事都曾看过。役夫梦讲的是周朝时有个尹氏，家资豪奢。其家有个老役夫，白天被他使唤，片刻不得歇息。每当夜晚之时，老役夫便入梦乡，梦到自己当了国君，恣意玩乐。尹氏白天优哉游哉，每当夜晚便梦见自己做了役夫，辛苦劳作，被主人鞭笞。南柯梦说的是淳于棼夜梦至槐安国，娶了公主，荣封南柯太守，显赫一时。后率师出征惨遭战败，遭国王疑忌，被贬为平民，穷困潦倒。醒来后大汗淋漓，这才发现是一场梦。华胥梦讲的是黄帝昼寝，梦入华胥国，其国没有王侯平民之分，无欲无求，和谐相处。

鱼梦痕眉头一皱："这三个梦，役夫梦和南柯梦尚可算噩梦，华胥梦如何能算噩梦呢？"

萧梦虎道："梦痕你错了，要是平民百姓，华胥梦自然求之不得，若是高官富贾，你让他放弃官威舆马和百姓同衣同食，岂不是最大的噩梦？所以说，这三个梦对于我来说，都是噩梦。只不过这役夫梦更可怕一些，我便选它了。"说着伸手抽开抽屉，取出役夫梦中的钥匙，那钥匙是青铜所铸，长有半尺，重有一斤。钥匙抽出，那塔重心偏移，缓缓趋正。

那把美梦钥匙可以拿了。

剩下两个人，究竟谁拿这把美梦钥匙？

换梦

　　鱼梦痕眉头紧皱，姬梦邪瞧他一眼："美梦钥匙你拿吧？"

　　美梦之门共有三个：黄粱梦、蝴蝶梦、高唐梦。

　　落魄书生卢生上京赶考，路经邯郸，夜宿客店，偶遇仙人吕翁，慨叹命乖运塞。吕翁遂取囊中枕，道："枕此游仙枕，可达君所愿。"当时，店家正蒸黄粱米饭，卢生倚枕而眠，梦到自己娶美妻，举进士，累官舍人，迁节度使，大破戎虏，为相十余年，子孙满堂，高寿八十方卒。及至醒来，却是奄忽一梦，起床来看，店家的黄粱米饭尚未蒸熟。这便是黄粱梦的典故。

　　蝴蝶梦说的是庄子做梦，梦中自己变成一只蝴蝶，翩翩起舞，十分快乐，不知道自己是庄周了。忽然醒来，又变成了庄周。于是庄周自己都弄糊涂了，不知是庄周做梦变成了蝴蝶，还是蝴蝶做梦变成了庄周？

　　高唐梦说的是楚襄王过云梦浦，宿高唐州，夜梦巫山神女自荐枕席，于是一夕欢会。世间男子哪个不梦想是自己变成襄王，夜梦神女，共赴巫山云雨呢？

　　听姬梦邪如此说，鱼梦痕随口应道："好吧。"伸手便将高唐梦钥匙抽了出来。那塔又倾斜了回去。

　　姬梦邪后悔不迭，美梦钥匙就剩这一把，本来他想先下手为强，但恐不是鱼梦痕对手，偷鸡不成蚀把米。他素知鱼梦痕为人谦逊耿直，自己礼让，他必不争，没想到错打了算盘，后悔莫及。

　　萧梦虎哈哈大笑："梦邪，你失算了。此间主人吓唬我等，不过他疏忽了，一把钥匙虽只能开一扇门，但是没规定几人进去，你二人同进此门，有何不可？"

　　姬梦邪豁然开朗："对啊！"

鱼梦痕皱眉深思，道："此间主人故弄玄虚，引我等入梦，他葫芦里卖的是什么药？"

萧梦虎寻思片刻："从这碑文上看，接到布告的还有两人，蝶儿和周梦熊，加上我们三人，一共五人，我们这五人曾是师兄弟，但后来境遇不同。圆梦山庄主人特意针对我们发出了布告，看来大有深意。会不会是和我们关系亲密之人，因见我等贫富不均，故而设此山庄，要同甘苦均贫富？"

两人一惊，和他们五个都有关系的只有一人，那便是他们的恩师，武当派武宗掌门万姓师。但是恩师仙逝四五年了，如今武宗掌门之位虚设。但除却恩师，还能有谁呢？

鱼梦痕想得脑瓜生疼，索性不想了，道："我现在都不知道我是谁了，我究竟是不是采花贼？"

萧梦虎两眼闪亮，朗声大笑："不管是谁，只要好玩就行了！"

几人沿墙角转一圈，这圆厅后墙上共有六扇铁门，分别是：黄粱店、南华园、高唐州、尹家庄、南柯郡、华胥国。按碑上所言，黄粱店和南华园已有二人进去。鱼梦痕担心庄梦蝶安危，试着推动两门，那门纹丝不动，用枪去戳，只留一个白点，那门竟是精钢所铸。用自家钥匙，根本插不进锁孔。四下查看一遍，除了这门，并无出路，他们未带食物清水，坐困愁城不是办法，除了按照主人所示，开门入梦，别无选择。

鱼梦痕道："既然如此，不如我三人同入美梦之门，何必做那噩梦？"

萧梦虎仰面大笑："梦痕，我的美梦已经做够了，我倒真想做噩梦。何况，老子说祸兮福所倚，福兮祸所伏，究竟是美梦还是噩梦，都是那主人的一面之词。"

一句话点醒梦中人，姬梦邪激灵灵打个冷战。按那碑文所言，此间主人要替天行道，又设下诸重难关，是不是在考验我等人品？若真如此，那美梦之门兴许就是噩梦之门，噩梦之门也可能就是美梦之门……一念及此，姬梦邪叫道："梦虎，等等我，我和你进这噩梦之门。"

萧梦虎转身道："我独来独往惯了，不喜和人同行，你若想进此门，便让你。"说着要递过钥匙。

姬梦邪眼珠骨碌碌乱转，手到中途又缩回去："不不不，我再想想。"

萧梦虎鼻孔哼了一声："畏首畏尾，岂是大丈夫所为。"咔嚓一声，钥匙插进标有尹氏楼的那扇门锁孔，吱呀一声，铁门开启一缝，萧梦虎想也没想，身形一晃，早已消失门后不见。

咣当，铁门关好。姬梦邪上前一推，那门竟又重新锁上了。不禁后悔不迭。

那边厢鱼梦痕招呼他同去，他又踟蹰了。鱼梦痕自认为采花贼，若圆梦山庄庄主真是行侠仗义的好汉，必拿他开刀，和他同去只怕有池鱼之殃……便犹豫道："这不还有钥匙吗？"说着掂量轻重，手伸向南柯梦，顿了顿，又犹豫了，一闭眼，把华胥梦的钥匙拿了出来。

鱼梦痕道："美梦钥匙只有一把，既然你不愿和我同行，不如你我交换。"

姬梦邪刚想点头，眼珠一转：难道真如萧梦虎所言，这美梦噩梦是个障眼法，要试我等？也许鱼梦痕也瞧出了端倪，这才要与我交换，决不能上当。于是皮笑肉不笑道："君子不掠人之美，梦痕逼我做小人吗？"

鱼梦痕抱拳道："梦邪真君子也！"说罢转身，钥匙插入高唐州门，咔嗒一声，机括转动，门开了。鱼梦痕拉门，一腿迈进。

姬梦邪忽然杀猪般一声嚎叫："梦痕，救命！"鱼梦痕不知何事，急转身，猛然一缕劲风直袭眉峰！事发突然，鱼梦痕不及掣枪，仰身蹬腿，暴退三尺。凌厉的刀光势若匹练横空兜头泻下，绞碎一室青烟。

鱼梦痕一退再退，眼角里映出了持刀人的影子，竟然是道冠儒衫麻鞋的姬梦邪！

未等鱼梦痕叱问，姬梦邪陡然收起午夜梦回刀，身形一晃，早已飘进高唐州门。鱼梦痕驻足立定，这才明白，姬梦邪突施偷袭，原来却是要和他换梦！

鱼梦痕吐口浊气，整理衣衫，拉开华胥国门，迈步走进。

入梦

尹家庄中，一团漆黑。

萧梦虎划亮火折，发现左近处一只灯盏，随即点亮。这间屋子不过丈许方圆，四周墙壁上挂满奇怪画轴。画本不一，绢绫木石纸各种皆有，色彩却只有单调黑白二色。画的东西千奇百怪，有圆点盘、菱形圈、交叉线等等，把眼注视，那圈点线段便会或移动或转圈，诡异非常。萧梦虎瞧了几个，便觉头晕目眩，赶紧收回眼光，低头一看，鲤鱼灯檠放在一张梨木桌上，火光跳跃。桌上支着一方画板，板上贴张生宣，纸上画着一幅太极图，旁有三个小字："织梦图。"阴阳鱼黑白互抱，阴中有阳，阳中有阴，组成一个完美无缺的圆。萧梦虎看了一眼，便觉得这幅太极图不简单。黑白图中似乎用同色暗线暗中勾勒着什么，如字如人，他俯身凑近，睁大双睛，想要看清瞧明。渐渐地，那黑白双鱼在昏昧的烛光下游动起来，如宣纸上晕开的水墨，黑侵入了白，白融入了黑，同流合污，模糊了疆界，恍兮惚兮，洇开了一纸云烟一眼漩涡。这黑与白仿佛世事种种，千头万绪，勾着他的眼，拴着他的心，牵着他的魂，一直向深渊堕落……萧梦虎目瞪口呆，痴痴傻傻，不觉陷了进去，越陷越深，越陷越深……

高唐州。

姬梦邪刚闪身进入，身后门扉笃的一声关严，姬梦邪唬了一跳，回身去推，却怎么也推不开了。心思转动间，随手划亮火折，眼前一条抄手游廊，空无余物。尽头有一扇月亮门，左阳右阴，两扇门扉闭合，中间隔一条门框。左侧门上刻有"美女"二字，右刻"贤女"。

姬梦邪自语道："这是要我选择么？高唐州自然是神女所在，难道这神女不是一个，还分美女与贤女么？"美女虽好，若不贤惠，整日拌嘴，也非幸事。贤女倒行，但若不美，整天瞅着，度日如年……火折子再晃晃，发现月亮门旁还有一角门，上刻"美贤女"三字。姬梦邪大喜，这不就两全其美了吗？

拉门进去，那门毫无例外又锁上了。游廊尽处还是一道月亮门，门依旧分为两半，左写："爱我"，右写"我爱"。不出意料，另有第三扇门，写着："爱我、我爱。"姬梦邪选择了第三道门。

门后还是游廊，尽头又是月亮门。左写"不忠"，右写"三十年后不忠"。姬梦邪恍然大悟，这世间男女，偶然月老牵线，同床共枕，但世上诱惑多多，一旦邂逅俊男靓女，高官富贾，为色为财，又能有几个不做墙头杏花？这就是"不忠"。结发夫妻老来伴，若一方逝世，另一方孤孤单单，难免不另适他人，这便是"三十年后不忠"。所幸还有第三道门："永远忠贞。"就选它了！

姬梦邪拉开门，登时一道宝光射眼。他闭眼有顷，才迈步进去。门内是一间闺房，房顶悬一颗夜明珠，映得四壁若雪。雕梁画栋，藻墙砌地，端的雅致。向壁一座梳妆台，倚着一方与人同高的琉璃宝镜，有檀木浮雕成一女子堕马髻形状贴在镜面之上，却无脸部五官。他凑到近前，自己脸部轮廓恰好镶在那堕马髻下，不偏不倚。镜中的自己变成了一个美少女！

姬梦邪出神半晌，忽然仰天狂笑："哈哈，我明白了！原来如此！"

华胥国，也是一团漆黑。

鱼梦痕进门后，点亮火折，顿时吓了一跳。门内是一圈供桌，桌上密匝匝立满灵牌，牌上各有名字，有古往今来帝王将相、游侠草寇、平头百姓等，纷然杂处，无分尊卑。

华胥国本是天下平等的世外桃源，如何只有这些灵牌？鱼梦痕略一思忖，登时明了——华胥国乃黄帝梦游所见的虚幻之城，现实中何曾存在。正如圆梦山庄庄主所言，有人穷困潦倒，有人锦衣玉食，有人未成一偶，有人妻妾成群……世间哪里才有平等？只有死亡。

鱼梦痕摇摇头，心中涌上一阵怅惘。忽然，耳畔恍恍惚惚传来一丝筝音，悠远深旷却又缥缈空灵。那筝音绕了个圈，跌在鱼梦痕心尖上，他千思万绪倏地一敛，茫茫然起身，循着筝音寻去。对面壁上竟然还有一门，鱼梦痕推门而出，竟然到了另一个密室。密室布置似一客栈，入门左侧是一长条柜台，上摆算盘账簿，两只酒坛。右侧一张吊床，床上赫然有一人，正自倚枕酣眠。鱼梦痕心中一惊，凑近一看，此人蓬头垢面百衲衣，正是周梦熊，伸指探其鼻下，呼吸均匀细长。看来圆梦山庄主人并非虚语，周梦熊果然赴约买梦来了。这里想必就是所谓的黄粱店了。柜台后是厨房，中有布帘隔断，过去一看，灶台上架着双耳圆锅，锅中像模像样还真煮了半下黄粱米饭，只不过炉膛内未加柴薪，由此可见，此地是否有外人极难断定。鱼梦痕退出，想要叫醒周梦熊，又怕扰其美梦。

筝声又起。有筝音必有人弹奏，此刻最重要的是寻找山庄主人。鱼梦痕再不犹豫，循声找去，又开了一扇门。却见钩月半弯，斜倚天穹，月华如霜，覆盖在万顷碧波之上，万千星子一起荡漾，晃人眼睛。脚下一道白堤，蜿蜒向前。回头一望，原来已出了圆梦山庄的后门。

伴着筝声，似有钟鼓竹磬一起奏响，清声雅韵，如长堤飞絮，春湖落雪，让人心儿都空灵剔透了。鱼梦痕听出来了，这是一首道家曲子《如梦令》，他和着拍子，默念歌词："一座雕梁画栋，弹指化为丘垄。富贵几曾经，输与睡魔厮弄。如梦如梦，夜晚草深霜重。"曲子哀而不伤，隐隐透出一抹放下一切的超脱之感，不过在超脱之外，一丝对厄运不屈不挠的韧劲儿亦萦绕不去。

鱼梦痕信步寻去，白堤宕然一转，一阵花香扑面而来。借月光看去，堤下湖中一片莲花，碧叶清圆，高有丈余，亭亭如盖。那乐声便从莲花丛中传出。

鱼梦痕掣枪纵下湖面，身如鸬鹚，踏荷叶飞行。筝音戛然而止，他脚尖一滞，荷叶倏忽一沉，冰凉湖水浸透靴帮。他陡地一惊，身如陀螺飞旋，落下时，复又踏上一支小荷。垂眼望去，就在他脚前丈许处，无数阔大翠绿的荷叶交织叠压成一张锦榻，浮在荷花丛中。榻上一人，周身裹满白布，显得臃肿不堪，若非露着一张俏丽的脸，鱼梦痕简直怀疑这是一只硕大的蚕茧。

那张脸正是庄梦蝶!

月光温柔如水,抚着她恬静的脸,弯翘的睫毛覆住双眼,投下两片好看的阴影,似在酣睡。

鱼梦痕心思百转。按此庄主所言,庄梦蝶进入了南华园,她选的是蝴蝶梦。难道此时她已入梦中,一旦梦醒,便要破茧飞出,真的化为蝴蝶?太荒诞了。

鱼梦痕此时只有一个念头:"救她!"他飞身掠上荷叶大床,春梦无痕枪用力一划,裂帛一声,白布寸寸断裂,豁然春光泄露,庄梦蝶牙雕般锁骨一览无遗,洁白的亵衣下高耸的雪峰倏地露出冰山一角……

鱼梦痕忽觉腹下涌起一股热浪,一种别样感觉直冲头顶,忍不住便要向那浑白处猛扑过去。陡然大惊,汗水淋漓而下:"我这是要做什么?竟然忘了我就是采花贼!"

惊梦

梦中。刀枪剑戟飞来旋去，鼓、筝、钹、磬此起彼伏；上高山，坠沟涧，钻出水深又扑进火热。雷暴轰天，蜂鸣彻耳。破连营，闯重围。揪心裂肺，肝肠寸断。疼、痛、痒、酸、胀、麻、疲、乏……

不知过了多长时间，鱼梦痕发出细微呻吟，渐渐醒转，惊觉欠伸，翻身坐起。浑身酸痛未除，他使劲伸个懒腰，慢慢张开两眼，打量四周。此时曦光透窗，映出一间闺阁，雕梁画栋，藻壁椒墙。地上楠木梳妆台，案头博山香炉；壁上吴道子仕女图、苏东坡人生如梦真迹……无不昭示着主人的富贵雍华。屋中有玉有香，独无金银俗物，许是久无人住，屋角挂了些蛛网，案上积了层灰垢……鱼梦痕心头一惊，自己怎么睡在了女子卧房中？扭头看时，好在床上锦被翻卷，并无女子在床，这才略略放心。想找靴子，一低头，蓦地瞧见床脚下丢着两只绣花鞋，还没来得及思索自己的靴子哪里去了，这一眼却瞧见自己穿着女子的百褶裙！正怪异间，手肘半弯，忽然触到胸前一个颇有弹性的物事，一股诡异的触感登时传上大脑，鱼梦痕又大吃一惊，垂头低看胸口，两团圆滚滚的物事突兀地耸立在本该平坦的胸脯上，撑得胸口衣物紧绷绷几欲炸裂！

鱼梦痕两手撑住桌案，这才勉强支撑着没晕过去。略缓一缓，寻思一下，反正屋中无人，也不怕羞，伸手向胯下摸去……这一摸，简直如遭五雷击顶，胯下光溜溜空无一物，男人标志性的物事不翼而飞！

鱼梦痕狠狠掐了一把大腿，触感生疼，顿时脑袋嗡的一声，直若被人当头一棒，娇躯倾颓，一头栽倒在香榻之上。

他，鱼梦痕，由男人变成了女人！

天底下再没有比这个更恐怖的事情了！

鱼梦痕躺在榻上，脑袋像糨糊般熬开了锅。这究竟是怎么回事？半晌，平静了一下心绪，回忆如走马灯一圈圈转过心头：入阁魔海……进入圆梦山庄里的华胥国，循着奇怪的筝声寻到一片莲花池，看到了被捆成蚕茧的庄梦蝶，然后好像晕倒过去，后面的记忆便模糊不清了……

可怎么就变成了女人了呢？

鱼梦痕摇摇头，想要摆脱这一切。两手乱抓，摸到榻上一件事物，看时，却是一本残破话本，封面三字："如梦令"。翻开一看，登时目瞪口呆——只见上面以簪花小楷写道："鱼梦痕一觉醒来，只觉浑身酸疼，呻吟一声，勉强伸个懒腰，拥被坐起。下意识去摸床头衣衫，却摸了个空……"直到"鱼梦痕忽觉腹下涌起一股热浪，一种别样感觉直冲头顶，忍不住便要向那浑白处猛扑过去。陡然大惊，汗水淋漓而下：'我这是要做什么？我竟然忘了我就是采花贼！……'"结束，写的正是这段时间他的经历，后面应该还有不少内容，但是不知被谁撕去了，瞧茬口老旧，显然并非新撕的，真相就这样该死的丢失了！

这书究竟是哪里来的，怎么会写有自己的故事？鱼梦痕两眼直愣愣瞪着头顶雕梁，忽然发现了一个奇怪的现象：所谓雕梁画栋，本该有浮雕彩绘，怎么这里却是黑白两色的？他翻身坐起，顾盼四周，这才发现墙壁桌案帷幔甚至香炉都是黑白灰色的。难道这是一间灵堂？推开窗户，鱼梦痕马上否定了这个念头，窗外树木也是黑色的，天空是灰白色的，连太阳都是黑乎乎的。莫非我已堕入地狱？

一念及此，立生警惕，回身在腰中一摸，习惯性地要抓春梦无痕枪。这一抓，抓了个空，却随手抓住了一件物事，拿在掌中一瞧，九只圆环，环环相扣，竟是庄梦蝶的痴人说梦环！庄梦蝶的兵器为何在我身上？难道……

鱼梦痕疯了般闯到梳妆台菱花镜前，镜中映出一条曼妙身影：肩若削成，腰如约素，眉眼如画，不施脂粉，素面天颜，鬓角贴一花黄，虽是满脸惊容，鱼梦痕也认得出，镜中的自己不是鹅蛋脸的鱼梦痕，而是瓜子脸的庄梦蝶。

自己不但变成了女人，而且变成了庄梦蝶！

猜梦

一觉醒来,诸般怪事颠覆视听接踵而来,鱼梦痕应接不暇,想了想,拉把椅子坐下,慢慢整理思绪。

冷静下来之后,根据现有的证据,他捋出几条不是答案的答案:

一、我是庄梦蝶,容貌和性别都相符。因为某种原因,我拥有了鱼梦痕的记忆。

二、我是鱼梦痕。鱼梦痕本就是女人,只是患有人格分裂,平常都是男人人格占据身体,一直当自己是男人,忽略了本是女人的事实。

三、我灵魂是鱼梦痕身体是庄梦蝶。在他(她)进入圆梦山庄后,被庄主用类似离魂大法的邪门异术交换了记忆。换句话说,就是鱼梦痕的灵魂附身在庄梦蝶身上了。

四、我是鱼梦痕,如假包换的男人。之所以我能变成女人,是因为我现在还在梦中。因为我所见到的一切都是黑白的,虽然我会感觉到疼,但平时梦中也会有痛感,梦中会思索,有喜怒哀思悲恐惊,但梦中所见事物似乎从来没有色彩的区别。

鱼梦痕完全不能接受自己是个女子,虽然这个女子曾是他的最爱。幼时两小无猜情根深种,可是父母亡故之后家贫如洗,他敏锐地感觉到庄北溟的日趋冷淡。某日黄道吉日风和日丽,庄家和周家纳聘过礼,吹吹打打订了婚约。突闻噩耗的鱼梦痕只觉天都塌下来了,但生性腼腆不与人争的他一话不说,只是盘着春梦无痕枪躲进了深山,一个月后师父才找到像个野人的他。在他心中,庄梦蝶永远是一个解不开的死结。她是他最爱的人,也是他最恨的人。所以,鱼梦痕还是倾向于最后一个答案——此时他还在梦中。嗯,只要是梦便好,梦中的一切都是假的,一旦梦醒,我还是我,还是襄阳捕快鱼梦痕！

正思忖间，忽听房外脚步声响起。一个妇人声音："老爷，小姐的房间我来打扫。您先回去吧，免得睹物思人，又要三天吃不下饭去，您把身子饿坏了，小姐要是知道了，不得折她寿……"话到此处，妇人似乎觉得不妥，戛然而止。

一个苍老沙哑的声音接道："吴妈，哎，今天又是八月初八了，许是蝶儿的周年了，半年我都没来，今天怎么也要给她上柱香。"听声音正是庄梦蝶的爹庄北溟。

鱼梦痕陡然一惊，霍地站起，我这是在庄梦蝶的闺房之中？一念未了，吱呀一声，生涩的门枢摩擦声仿佛命运之轮再次转动，闺房门扉开了。

一抹曦光闯入，绞起无数灰尘。门口两人像两座墓碑伫立在那里。庄梦蝶的奶妈吴妈左手簸箕笼篓，右手笤帚抹布，嘴张老大能塞进个胡桃。庄北溟嘴咧的像瓢，鼻孔撑成喇叭，怀中檀香哗然落地兀自不觉。

鱼梦痕亭亭如春树俏立屋中，和两人对视，彼此都恍如见鬼。

足有半晌，庄北溟率先回过神来，颤抖着老手去揉眼睛，揉完再看，看完再揉，仿佛要把屋中人揉出眼眶。但那人就像玻璃背面的灰垢，怎么也抹不掉。"吴妈，这、这是蝶儿……我不、不是做梦么？"

吴妈呓语般道："我也不知道，你掐掐大腿？"

庄北溟豁然醒悟，狠狠掐把大腿，嗷的一声惨叫。

吴妈道："怎么？"

"疼！"

吴妈惊喜莫名："小姐真的回来了！老爷你不是在做梦！"

庄北溟一步跨进屋中，向鱼梦痕扑过来。鱼梦痕见势不妙，急向旁闪。庄北溟用力过猛，一个跟跄，险些摔倒，急回身道："蝶儿，你不识得爹爹了？"还要往前扑。

鱼梦痕擎出九连环，挡在胸前，叫道："伯父且慢，我不是庄梦蝶，我是鱼……"这一开口说话，把他自己也吓了一跳，自己声音竟然由粗变细，变成了燕语莺声。

吴妈也挤了进来："小姐，这一年你去了哪里？可把老爷想苦了！"

鱼梦痕识得吴妈，叫道："吴妈，你仔细看看，我是鱼梦痕，不是你家小姐！前两日我来调查采花帖一事，还是你给我引路来的后花园，你难道忘了？"

吴妈丈二和尚摸不着头："小姐你怎么了？你怎么连自己是谁都忘了？"

庄北溟也说道："蝶儿，这一年你去了哪里？看你，瘦多了，你连爹爹都不认识了！"说着两眼一挤，眼圈红了。

鱼梦痕也觉心酸："伯父，我识得你，你姓庄，讳北溟。只是你不识得我了，我是鱼梦痕，不是你女儿！"

"女儿，你平常不喜欢开玩笑啊！"

"我没开玩笑！"

"你、你脑袋坏了，失忆了，你长着我儿的脸庞，穿着我儿的衣裙，怎会是鱼梦痕！"任凭庄北溟如何解说，鱼梦痕始终不肯承认自己是庄梦蝶。

庄北溟一屁股萎顿在地，顿足捶胸，涕泗横流："儿大不由爷啊，女儿大了，有外心了，连亲爹都不认了，素心啊，你睁开眼看看你的好女儿吧，连他爹爹都不要了！素心啊，我活着还有什么意思，我跟你去了得了！"说着猛地跃起，一头便向廊柱撞去。

迷梦

鱼梦痕见势不妙，急忙伸手将其扯住。这一用力，忽觉自己力道小了不少，一时心凉了半截。

庄北溟哪里肯依，非要寻死觅活，去找庄梦蝶死去的娘严素心。

鱼梦痕急忙转变态度，冷若冰霜变为春风拂面。庄北溟好歹不闹了，鱼梦痕扶他和吴妈并排坐在榻上，自己则搬把椅子坐在两人面前，稍稍冷静下来，将自己入阎魔海、拾遗梦瓶、看采花帖、进庄府、接梦乡告示、寻圆梦山庄，进入圆梦山庄里的华胥国，莲花池中看到庄梦蝶，然后昏厥过去，及至醒来莫名其妙出现在庄梦蝶的闺房中诸般经历一点不漏讲出。吴妈未参与其中，倒还罢了，其间有庄北溟经历之事，听得他时惊时喜，忽忧忽怖。

鱼梦痕讲完，庄北溟眉头深锁："这是怎么回事？我请你……不是，我请鱼捕头来咱家捉拿采花贼，晚饭时候，我给你送饭，你突然消失了。因为你屋中有条密道通向庄外，我以为你害怕，躲入密道中，但找了半天也没找到。心急之下，只好请梦虎和鱼捕头一起找，可是我一回头的工夫，两人都不见了。我找了整整一夜也没找到，以为凶多吉少了。听你说，梦虎和鱼捕头接到了所谓圆梦山庄的布告，上了武当山了，可是我并没有看到什么布告啊！"

鱼梦痕道："布告当时被我撕下来，揣在怀中了，你怎么会看到。"

庄北溟摇摇头："不对。梦虎在半年前就已经回来了，他失忆了，忘记了从前的一切。如果你二人同入圆梦山庄，为何你没失忆？"

鱼梦痕霍地站起："萧梦虎也回来了？我这就去找他，问他圆梦山庄中究竟遭遇了什么。"

庄北溟大喜："如此甚好，正好与萧家再续前缘。蝶儿，你面容憔悴，有损妇容。吴妈，你帮小姐打扮。"

吴妈立马打开胭脂盒水粉篓，殷勤递过。一股腻香飘来，鱼梦痕打个喷嚏，慌忙伸手拦住。如今自己莫名其妙变成了萧梦虎的未婚妻庄梦蝶，唐突见面尴尬至极。一念及此，转头对庄北溟道："我并非梦蝶，我是如假包换的鱼梦痕，如今我正陷于梦中，在梦中我变成了梦蝶，你们都是我的梦中人。"

庄北溟和吴妈面面相觑："你说什么？"

"我说我们现在都在我的梦中。"

庄北溟蓦地顿足捶胸，号啕大哭："老天啊，我这是造了什么孽啊！女儿说什么也不认我，还胡言乱语说什么进入武当山圆梦山庄，做梦去了！好端端的女孩变成了疯子，光天化日，非说是白日做梦。素心，你可让我怎么活啊！"

鱼梦痕手足无措，一眼瞧见榻上那本《如梦令》，急忙抢过，递给庄北溟："伯父，你若不信，有此书为证。"

庄北溟抹抹眼泪，接过书从头看起。看罢，三下两下将书撕碎。鱼梦痕要阻止已然不及，心疼得直跺脚。

庄北溟蓦地站起，戟指鱼梦痕："病根找到了，就是这妖书惹的祸！爹从小教你三从四德，送你读书，是要你知书达理，明辨是非，谁知你劣性难驯，专爱看些野史奇闻传奇话本，看看倒也罢了，却还将那写书人胡编乱造的东西信以为真，每每刨根究底，废寝忘食。近年来嗜书如命，竟然走火入魔，深陷书中不能自拔，总把自己当成了书中人。去年元宵团圆夜，你读一本甚么《阴宅血咒》的鬼书，将自己当成了书中主角史天骄，把爹爹看作大反派大炎可汗，掣出壁上宝刀追着爹爹砍，亏得爹爹身手还在，要不早和你娘做伴去了。你看看，你砍的疤痕还在！"说着挽起袖子，果不其然，小臂上一条刀痕狰狞如蛇。

鱼梦痕一头雾水。

庄北溟越说越气："从去年开始，你鬼鬼祟祟躲在房中，不知弄什么玄虚。我令吴妈盯梢好几回才探听出来，你竟在写书。爹瞧你那些日子疯病没犯，便随你去了，没想到你写的竟然是你自己的事情！"说着拾起一页残篇，"你瞧瞧这簪花小楷，圆润娟秀，是不是你自己的笔体？"

　　鱼梦痕仔细端详，确实像庄梦蝶笔迹。

　　庄北溟续道："你写你的事情倒也罢了。如何把鱼梦痕当成了主角？他一府城捕快，官俸不过三两，狗不理的熊货，凭什么当主角？爹知道你喜欢鱼梦痕，可是他是采花贼啊，他自己亲口承认的，爹回来之后立即通知了你，要小心他。没想到你竟把这些都写进了书里，还把自己当成了鱼梦痕，想当然编了个好结局，替他开脱罪名。家门不幸啊！我上辈子是造了什么孽，生出这么个不孝女！"

　　鱼梦痕目瞪口呆：难道自己真是庄梦蝶，先前记忆不过是自己书中所写，且信以为真？

　　庄北溟越说越气，一步抢到墙角书橱前，扯掉橱门，将内里闲书话本统统丢出，连撕带扯，顿时满屋纸蝶乱飞："撕了这鬼书！撕了这妖书！撕了这魔书！"

　　书都撕完了，鱼梦痕拼命回想，半晌，皱眉道："不可能，如果这不是做梦，我怎么一直想不起庄梦蝶的往事，满脑子都是鱼梦痕的旧事呢？"

　　庄北溟发泄一通，气消了大半，叹道："蝶儿，那日我和你讲了鱼梦痕之事，你便开始书写。你从心里已然认定你就是鱼梦痕了，到现在你也没苏醒。"

　　鱼梦痕皱眉道："不对，现在是在梦中。我所见的一切都是黑白灰，没有其他色彩。你看这窗外树木本该绿色，现在却是灰的，那太阳本该红色，却是黑的。据我所知，大部分人梦中对色彩的感应都是模糊的。现在不是梦又是什么？"

　　庄北溟愣一下，旋即跌足长叹："蝶儿，你忘了么？你有眼疾，天生色盲，赤橙黄绿青蓝紫在你眼里都是黑白灰色，为了不惹人笑话，你爹我从小就告诫你，别人问你什么，你就说树木是绿色的，太阳是红色的，千万不要乱说。"

　　鱼梦痕彻底傻眼了："难道这不是梦？那、那我、我究竟是谁？"

　　庄北溟道："你是我女儿庄梦蝶！都怪爹，没有照顾好你。失踪这一年来，不知你经历了什么艰难困苦，从今以后，爹爹便是拼了老命也不能让你离开我半步！"

　　鱼梦痕这才反应过来："什么？你说我失踪一年了？"

庄北溟道："是啊，你还记得你失踪那年是哪年么？"

"是嘉靖二十四年，己巳蛇年。"

"对啊，你属虎，那时虚岁十六，现在是嘉靖二十五年，丙午马年，你已经十七了！"

鱼梦痕疑云重重，满屋乱转。忽觉脚下冰凉，低头一看，大喜过望，但瞧百褶裙下，裸着一双雪白赤足，那脚十趾桀骜不群，却是天足。急忙抬起，给庄北溟瞧："伯父，这脚不对，我未裹脚，怎么可能是女孩子？"

庄北溟气得胡须乱颤："蝶儿你忘了，刚裹脚时，你嫌疼哇哇大哭，爹心疼你，便放你留个天足，也好习武，如今成人了，爹倒后悔，亏得萧家不嫌弃。"

鱼梦痕眉头紧皱，仔细回想，印象中庄梦蝶确是天足，如今频遇吊诡之事，自己方寸大乱，颠三倒四了。再一转眼，瞧见案头笔墨纸砚，心中一动，铺纸研墨，刷刷点点写了一首《如梦令》词，拾了一页残书，两相对照，字形不类，一瘦硬一圆润，一虬媚一秀媚，但运笔藏锋飞白缓急处大体相同。笔迹可以效仿，但点划勾折里的用笔习惯很难更改，行家话叫"易容难易骨"，几乎可以断定这是出自一人之手，鱼梦痕深谙书道，焉能不懂这些。

庄北溟瞧他神态，再添一把火："蝶儿，你喜欢鱼梦痕，把和他有关的一切物事都当作宝贝，到处收集他的书法临摹，你看看这都是你写的。"说着从案头扯出一沓宣纸。鱼梦痕酷爱写字，常给人题扇面跋画作，是以书法在市井间流传甚广。这其中有几张确是自己的墨宝，其余每张之上都密密麻麻临帖着自己的书法。

庄北溟解释道："你喜欢鱼梦痕书法，所以临摹效法，惟妙惟肖。"

鱼梦痕脑袋已经成了一锅糨糊。

庄北溟道："蝶儿，你瘦了。失踪一年，肯定经历了不少磨难，好在老天开眼，终于让你回来了，从今以后，爹一定保护好你，决不让你再受一点伤害。"

便在此时，脚步声骤然响起，管家手持一张花笺狂奔而来："老爷，采花帖又来了！"

噩梦

秋飔凉若水，吹落满地败叶残花；上弦月似钩，勾出多少波诡云谲。流云舒卷，直若疑云密布；夜色幽深，恰如心事重叠。鱼梦痕换套武士劲装，绢帕裹住三千烦恼丝，鸾带勒住一寸忐忑心，浑身结束利索，静等采花贼到来。他悄立庭前，遥远深邃的天地落入眼中，一片灰茫茫，如梦似幻。偶然回手，又碰到胸前那讨厌物事，不觉一痛——那物事提醒自己是个女人！

方才采花帖上的内容再次掠过眼前："闻君有女，尚未破瓜。如此尤物，惹我情发。八月初八，某来采花。人间极乐，哈哈哈哈。"不禁苦笑。

鱼梦痕捉起痴人说梦环，手心传来一片陌生的清凉。世事难料，便如这九连环一般，环环相扣，因果循环，轮回成圆。一年前，自己是采花贼，给人下采花帖。谁知道一年后自己变成了女子，反要被人采花。莫非这就是现世报么？

斜月朦胧，细微光晕漏下，庭中池塘里败叶残荷，宛若残兵败将偃伏其上。

便在此时，一缕灰白雾气从墙头飘过，漫入庭院。初时一缕，渐而成团，倏然蔓延，吞噬了整个庭院，诡异的雾气中尚有一股甜腻的幽香。

片刻，雾气消弭，月光重新勾勒出庭院的轮廓。此刻，庭院中业已悄然生变。池塘边一只青蛙张着大嘴，踞地不动。墙角秋蝉噤声不语。庭院中的一切活物仿佛都中了定身法，一动不动，包括梧桐树下的鱼梦痕。

"哈哈哈！"一阵肆无忌惮的狂笑声贸然响起，墙头幽灵般冒出十二条身影，有高有矮有胖有瘦，都穿着夜行衣。中间一人虎背熊腰，手打凉棚，哈哈狂笑道："他奶奶的，院里人都躺下了吧？连个狗叫都没有。"

一个拎着牛角篓的莽汉怪笑道："能逃过耗子的千里幽冥雾昏天暗地香

的人只怕还在娘胎里呢！"

一个瘦麻秆接茬道："虎老三，牛老二，有屁明天再放，现在抓紧采花！"

左边第一人是个矬子，手里捻一根鼠须针，犹豫道："他妈的，这朵花艳压天下，是萧家媳妇，鱼捕头的师妹，咱们今天是不是太岁头上动土了。"

那莽汉笑道："他奶奶的，鼠老大就是胆小如鼠。咱们十二生肖横行西北惯了，难道到了东南就怕了！今晚采花，老大押后，俺牛老二要先拔头筹！哈哈哈！"

这十二生肖乃是蹒花帮的十二帮主，列当今天下七十二歪道之一。十二帮主按十二生肖排名，横行西北，恶名昭著。两年前，肖不平挟刀西游，捣毁蹒花帮，十二生肖销声匿迹，没想到今日卷土重来，又要兴风作浪。

此时众贼一齐淫笑，掠下墙头，直扑闺房。狗十一落后，眼尖一扫，发现了僵立树下的鱼梦痕，将手中一幅画着庄梦蝶的画像一抖，拿眼一瞧："妈的，弟兄们，点子在这！"

一语甫出，僵立的鱼梦痕忽然动了，痴人说梦环陡然抖出，银光一闪，套取狗十一的脖子。狗十一见势不妙，慌忙一个狗摇头，鱼梦痕一环套空。

鱼梦痕偷袭出手，本该一招制敌，岂料才一出手，顿觉不妙，自己的飞环招数不娴熟，驭控起来相当蹩脚，不禁大惊失色。自己若是庄梦蝶，为何记不起庄梦蝶私事，连兵器招法也一并忘了？

才一溜号，狗十一逮住机会，反客为主，一招狗抢食，欺身猛进，狗尾镰勾他纤腰。灰影缭乱，鱼梦痕顿时惊醒，心思电转，方才迷雾飘来，他立生警觉，扯碎手帕，捂住口鼻，这才逃过一劫。但埋伏在闺房左右的庄丁此时全无动静，只怕都着了道。此刻敌众我寡，自己功力莫名退步，更可恶的是，自己还变成了女人，若不速战速决，今日难逃色魔之手！一念及此，鱼梦痕忽然悲从中来，生而为女，何其艰难！

他妈的，鱼梦痕第一次飙出一句脏话，拼了！随手扔掉痴人说梦环，身子不退反进，直闯入狗十一怀中，使出心意拳中的金刚锤，圈臂击肘，咕咚一声，狗十一头碎胸塌，倒地毙命。

其余众贼闻声有变，纷纷掉头。鱼梦痕顾不得肘膝剧痛，如鲤鱼穿波，掠至兔老四身前，反手一捞，夺过兔颖枪，一枪将其穿喉，枪尖拔出，反手一挑，猪十二喉咙洞穿，两道血流迸溅如花！

兔颖枪乃是一条软枪，虽然较轻，但握在手心，鱼梦痕重又拾回了春梦无痕枪的感觉。春梦枪法脱胎于武穆神枪，来如春梦无痕，去似雷霆万钧，既轻灵更霸道。眨眼间，击碎马头琴，绕过羊角拐，拨开猴王棍，挑开龙鳞刀，马老七、羊老八、猴老九、龙老五相继殒命枪下。

连杀七人，用力过猛，鱼梦痕累得气喘如牛，身上已有三处挂彩，剧痛钻心。

牛老二觑准时机，牛吼一声，踊身一跃，如巨灵下凡，蒲扇般巨手握着硕大牛角槊泰山压顶直砸鱼梦痕！

院中有眼胭脂井，上筑八角亭。前影壁后牌坊，中杂古树假山。牛角槊撕裂疾风，直如兽吼，鱼梦痕不敢硬接，滴溜溜一个转身，踅入影壁后。轰！磨砖地面砸出一个深坑！牛老二回手一槊，捣碎影壁。鱼梦痕不敢怠慢，蹬脚借力，凌空飞起，蹿向一株乌桕树。岂知鞭声如哨脆响，蛇老六的蛇腰索预先伏击于此，劈头抽来。与此同时，虎老三的虎尾鞭，鸡老十的鸡嘴锄，分从左右袭至。鱼梦痕身在空中无法借力，百忙中兔颖枪在虎尾鞭头一点，借力弹身，纵起三尺。鞭刀走空，但蛇老六眼疾手快，手腕一振，蛇腰索蓦地仰头反噬，啪的一声，鱼梦痕裹头绢帕碎成蝶翼，三千青丝哗然萎落！

"妈的，是个女的！"几贼几乎同时惊呼。

鱼梦痕双脚落地，趁其错愕失神，兔颖枪疾出如风，刺死蛇老六。其余几人豁然惊醒，怪叫连声，再次出手。这几人以牛老二最为狂悍，鱼梦痕当机立断，虚晃一枪，直取虎老三，枪到半途，陡然回转，双手捧枪，中宫直进。噗！牛老二牛皮坎肩被一枪穿透，二尺长枪苗穿心而过，将他庞然巨躯陡然掀起，硬生生钉在乌桕树上！

不想这一枪用力过猛，枪尖刺入树干，急切间拔不出来。便在此时，哧溜一声，一个矬子快如掘地鼹鼠，贴地飞蹿——正是鼠老大，鼠须针如蜻蜓点水，连刺鱼梦痕后背三处大穴！鱼梦痕哼了一声，颓然萎倒，兔颖枪失手落地。虎老三眼疾手快，扯过蛇老六的蛇腰索，将鱼梦痕牢牢捆住。

动手过招，瞬息万变，一招失手，万劫不复，鱼梦痕变成了庄梦蝶，武功体力大打折扣，不慎落入魔手。

虎老三探出毛茸茸大手，拨开鱼梦痕发丝，借着月光露出一张倾国容颜。他哈喇子流出三尺，淫笑道："他妈的，今天赚大发了！"说着便要扯鱼梦痕衣服。

鸡老十慌忙止住："老三，这里不方便，小心鹰爪孙！"

三人丢下满地尸体，虎老三背起鱼梦痕，跃出宅外，一道烟没入浓酽夜色。

问 梦

襄阳府外十里。密林幽深，阒寂无声。夜，冷得怕人，苍黑的天幕宛若一张鬼脸，万千星子如眼，漠然注视着肮脏尘寰。密林深处一块空地，篝火亮起，映出三张狰狞如鬼的脸，鼠老大、虎老三、鸡老十。鱼梦痕手脚被牛筋索反捆在一棵大树上，三贼瞧得嘴角流涎，色心大发。

鼠老大色眯眯道："老三，老十，你俩给我放风，我先来！"说着哧啦扯掉外衣，露出搓衣板般的肋条。

虎老三道："他妈的老大，凭什么干仗你落后，享受你在前？"

鸡老十道："老大，这地方连个鬼都没有，放什么风？一起来！"

虎老三最是暴躁，三下五除二脱个赤条条，只剩犊鼻短裤，露出遍体黑毛，一步抢上，淫笑道："美人，虎三爷和你亲近亲近！"大手一挥，哧啦一声，将鱼梦痕上衣扯掉。鱼梦痕魂飞天外，汗如雨下，猛然扯脖大叫："救命啊！"

虎老三狞笑道："深更半夜，荒山野岭，你就叫破天也没人答应！老大，老十，你们说是不是，哈哈哈！"笑到半截，戛然而止。咦，身后气氛有些异样，往常急不可耐的老大老十今天怎么都消停了，半晌没有动静？虎老三急回身，喉咙忽然一凉，他愕然低头，火光下，一条银枪刺在颔下，一股黑血顺着棱上血槽疯狂涌出。虎老三张嘴瞪眼，一命归西，倒地不起。两侧是鼠老大、鸡老十的尸体。

持枪人皂帽乌靴，身若春树，鹅蛋脸，眉目如画，映着火光，更显清雅俊秀，胸前补子上一个端正"捕"字赫然在目，手中那条枪，矫然不群，正是春梦无痕枪！

鱼梦痕恍如见鬼，眼前并无镜子，他却看见了自己，另一个鱼梦痕！

鱼梦痕声音颤抖："你？你是谁？"他刚逃得噩运，惊愕盖过惊喜。

那人嘴角勾起一抹冷笑，一板一眼道："襄阳捕头鱼梦痕。"

鱼梦痕简直不敢相信自己的耳朵，那人的声音熟悉已极，竟然就是自己的声音。"你是鱼梦痕，那、那我是谁？"

"你是庄梦蝶。"

鱼梦痕脑袋几乎爆炸："我是庄梦蝶？为何不会用痴人说梦环，为何想不起庄梦蝶的一点回忆？"

那个鱼梦痕冷笑道："你读书把脑子读坏了吧！曾几何时，你心怀恶念，今日我要以牙还牙！"说着面孔扭曲，一步步逼近。

鱼梦痕惊慌失措："你，你要做什么？"

那个鱼梦痕冷笑道："让你也尝尝女人被欺辱的滋味！"说着枪交左手，一把扯掉鱼梦痕中衣。

就在此时，异变突生——鱼梦痕手臂一长，蓦地脱离束缚，一把擒住眼前那个鱼梦痕手腕，反手一拧，将其带入怀中。蓦地胸前一软，原来用力过猛，那个鱼梦痕一头撞上他酥胸，鱼梦痕心头一颤，一把松脱，慌忙盘龙绕步，向旁一闪。

那个鱼梦痕得隙逃脱，顺势涮枪，挂双肩刺两肋，反击鱼梦痕。鱼梦痕心头剧颤：这正是自家绝招"涤污荡浊"，难道他才是真正的鱼梦痕？仓促间转念不及，鱼梦痕弹身后翻，顺手折下一支树枝，借力蹬树，蜷身飞旋，同样一招"涤污荡浊"还击。没想到那个鱼梦痕虚晃一枪，随即蹿林踏草，施然远遁。

原来鱼梦痕日间接到采花帖，便做了周密后手。为防万一，躲入屋中偷试自家武功，这才惊觉，自己武功退步大半，略一计算，当和庄梦蝶功力悉敌。前思后想，只觉这一切太过诡异，下定决心，必要查出真相。

十二生肖偷袭，鱼梦痕虽惊不乱，但瞧几人武功泛泛，远在庄梦蝶之下。这些人粗鲁浅薄，断无下帖投柬的雅兴，可见正主还没来。因此倚仗有移经转穴缩骨奇功，冒险被擒，想要引出真凶，谁知竟引来了自己！

鱼梦痕此时心乱如麻，理不出头绪，哪肯放手。旋而振臂飞身，衔尾急追。边追边喊："你到底是谁？为何与我一般模样，为何要冒充我？"

那个鱼梦痕不予理睬，几个起落，隐入夜色，再也寻之不见。

鱼梦痕气疯了，怎奈功力锐减，追之不及。蹲伏在地，呼呼直喘。直等到天明，钻出密林，入一农家，偷了一幅头巾裹住长发，换了一件长衫，这才寻路回了庄家。

此时药劲已过，合庄上下苏醒，见没了小姐，顿时鸡飞狗跳，乱成一团。家丑不可外扬，庄北溟强忍悲痛，拾掇贼人尸体，忙活一早上。

女儿突然归来，庄北溟又惊又喜，想要上前问询。鱼梦痕面无表情，一头扎入自己房内，再不出来。

躺在床上，鱼梦痕心头翻江搅海乱作一团：自己难道有孪生兄弟？不过即使是同胞兄弟，某种机缘下得了春梦无痕枪，也未必会自己的绝招。种种迹象表明：那个鱼梦痕才是真正的鱼梦痕，自己就是庄梦蝶！但自己若是庄梦蝶，为什么不会用痴人说梦环，却会用春梦无痕枪！难道自己真的爱上了鱼梦痕，模仿他的一切，将自己所有全部忘掉了么？不可能！自己此刻异常清醒，如何会颠倒意识？

无意间伸手向怀中一摸，摸出那本残破的《如梦令》，它被鱼梦痕重新粘补好，贴身私藏，这是证据。此刻掏出，再读一遍，终于发现一丝蹊跷之处，就是那个告示："武当山梦乡圆梦山庄布告天下：道有三劫，佛有八苦，天残地缺，况凡人乎！然则人是万物灵，逆天改命，今可圆之。穷变富，丑变美，懦变勇，女变男，只在一梦之间。"

"女变男"三字，像三把飞刀，刺痛了鱼梦痕的眼睛。庄梦蝶亦去武当寻梦，她的梦会不会就是"女变男"？前后一联系，鱼梦痕心头剧颤，一个惊世骇俗的结论袭上心头：难道武当入梦之后，庄梦蝶真的变成了男的？既然可以女变男，便也可以男变女，是以自己变成了女的——再一想，又断然否认。男女互变，除了孙悟空的七十二变谁能办得到？世间当然没有孙悟空，也不可能有变化之术。难道是用了类似鬼附身的方法？现在自己身体是庄梦蝶的，但是灵魂是鱼梦痕的。那么，那个鱼梦痕是否就是自己的身体，而被庄梦蝶主宰了呢？若真如此，必是圆梦山庄庄主用了某种秘法，让寻梦者灵魂交换。庄梦蝶美梦成真了，自己进入的是华胥国，华胥国内，男女平等，无分尊卑。自己变成了女人，是不是正与华胥国的理念相符？若真如此，那么同入圆梦山庄的姬梦邪、萧梦虎、周梦熊是否也已梦想成真？

回来的路上，他询问了很多路人，现在确实是嘉靖二十五年。若此时不是做梦，自己在嘉靖二十四年八月失踪，记忆在圆梦山庄湖里莲花池中戛然而止，整整丢失了一年。这个诡异事件的关键点就是圆梦山庄！从圆梦山庄昏厥过去之后，整整一年毫无记忆。这一年，自己究竟经历了什么？为今之计，只有亲临现场，或能觅得蛛丝马迹。第一步，先要探查圆梦山庄的告示究竟有无，到底是不是自己写书杜撰出来的？

想到此处，他翻身跃起，重新换上一套仆人男装，饱餐一顿，捡起兔颖枪，辞别庄北溟。庄北溟无奈，只能任他去。

鱼梦痕戴着毡笠，先溜到姬梦邪平时摆卦摊处，可惜根本不见人影。暗中打听路人，才知姬梦邪已有一年未露面。姬梦邪当初进入了高唐州，不知他的结局又是如何……转过几条街，鱼梦痕直趋府尹门前。一看门家奴瞧他服色低级，拎着皮鞭，蹿下台阶，喝道："有拜帖吗？闲人滚蛋！"

鱼梦痕哑着嗓子道："通禀萧梦虎，就说鱼梦痕找他。"

那家奴一听，颜色一变，怒金刚变成了笑菩萨："原来是鱼捕头，请稍后。"转身进内通禀。不多时回来："公子有请！"

豪门一入深似海，果真不假，重门叠户，复道回廊，不可胜计。鱼梦痕无心观赏，直奔萧梦虎住所。

水晶虾须帘啪地卷起，那家奴躬身请进，旋而退出。鱼梦痕一脚门里一脚门外，便听得吧唧有声。原来正当饭口，花梨木桌上杯盘罗列，夜光杯葡萄酒，翡翠盘狮子头，萧梦虎正两手齐上，据案大嚼，吃得满嘴流油。听得动静，抬头一看，随口说道："你就是鱼梦痕？襄阳府捕头？"

鱼梦痕听他话音不正，像萧梦虎又不像，瞧吃相粗鲁，不禁一愣——萧梦虎家道豪奢，平日就餐挑肥拣瘦，且有洁癖，为何今日狼吞虎咽，好像饿死鬼托生一般？

萧梦虎见他发愣，捧起袖子抹抹油嘴，起身道："我问你，你怎么不说话？"

鱼梦痕没说话，抬手摘下毡笠，萧梦虎似乎吃了一惊："呃，你是女人？"

鱼梦痕眼光如刀，以萧梦虎两眼为靶心："我是鱼梦痕。我和你接了圆梦山庄的告示，进入山庄的华胥国之后，我晕了过去，醒来后我就由男变女，变成了庄梦蝶！"随即将来龙去脉细细阐述。萧梦虎如听讲古，时而张嘴，时而搓手。听完了，扶额蹙眉道："你说的什么我实在听不懂。我把以前的事情都忘了。就连我是谁，都是别人告诉我的。"

萧梦虎一问三不知，鱼梦痕无法，只得告辞退出。临走时萧梦虎恋恋不舍，眼光别样。鱼梦痕心知肚明，不敢耽搁，脚底抹油，一溜烟跑了。直跑出数里，躲到一处僻静街角，等心跳趋稳，鱼梦痕细想适才一幕，萧梦虎容貌没变，但他吃相却已变了，一个人能失去记忆，但很难改变骨子里的习惯。难道萧梦虎的身体也被另一个灵魂占据了么？那个人难道是——周梦熊？仔细回想，从小，周梦熊吃相就很丑，狼吞虎咽。且在圆梦山庄，周梦熊做的是黄粱梦，尽享荣华富贵。萧梦虎做的是役夫梦，每日受苦。如他二人交换灵魂，岂不各偿所愿？

正想到此处，忽听身后脚步杂沓，叫骂声四起。扭头一看，只见一伙家奴操着皮鞭木棍，追打一人。边打边骂："妈的，天杀的狗贼，偷吃的偷到黄老爷家了！"前面那人手拎食盒，步履轻盈，虽慌不乱，点地飞行，施展的正是萧梦虎的绝学踏莎行，瞧脸面却是周梦熊！

片刻间，周梦熊穿街过巷，抛下众人，出城而去。鱼梦痕紧随其后。

荒郊野外，四下静寂，唯有鸟雀婉转。周梦熊回顾无人，寻一处浅溪清净处，放下食盒，洗手净面，一丝不苟。旋即起身，寻一干净青石，打开食盒，从里取出杯盘碗筷，三荤一素四个菜，一壶老酒，一一摆好，先呷口酒，然后不慌不忙吃起饭来。

鱼梦痕躲在树丛中仔细看，那人长着周梦熊的脸孔，眉宇间神情却酷似萧梦虎！且看他穿百衲衣，披开花袍，却浆洗得干干净净，又与萧梦虎富贵洁癖相符。他腰畔配着一柄剑，正是萧梦虎的梦寐以求剑！

吃到一半，周梦熊似乎饱了，将杯盘碗筷残羹剩饭统统倒入食盒，扔入沟渠。鱼梦痕一阵心疼，今逢灾年，多少穷人饿死街头，如此糟蹋粮食，太可惜了。

鱼梦痕飞身拦在他面前。周梦熊大惊，拔剑前指，正是萧梦虎梦寐以求剑中的一招"睥睨天下"！

鱼梦痕缓缓摘下毡笠，露出一张俏脸："你认得我么？"

周梦熊乍见倾城容颜，顿时一颤，随即意识到失礼，拱手道："不知小姐芳名，冒渎尊颜，尚请见谅！"

鱼梦痕瞧他面露疑色："你不认得我？那你知道你是谁么？"

周梦熊手扶额头，眉毛紧皱："我不知道我是谁。我失忆了，以前的事情全想不起来了。"忽然眼光一亮，"你知道我是谁？"

鱼梦痕盯着他的眼睛，缓缓道："你叫周梦熊！"随即将他身世以及圆梦山庄所历一切全盘托出。

周梦熊如听天书，频频摇头，完全不相信。当听鱼梦痕说到怀疑他们全被圆梦山庄庄主交换了灵魂时，周梦熊眼前一亮："这么说，我本是萧梦虎，与你曾有婚约？"

鱼梦痕唬得一跳，慌道："我是开玩笑的，你别当真！"飞身跃起，落荒而逃。

周梦熊在后急喊："庄姑娘慢走，我有事请教！"

鱼梦痕哪里敢听，急急如漏网之鱼，好一阵狂奔，直到后面渺无人声，这才驻足，觅路出了府城，凭着记忆，攀山越岭，来到一所熟悉的茅庐前。旧梦依稀记犹真，破竹篱笆，低矮草庐，都那么熟悉。不过物是人非，只一梦光景，自己却变成了女儿身。鱼梦痕悄立门前，怔然出神，两行珠泪无声垂下，回顾前尘，恍如一梦。伸手去推柴扉，啪的一声，柴扉应手落地，原来户枢已坏。踏入门中，院落中蒿草过膝，显然已久无人打理。屋中尘垢弥满，鼠狐乱窜，一股霉气扑面而来。鱼梦痕拂拭掉额角蛛丝，细意一打量，大感惊诧，内里式样与记忆大相径庭，记得是面阔三间，东边住人，中间厨房，西边杂物。此间格局西屋住人，东屋演武，中间有个隔壁，里是灶台，外面堆放杂物。灶台被烟熏得乌黑，锅碗瓢盆式样都与记忆不同，这究竟是怎么回事？会不会是一年未归，有人擅自改变了屋里格局，并用颜色做旧？

想到此处，鱼梦痕走出屋外。这座土山上共有五家住户，都有跟他相熟的邻居，一一走访。但是屋子主人都变成了陌生人，并不识得。稍致问询，这几家铁口铜牙一口咬定是老住户，和鱼梦痕相识，并拿出户籍地契证明，并说鱼梦痕业已一年未归，言辞之间，都显得很挂念。

鱼梦痕真糊涂了，难道交换灵魂时，鱼梦痕的记忆缺失了一块？唏嘘良久，快然下山。阎魔海中，波光浩渺，渡口处小舟依然在。时隔一年，今年还是个涝年，洪水依旧未退。此刻阴云密布，秋风渐起，白日如夜。鱼梦痕驻足良久，忽然仰天大喊："老天爷，我究竟是谁？告诉我！"言未毕，泪已决堤，正哭得花枝乱颤，蓦然转身，一枪刺向渡口旁一棵大树，树后人影一闪。

铮！兔颖枪对上春梦无痕枪！

锵锵锵！双枪如龙蛇翻滚，人影似云雾交织。蓦地裂帛一声，人影乍分，对垒东西。鱼梦痕毡笠破碎，头发披散，外罩披风业已不见，露出一身短打。对面那个鱼梦痕胸前补子上撕开好大一个口子。

鱼梦痕喘息甫定，冷笑道："庄梦蝶，还不露出你本来面目！"

那个鱼梦痕甩掉风帽，也冷笑道："你看看我是谁？我是鱼梦痕，你才是庄梦蝶！"

鱼梦痕简直要崩溃了："你是鱼梦痕？那偷偷跟踪我是何缘故？圆梦山庄里究竟发生了什么？为何我会变成庄梦蝶？而你变成了鱼梦痕？"

那个鱼梦痕两手一摊道："你说的我全都不懂！"

鱼梦痕怒满胸臆："我鱼梦痕从不杀无辜之人，今日要破例了！"

那个鱼梦痕毫不示弱："你也配！鱼梦痕斩贪除佞，正气堂堂。从今以后，再不会脏了这双手！"

鱼梦痕腕子一振，兔颖枪绽开数十朵枪花，飙射那个鱼梦痕。那个鱼梦痕不敢怠慢，春梦无痕枪当胸一划，旋成一块银盘。枪花飞落其上，火星迸射，煞是好看。刚开始，那个鱼梦痕还手下留情，左支右绌，迭遇险情，不得已只好全力还击。两人鱼跃蝶飞，从平地打到桥栏之上。两人蹑立桥栏分寸之地，那个鱼梦痕涮枪磕开来招，不假思索，反手一枪，中宫直进。说时迟那时快，鱼梦痕躲闪不及，噗的一声，枪尖钉进肩窝。鱼梦痕哎呀一声，立足不稳，咕咚一声，跌落桥下湖中。

那个鱼梦痕始料未及，待得收枪已然不及。急忙俯身查看，却见一角青衣淹没水中，涟漪扩散，一丝血痕蜿蜒蔓延。不多时，湖水平息，血痕消失，再无一丝痕迹。

那个鱼梦痕开始一惊，随即平静下来。收起春梦无痕枪，游目四顾，抱肩等候。可是直等到暮色凄迷，冷雨纷飞，鱼梦痕也没浮出水面。

织梦

十天后。武当山紫霄宫。

长着庄梦蝶面孔的鱼梦痕再一次钻入上善池中的柳毅八卦井中。打亮火折寻找铁门，寻了半晌，四周都是砖石，哪来什么铁门？圆梦山庄已不可寻，为了查明真相，唯有探寻是否有移魂的巫术了。

半月后。千里之外的茅山。

三更天。烛火辉煌。韦天师坐在鹤轩云榻上，一大堆刚骗来的银子摊在床头。适才县令小公子犯病，找他驱鬼。他佯作通阴，被县官死鬼老爹鬼魂附身，装了一回县官老爷的爹，把官老爷当儿子教训了一顿，谴责没给他烧纸，故而来闹。县官深信不疑，连连磕头。临走还骗了一堆赏银。此刻他咧着一张薄片嘴，呲着两颗没掉牙，喜得眉开眼笑。抓起一只银元宝，放在嘴里咬咬，自语道："硬通货，真好！"再抓一个一咬，嘎嘣，崩掉两颗老牙，啊的一声惨叫！

那个原来不是银子，是一支锋利枪尖，此刻便逼住他咽喉。持枪人全身黑衣裹住头面，只露两只眼睛。正是鱼梦痕乔装。

韦天师见多识广，虽惊不乱："英雄，想要银子，尽管拿去，贫道乃出家人，四大皆空……"

鱼梦痕压低嗓子："你回答我几个问题，胆敢欺瞒，送你升天！"

韦天师转忧为喜："贫道知无不言。"

"第一个，道家所谓通阴是真是假？"

"真的。"

"还敢骗我！"枪尖递出，韦天师喉头一凉，血丝涌出。

"假的假的。我是骗黄县令的，为哄骗他银两，他家孩儿不过得了疟疾，我在符水中下了家传灵药。虽然骗他点银子，但那药是真的！"

鱼梦痕打断他："第二，灵魂附体是真是假？"

"假的假的。"

"第三，世上是否有种秘术，能移魂变身，将一个灵魂装入另一个躯壳之中？"

韦天师挠挠脑袋："道家有种秘术，叫锁梦或移魂，施术者利用秘法暗示，扰乱被施术者心智，迫使他接受灌输的思想，把自己想成另外一人，相信自己做了不曾做过的事情。"

"真有这般神奇？"

韦天师道："此类人多半神志不清，前言不搭后语，一旦被外物干扰，极易从梦中苏醒。"

"道家秘法深不可测，会不会有高人真有偷天换日之能而不被人觉察？比如武当道士？"

韦天师嗤笑道："武当武学天下闻名，贫道不敢僭说。但论巫术，茅山才是正宗。若非如此，英雄何必光临小庙！道学渊源，祖师也传下几个例子，却都没有这般神奇。"

鱼梦痕收枪拱手："多谢道长！"身形一晃，早掠出门外。一个异想天开的推理在他心中初具雏形，让他头脑几欲炸裂。

韦天师望着他的背影，摸了摸漏风的嘴，唇边忽然勾起一丝冷笑。

一月后，千里之外的岳阳府，天香楼：一楼内雕梁画栋，珠光宝气。名花台上，佳丽如云，衣香鬓影，撩人情兴。台下达官富豪像打了鸡血，吆五喝六，争相标价。旁有龟奴搬箱提篋，流水般抬走缠头花红。老鸨笑得眼花没缝，最后金槌一敲，今夜压轴大戏——清倌人上场，拍卖处子之身。清倌人袅娜登台，步步莲花。素面天然，混在庸脂俗粉中别有一番清丽。

台下躁动起来，清倌人身价疯狂攀升，最后府台公子以五千两胜出，颤动肥臀，淫笑着要领人。

便在此时，门口有人大喝一声："我出一万两！"众人惊愕回头，却见一个黑衣人突兀地立在门前，腰脊挺直，像一杆刺破苍天的枪。

府台公子破口大骂："他妈你谁呀，敢和老子抢女人！"一挥手，一干豪奴亮出家伙骂骂咧咧一涌围上。那黑衣人身形一晃，直如蝴蝶穿花，逸出人群，掠到府台公子面前，左右开弓，一顿耳光，抽得他鼻口蹿血。身后豪奴才纷纷跌倒，滚作一团。

老鸨尖叫道："来人，抓强盗！"手下一干打手闻风而动。

铿！黑衣人啪地翻手，一块令牌插在案头！老鸨眼尖，一眼瞥见，吓得脸色惨变，扑通跪倒，岔了声地叫："大人恕罪恕罪！"

府台公子眯着乌青小眼，也看见了，那令牌只写了三个字：肖不平！肖不平乃天下第一名捕，以雷霆手腕惩贪除恶名震天下。今年春天鬼眼浮屠一案后，闾巷内疯传其是凶手，但经三堂会审，皇帝下旨，裁定凶手是死去的钟三昧，肖不平办案不力，撤去捕头之职。其中真相扑朔迷离，所有经案人员俱都缄口不言。坊间便有传言他是锦衣卫密使，逢官吏可先斩后奏。鬼眼浮屠一案便是皇帝指使他除去佞臣所玩的把戏。更要命的是，皇帝的小公主银铃对其情有独钟，皇帝爱屋及乌，对他宠爱非常。

府台公子裆下一热，屎尿齐流。

黑衣人冷冷道："这牌子值不值一万两？"

老鸨磕头像捣蒜："值值值！这牌子老身万不敢收，清倌今夜是公子的！"

香阁中红烛吐焰，春意盎然。清倌人端坐床头，轻垂螓首，忐忑等着黑衣人。黑衣人独立窗前许久，忽而悠悠一叹，慢慢合上窗幔。

黑衣人温柔开口："我是襄阳捕头鱼梦痕，肖不平是我唯一的朋友。请教姑娘芳名？"

清倌人一愣："我叫遇知音。"

鱼梦痕击掌道："好名字，恰应今日之事，明天我与姑娘赎身，是去是留，悉听尊便。今日，我想请教姑娘一个问题。"

清倌人奇道："什么问题？"

鱼梦痕道："请问姑娘，来过月事么？"

　　清倌人脸一红："来过，不，没，今夜没来。"

　　鱼梦痕道："我说的不是这个意思。我想问，是否每个女人都会有月事？"

　　清倌人迟疑道："应该是吧，女孩十二三岁初潮，以后每月一次，每次四五天，来时肚腹疼痛，直到四五十岁绝经。"

　　"有没有不来月事之女子？"

　　清倌人道："我还没听说过，不过凡事总有例外吧？"

　　鱼梦痕嗯了一声："遇姑娘不介意宽衣解带，赤诚相见吧？"

　　清倌人脸一红，回身要吹蜡烛。

　　鱼梦痕伸手拦住："其实，我和你一样，也是个女人。但我和你又不一样，我曾经是个男人。我究竟是男是女，我很想弄清楚。所以我想看看你和我有何不同？若我是男，愿与你结为夫妇；若我是女，愿与你拜为姐妹。"

　　室内香烟缥缈，床上轻纱如水，映出两条玲珑有致的剪影。烛光晕黄，转而黯淡，似也羞怯于这旖旎春光温柔秋夜。

　　翌日，铁匠炉。

　　鱼梦痕整个人瘦了一圈："老板，我要打造一条软枪，如今我梦已醒，就叫它大梦已觉枪吧！"

　　一个半月后。普陀山，大慈悲宫。

　　鱼梦痕将肖不平的令牌放在沉香木案上："请问宫主，久闻贵宫有一奇宝雪蛤膏，能祛疤销痕，神妙无比。不知一年前可曾卖出，能否详细告知？"

　　出了大慈悲宫，鱼梦痕仰头看天，如今已是真相大白，真相往往残酷得令人崩溃。他仰天怒吼，歇斯底里："老天，我鱼梦痕一生行善，为什么会落得如此下场！为什么！"

释梦

十月十八。武当山。南岩万寿宫。天刚蒙蒙亮，愁云惨雾，秋叶翻飞。一道危崖雕成蟠龙模样，横空出世，长有丈余，宽仅一足，左右无依无凭，伸出万仞绝壁。龙身上苔花朵朵，夜雨方歇，更是滑不留足。

孤猿叫月，断雁嘶风，全在脚下。长着庄梦蝶面孔的鱼梦痕皂帽乌靴，腰缠大梦已觉枪，手捧线香，站在龙头香前，朗声说道："太阴化生，水位之精。虚危上应，龟蛇合形。周行六合，威慑万灵。真武大帝在上，我鱼梦痕今日要荡妖除魔。请为我指点迷津，若我为正，点燃龙头香，若我为邪，坠下悬崖，粉身碎骨！"

说罢，一步步走上龙头。衣襟在山风中起舞，凌空欲飞直若仙人。插香、点燃、三拜、转身。突然，脚下一滑，失足堕下万丈悬崖。

秋日凄迷，岚烟瘴气氤氲欲雨，弥漫在逍遥谷中，宛若仙境。谷中依山傍水，矗立一座药王庐。蓦然间，草庐前湖水无风起浪，一股水浪悬空，化作一道水龙卷，陀螺般狂旋而起。轰！草庐柴门给水浪一击，碎成万片尘芥，万千水流爆开一朵硕大水花，中有一人，把臂持枪，中宫直进，破柴扉，碎屋门。砰！整个草庐土崩瓦解，泥土草沫漫天狂舞。

片刻，尘土落下，那人持枪兀立，捕头服上划开无数细口，湿淋淋淌着水，还挂着零星藤叶草籽。但见他蛾眉凤倒竖，樱唇紧抿，杀气如潮充斥虚空——正是长着庄梦蝶面孔的鱼梦痕！

稻草乱飞，一个瘦如骷髅的老妪从废墟中站起，手里拎根药杵，嘴里叼颗莲子心，头顶扣块合欢皮，脸上糊满女儿香。老妪扒拉掉满头药材，吧唧吧唧瘪瘪的嘴，自语道："好大的风哎，把房子都吹倒了！"

鱼梦痕冷冷道："药王奶奶，何必装模作样，鱼梦痕来找你了。"

老妪颤巍巍回身，眯着一对老花眼："你是诸葛亮？你不是个姑娘吗？"

鱼梦痕缓缓迈步："江湖上都说你有移花接木断鹤续凫之术，断腕能接，断头可活，想来易男为女也不费力吧？"

药王奶奶枯瘪的手兜住耳朵："你说什么？你不想活？你找错人啦，不想活找阎王爷，奶奶我管不了。"

鱼梦痕怒不可遏，倏地欺近，大梦已觉枪挟怒含怨电射而出，刺透药王奶奶肩窝，将她硬生生钉在廊柱上！药王奶奶一声惨叫。鱼梦痕狠下心肠不理："说，你是如何将我变男为女？"

药王奶奶剧痛钻心，仍然打岔："你是毛驴？太像了，是头畜生！"

鱼梦痕再不废话，拔出大梦已觉枪，点了药王奶奶几处穴道，提着她飞驰而去。

武当紫霄宫。法鼓三通，响遍行云；警钟九响，震动群峰。

紫霄宫前，数百道士犹如过江之鲫涌出大殿，法剑出匣，困住鱼梦痕。武当七星子分开人群，天权子近前稽首："庄师妹，药王奶奶救人无数，德高望重，且年纪老迈，你挟持她于理不合，于法不容，还不罢手？"武当七星子乃道宗李元婴门下，养性修真，喜怒不形于色。尤其天权子秉性醇和，言辞藏锋，语调依旧不愠不火。

鱼梦痕冷笑道："天权师兄，在下鱼梦痕，你认不出来么？"

天权子一愣："庄师妹，莫开玩笑！"

鱼梦痕瞧其不似作伪，冷冷道："在下本是鱼梦痕，却被这妖婆以妖术割阳修脸，变成了庄梦蝶！"

武当七星子闻言大惊失色："无量天尊，此话当真？"

鱼梦痕冷道："非但是真，而且作案处叫圆梦山庄，入口便在紫霄宫祖师殿的上善池旁的柳毅八卦井中。"

天权子道："此话当真，我立时派人查看。"

鱼梦痕冷笑道："不必了。做贼心虚，岂会留下证据，我早已查过，井壁已然砌好，毁灭了证据。"

天权子道："无量天尊，紫霄宫归我道宗管辖，如你所言是真，师父闭关未出，天权愿受责罚。"

鱼梦痕眼中杀机隐现："首恶必诛，胁从法办。我已派下请帖，涉案人等马上就到。"

此时，薄云笼阴，冷风嗖嗖。山道上脚步纷沓，人声嘈杂，一行人打伞戴笠鱼贯上山。为首正是庄北溟、萧南焱，后面拉拉杂杂跟着一堆佩剑悬刀的豪奴，押后的是不修边幅的萧梦虎。周梦熊身姿沉稳，不疾不徐，缀在一箭地外。

庄北溟一眼瞧到鱼梦痕，急上前唤道："蝶儿，你？"

鱼梦痕放开药王奶奶，仰天狂笑："庄北溟，何必再演戏！当我鱼梦痕的请帖到你府上之后，只怕你立刻就通知了你的宝贝女儿庄梦蝶了吧！"

庄北溟老脸一红，嗫嚅着想说什么，终究也没说出来。

鱼梦痕提气大喝："庄梦蝶，胁从已到，你这主犯再缩头缩脑，别怪鱼梦痕大开杀戒！"话音未落，山道上忽然响起一声长啸，紧接着，一只玄影翩跹如蝶，眨眼间飘落门前，一步步，变得沉重无比，拾级而上。众人纷纷转身，但瞧那人皂帽乌靴，捕头装束，腰缠春梦无痕枪，惨淡蹙烟眉，朦胧似梦眼，却不是鱼梦痕是谁！

到底哪个是真的鱼梦痕？众人面面相觑，如坠梦中。

鱼梦痕望着那个走上来的鱼梦痕，眼中直欲喷出火来，伸手解下腰间酒囊，啪地掷过。那个鱼梦痕脸颊抽动，但还是伸手接过。

鱼梦痕道："久闻鱼捕头嗜酒如命，请饮此囊，我陪你！"说罢自解另一酒囊，仰脖豪吞。

那个鱼梦痕不动如山，冷道："春为花博士，酒是色媒人，这杯中物鱼梦痕早戒了。"

鱼梦痕啪的一声摔碎酒囊，冷笑道："若心无邪魔，纵饮千杯何妨！"

那个鱼梦痕仰天惨笑："好一个心无邪魔！陪你！"说罢一饮而尽，喝得过快，呛得咳嗽两声，亦摔碎酒囊。

鱼梦痕一字字道："杯碎，义断；酒尽，情绝。庄梦蝶，还不露出你本来面目？"

那个鱼梦痕振臂一扎，皂帽玄衣寸寸崩裂，飞散如蝶，露出蝴蝶双丫髻，春衫百褶裙，腰畔缠着痴人说梦环。接着伸手在脸上一搓，一张精致的人皮面具掀起，露出倾城红颜。

鱼梦痕仰天狂笑："果然是你！"

现场诡异出现两个庄梦蝶的面孔，如孪生并蒂。武当七星子面面相觑，如坠五里雾中。

庄梦蝶恢复了女声："梦痕，我宁愿叫你一辈子庄姑娘。"

鱼梦痕咬牙道："在圆梦山庄的莲花池中，我救你心切，被迷药熏晕，然后你主使药王奶奶将我残忍阉割，变成女人，还妄想让我认命。当真以为青天可欺么！"

"你为什么认定我是主使？"

"我被十二生肖所擒，你救我之后曾说，'让你也尝尝女人被人欺辱的滋味'！一个'也'字，说明我本来并不是女人。我们五人的武功都是师父单传，互相并不通气。当初同学时你偷我枪谱偷学枪招和枪锁，你真以为我不知道么？我是念着你我曾有娃娃亲故意引你偷看的。只是我当初太傻，打死也不敢也不愿相信我心爱的女孩会故意盗我枪留淫帖栽赃于我！我的一切只有你知道，这所有诡事除非你主使，否则谁能办得到！"

"当初我变身为女，在你爹诱导之下，也相信自己便是庄梦蝶，只是为魔书蛊惑，将自己想成了鱼梦痕。但我若真是庄梦蝶，处处又不相符：我记得鱼梦痕的一切，且我讨厌胭脂水粉味道，而你曾抹过胭脂擦过水粉，如果我确实是你，为什么还会厌恶胭脂味？当我追查真相时，你不放心，偷偷跟踪我。本来我武功比你高出很多，但在圆梦山庄你必定喂我吃了散功茶，所以我武功大退，只能和你打个平手。为了变明为暗，反客为主，我佯作失手，坠入阎魔海，借水遁远走千里，寻查真相。我找到了天下第一神道韦天师，证明了所谓移魂锁梦根本不可能神奇到改换别人记忆而毫无破绽。既然记忆难改，那么只剩下一个残忍的结果了，那就是我被改变了身体。"

"天下妙手神医诸多，但只有武当山药王奶奶擅长接骨逢皮的移花接木之术，离圆梦山庄又近，所谓近水楼台先得月。你我身材相仿，高矮相若，只是脸型不同，但我生得秀气，眉眼和你较多相像，将我修脸成你，对于药王奶奶神妙医术并不困难。只是将我阉割，添乳开阴，变成女人，并且动手割了声带，改变声音。这个过程太过复杂，绝非朝夕可得，因此你们将我迷晕，一边做手术一边等待，直到一年我痊愈后，才将我运到了庄家。动刀切割缝补，必然留下疤痕，为了消灭痕迹，必要用神奇祛疤药物，只有普陀山大慈悲宫的奇宝雪蛤膏有此神效。雪蛤膏乃稀世奇珍，存世不过三瓶。我拿了肖大哥令牌，拜访宫主，宫主受哥哥恩惠，虽然为难，也吐露了一点风声，一年前将雪蛤膏跟人换了一奇宝延年益寿的肉芝山精，亦称人参果，此宝只武当独有。宫主虽未言明，但换药之人业已昭然若揭。"

"最大的破绽便是，凡年轻女子都有月事，而我醒来一月有余，并未行经。可见药王婆神通虽大未臻绝顶，皮毛可易，脏器难改。但凡事皆有例外，我不敢确信。为了验证，特入妓寨寻一清倌人，包耻忍羞，黉夜之时脱衣对照，私处完全不同，绝非天然生成。至此我本是男人确凿无疑。"

鱼梦痕铿锵道来，周围众人无不骇然失色。

庄梦蝶神色黯然："梦痕，我这么做也是为你好。"

鱼梦痕气破肚肠："庄梦蝶，究竟我鱼梦痕哪点对不住你，你要下此狠手，让我断子绝孙，说！"

庄梦蝶陡然抬头，凤眼含威："因为你已经不是曾经的鱼梦痕了！"

"曾经如何，如今如何？"

"曾经你正气凛然，缉凶捕贪，不避权贵。而今你淫辱良家女子，和那满城淫贼有何区别？因为我喜欢你，不想让你玷污鱼梦痕三字，这才忍痛将你变为女子。你所行恶事，实该千刀万剐，所以放出风，引来十二生肖，让你体会一下做女人的难处，思己及人，明白己所不欲勿施于人的道理。只因我爱你，所以暗中保护你，最后关头还救了你。只因我爱你，才使各种手段，游说爹爹哄你，私自改造你茅屋，堵死圆梦山庄井内入口。只想让你忘了痛苦的鱼梦痕，做个快乐的庄梦蝶。"

鱼梦痕气炸心肝肺："明明是你冒充于我，自下采花帖，却反咬一口，说我淫辱良家妇女，天理何在？"

庄梦蝶咬牙道："证人已到，不怕你抵赖！"

山道上，三乘软轿由远及近，轿夫落杠，轿帘一挑，步出三名清瘦憔悴少妇，后面还跟着一个花甲富贾。鱼梦痕认得，后面那富贾是庄梦蝶的姨父刘农，三少妇面孔依稀，似乎哪里见过，便问："这是何人？"

庄梦蝶咬牙道："不认得了么？这是我表姐素香、清香、怜香。当年我姨父家初次接到采花帖，求你保护，你将三人锁入密室，只有一把钥匙归你掌管。可是等到天明，密室却被打开，表姐们给人污辱了。而那采花贼就是你，我三表姐当时恰好伤风鼻塞，不时用手帕捂鼻，是以你迷药并未彻底将她迷晕，当你行其恶事时，她清清楚楚看到了你的模样。三表姐，你凭良心说一句，那个采花贼究竟是谁？"

怜香颤抖着身子，一指鱼梦痕："是他！"

鱼梦痕失去了记忆，对于三年前的事只有个轮廓印象，每每细思，便头痛欲裂。此刻一想，头又痛了，他扔下大梦已觉枪，十指叉入发髻，五官扭曲，歇斯底里狂叫："我鱼梦痕平生最恨淫贼，绝不会是我！"

刘农腆着肚子一步抢上，抢起巴掌便抽鱼梦痕，啪啪有声，破口大骂："你这个淫贼，祸害我女儿，我女儿嫁到夫家，被认不贞，受尽凌虐，你坑了我们全家一辈子，我抽死你狗淫贼！"原先为免家丑外扬，刘农忍气吞声，如今女儿都被休回，再无顾忌，将数年积怨悉数发泄，恨不得立马杀了鱼梦痕。

庄梦蝶急忙上前，好歹扯开刘农。鱼梦痕忽然止住狂态："你以为你们栽赃我便认吗，我鱼梦痕心无邪魔，怎行恶事？"

庄梦蝶又恨又疼："你在圆梦山庄中剥落我束缚之后，眼中冒火，淫爽表情崭露无遗。若非你晕厥，只怕会对我做出恶事。不过你正值青春，却无伴侣。酒后乱性，把持不住，却也不完全怪你。"

鱼梦痕回想当时情景，恍然大悟："这么说，你建圆梦山庄，是为了给你表姐们报仇了？"

庄梦蝶死死地盯着鱼梦痕的眼睛："你真忘了以前的事了么？明明你才是圆梦山庄庄主，我所做一切皆出自你之理想！"

焚梦

此言一出，非但鱼梦痕，周遭众人无不惊愕。

"你说什么？"

庄梦蝶道："自古襄阳多美女，近年灾祸频仍，穷者愈穷，富者愈富。富者娶妻纳妾，毫无节制，更有蛮夷鬼域之徒大肆贩我妇女。本来天生男女，数量相若，各有其配，如今人欲难餍，致使阴阳失衡，鳏夫寡男剧增，淫祸频发。非但如此，一些人为了暴富铤而走险，弄得国家体无完肤，如此下去，再被外敌所乘，社稷板荡之期不远。"

天权子在旁听得，不禁念了一句无量天尊，看了一眼被人踏破的门槛，叹口气："不错不错，鳏夫寡男众多，给世间埋下诸多祸患：人性扭曲，家庭破碎，民怨沸腾。只有清心寡欲养性修真才能杜绝淫祸，这几年道宗收徒甚多，虽然紫霄宫人满为患，寅吃卯粮，也算为国为民，功德一件吧。"

庄梦蝶点头道："师兄高德，但并非所有人都肯信道修真。"转看鱼梦痕："你，鱼梦痕，初使雷霆手段，缉凶捕盗。"说着飞上雕栏，指着远处——

乌沉沉天幕下，武当山嵯岈万状，青碧的山体上隐隐可见斑斑土黄，那是暴雨导致山体崩塌后的颜色。禹迹池池堤高筑向天，宛若平地升起的老井，但池水依旧平堤流溢，周遭低洼处尽成泉眼。

"但你也渐渐发现，所谓食色性也，便如这冲堤之水，堵塞截流绝非根本，只有根治源头方能奏效。你忧心忡忡，曾上谏议书痛陈其祸，并提出逐胡抑富限妻去妾以治根本，但上方未允。所以你借酒浇愁，自谋其方，因而得了个夜游神症，偷偷在武当山禁地鹰愁谷中建立噩梦山庄。白天，你是正义捕头，捕盗缉凶，按律法办；暗夜，你变成噩梦庄主，杀人游戏，予取予夺。你说万恶淫为首，凡行淫者，监禁坐牢皆不可取，须判官刑断其淫根方为上策。数年间，你杀富惩淫，阉人上千。你所行为虽狠辣，仍不失为一条好汉。只是你酒后行淫，或许醒来后你也自责，跳崖寻死，以致失忆。但你终究以身试法，背叛了你的虹霓之志，也害了三个无辜女子的未来。情有可原，罪不可恕。既然你定下律法，便要以身作则，那么，我替你来完成心愿吧。而此时，因我与萧梦虎订下婚约，你心有不甘，是以夜投采花帖，要来害我。于是我下定决心，要以彼之道还施彼身。老子曰：'天之道损有余补不足，人之道损不足补有余。'顺天方生，逆天必亡。便如这水火旱涝，阴阳均衡方能五谷丰登，天下太平。人间朝代更迭，百姓涂炭，无不因世人以人道欺天道，阴阳不谐所致。为官不法，为富不仁，为师不德，乱之始也。故而我忽发奇想，改噩梦山庄为圆梦山庄，男女变身，穷富互换，以警天下，变革国风。于是将你变身为女，让你也尝尝做女人的苦处。"

说到此处，回头一指萧梦虎周梦熊："你二人身材约等，也被药王奶奶修脸易容，互换了身份，萧梦虎其实是周梦熊，周梦熊其实是萧梦虎！"

此言一出，萧南焱大惊失色，瞧着一身邋遢相的儿子，恍然顿悟，急回头一把扯住周梦熊："你才是我儿梦虎？"

周梦熊大急："把手拿开，我不是萧梦虎，我也不知道我是谁？"欺身上前，一把扯住庄梦蝶，"你说我是谁？我到底是谁？"

"你是萧梦虎。"

"为什么我不记得？"

"因为你被我喂下孟婆汤，失去了记忆！"

萧梦虎实在不能接受："他是萧梦虎，那我是谁？"

"你是武当山下的乞儿周梦熊！"

"我是乞儿！我是乞儿！"萧梦虎眼前掠过褴褛衣衫、肮脏破碗、馊饭残汤，只觉头晕目眩，险些栽倒。再看萧南焱，眼光跟他一触，便踅转而过，带着鄙夷厌恶。那雕梁画栋锦衣玉食不过是一场黄粱美梦罢了，如今梦醒了，尘归尘，土归土，从何处来，还向何处去吧！萧梦虎——如今的周梦熊，蓦地仰天狂笑，涕泗交加，一把扯碎锦袍，撇下梦寐以求剑，狂奔下山，不防一跤跌倒，爬起再跑，山道上抛下一串绝望的笑声，蜿蜒而去。

周梦熊——陡然变身成萧梦虎，豪奴们恶狗相变成了家狗相，摇头晃脑，连声少爷地叫着，他一时难以接受，极力挣扎。

紫霄宫前乱成一锅粥。

那边厢鱼梦痕听完庄梦蝶一番话，深深陷入痛苦的记忆。记忆像零碎的瓷片粘合不成完整的器物：每日清晨醒来，春梦无痕枪上的血渍，浑身酥软的疼痛，脚上磨起的燎泡，记不清楚的噩梦……鱼梦痕喃喃道："行淫者，须处以宫刑，永绝后患！那我岂不是罪有应得！"蓦然间，他举头望天："我不信！我秉持律法，岂会滥用私刑，你骗我！"

庄梦蝶冷笑一声，掷过一只铜瓶："你打开遗梦瓶，一看便知。拼成'我不爱你要恨他'，解开'我要爱你不恨他'的锁，看'你恨我不要爱他'、'你恨我要不爱他''他要爱你我不恨'里的内容。"

鱼梦痕接过铜瓶，正是自己的遗梦瓶，瓶中共有七个暗格，一个密锁只能启开一个。当初自己将密锁拼成"我要爱你不恨他"，取出那张采花帖后，瓶子便锁上了，再也打之不开，密锁之钥记不清，试了几回徒劳无功，又怕砸碎损坏内里秘密，以致真相错失。如今颤巍巍拿在手中，按庄梦蝶指点开启，第一个抽出一张噩梦山庄的构想细则，宗旨行动写得明白。第二张是个生死簿，上面列满淫贼姓名，红笔勾画。其中最显眼的便是庄梦蝶的名字，打个大叉，力透纸背。缀有旁白：负心人。第三张是噩梦山庄的地图，入口分为两个，阴路在柳毅八卦井中，阳路在金顶的金殿里周公像下。三张纸帛字迹潦草，停顿涂改之处很多，用笔习惯、错字都与自己绝对吻合，不像仿作。

鱼梦痕面孔扭曲，微微战栗。

庄梦蝶的声音响在耳畔："每个人心里都睡着一个恶魔，夜深人静的时候就会苏醒，就算你不承认它，也否认不了它的存在，它是摘下面具赤裸裸面对世界的你。轻者并无妨碍，重者便发展为夜游症，在夜幕的掩盖下肆意妄为。"

鱼梦痕颤抖着嘴唇道："遗梦瓶是我私物，为何你能打开？既然你能打开，里面物事也可能是你伪造。我的书法到处都有，你要模仿也不难。"

庄梦蝶道："因为爹爹有一次进山和打更老道下棋，天晚未归，夜宿上善池，无意中撞见你鬼鬼祟祟潜入八卦井中。他回来后告知我，我偷偷潜入其中查看，发现了密道和噩梦山庄。许是你梦游时考虑不周，又或者你自恃天险，无人得窥，竟在寓所里留下很多手书和遗梦瓶的密钥备份。所以你进入圆梦山庄晕厥后，我搜到了遗梦瓶，打开之后，这才知道了你的秘密。"

鱼梦痕喃喃道："怎么可能？"

庄梦蝶气不打一处来："私刑天下，姑且不论对错。你千不该万不该不该淫辱妇女！"

"淫辱妇女！"鱼梦痕头痛如裂，闻听此言，蓦地仰天狂笑，回手一掌，击中胸口，哇的一口鲜血喷出："不可能！"提足一挑，大梦已觉枪抓在手中，"此枪为证，我若是淫徒，自裁以谢天下！"身如猿猱，跳踉如飞，几个起落，抢到崖边，飞身跃下，"我鱼梦痕是个淫徒！哈哈哈！"声音穿破雾霭烟岚，愈来愈小，终于湮没。

庄梦蝶大惊，抢到崖边，却哪有一点影子，急得直跺脚，后悔不迭。庄北溟眼光闪烁，劝慰道："鱼捕头疯了！下面乱石嵯峨，一个失足必死无疑！他铸成大错，难逃一死，少了刑罚之苦，倒也死得其所。"

庄梦蝶略一思忖，摇头道："他没弄清事实，怎会轻易就死。瞧他适才动作直若鬼魅，武功大进，啊，他要去金顶！"一念及此，庄梦蝶飞身而起，径直下山。

众人尾随而下。

武当金顶坐落在天柱峰上，紫霄宫在天柱峰东北的展旗峰下。此刻，罡风烈烈西来，咆哮着搅动周天，将漫天灰云染得乌黑瘆人。

庄梦蝶手提春梦无痕枪一路狂奔，过了三天门，抢入紫金城，金殿赫然在目。此时已入深秋，秋雨虽然缠绵不退，半月却未打雷。但此刻，一道久违的利闪劈开黯黯天幕，击在金顶的金殿上，登时爆开一朵硕大的火花！眨眼间，乌云沉沉压下山顶，绽开万千漩涡，千百道利闪宛若千百条火蛇将金殿吞噬，火花开谢，火球翻滚，火光烛天，雷暴声撼动地轴，直要把武当山撕为碎片。

庄梦蝶不敢妄动，蜷缩一处檐下，遥遥观望。

"雷火炼殿！"众人稀稀拉拉赶往金顶，见此异观，不禁脱口惊呼！武当八景：天柱晓晴、陆海奔潮、平地惊雷、雷火炼殿、祖师映光、空中悬松、月敲山门、金殿倒影。其中以雷火炼殿最为神奇，每当盛夏，雷雨频发，闪电击打金殿，火球滚动，雷暴声声。诡异的是，历经无数次雷击后的金殿，非但毫无损坏，而且更加金光耀目。不过在十月深秋发生雷火炼殿，数百年来尚属首次。如今阴雨连绵，其他奇景久不现世，唯有这雷火炼殿愈演愈凶。

天生异象，必出妖孽。

果不其然，庄梦蝶偶一抬头，忽见一道玄影如飞蛾投火，直扑金殿，霎时被雷火吞噬。那身影翩然若仙又决然如虎，是那么的熟悉又陌生。庄梦蝶嗓子一哽，两行热泪便如这压抑了许久的暴雨一般倾盆而下。

不知过了多久，暴雨终于歇止。庄梦蝶泪痕已干，缓缓起身，拖着春梦无痕枪一步步挨上金殿。殿门口横着一具焦尸，不辨面目，旁边扔着一条黑魆魆软枪，藤柄几乎烧蚀殆尽。庄梦蝶木然弯腰，拾起枪头，拭去黑灰，枪头上四个阳文凸显："大梦已觉"。采花贼鱼梦痕已死，她却半点也不开心，甚至心中一丝隐痛。本案虽证据确凿，却也有不少疑点，只可惜如今已是死无对证。

门内，真武帝君神像居中，着袍衬铠，目光如炬。周围侍立四神：梦神周公、玉女桃花、水火二将。

碎 梦

半个月后，已是初冬，木叶凋零。

萧家，却是红红火火。长着周梦熊脸庞的萧梦虎，经历了一番叛逆与不适后，终于舍不得温暖如火的亲情，再回萧家，重新过上了使奴唤婢的奢侈生活，消瘦的脸颊渐渐丰满起来。

儿子失而复得，只是顶着周梦熊的脸皮，萧南焱看来甚是别扭，想找药王奶奶恢复萧梦虎容貌，可惜药王奶奶被鱼梦痕刺伤未愈，此事只得延后。

萧梦虎历经此劫，再不复往日狂妄模样，变得谨小慎微，更加珍惜当下富贵。私下里催促父亲再去庄家催亲。那日在武当，庄梦蝶亲口承认，自己并未变性成男人，是以萧梦虎意欲再续前缘。

庄北溟也自着急，只是鱼梦痕一死，庄梦蝶受了打击，成天无精打采。一说此事，庄梦蝶便暴怒，摔门而出。

这一日，萧家又来催亲。庄梦蝶换了男装，逃出门来，漫步来到市集，经临一个画摊，其中悬挂几幅墨宝，一股熟悉的正气弥漫在字里行间。庄梦蝶心中鹊突，这般的字，作者却是那般的人；那般的人，真能写着这般的字吗？旁边一幅画像，画中人惨淡蹙烟眉，朦胧似梦眼，正似笑非笑地看着自己。旁缀小字，恩公鱼讳梦痕之肖像。庄梦蝶眼睛一红，急忙别过头去。

鱼梦痕破案缉凶，为百姓伸冤报仇，八百里武当，没受过他恩惠的人只怕不多。其书帖墨宝诗词曲赋人皆奉为瑰宝，扇子上、瓷器上……随处可见。虽然鱼梦痕现在被认为是采花贼，但是百姓依然没有唾弃他。庄梦蝶也不知是悲是喜。斯人已去，是非善恶已不再重要。自己一个活人何必非要与死人纠缠呢？猛一跺脚，挥剑斩情丝，忘掉这一切吧。

庄梦蝶心不在焉，不觉踅入一条窄巷，原来是一条死胡同，居民倾倒废物，堆成一片小山，虽值初冬，却也酸臭袭人。庄梦蝶刚想转身，眼光一转，瞄到一个熟悉的身影，那人侧对自己，坐在垃圾堆旁，满头黑发纠缠不清，都擀毡了，乱如蓬草。两手从地下抓着什么，一把把往嘴里填去。

庄梦蝶心中一动，不自觉移步蹭去。来到那人身后，原来他两腿间放了一只豁牙破碗，碗中盛了半下绿毛馊饭，那人浑如饿死鬼托生般，伸着脏手一把把抓起塞入口中。

庄梦蝶两腿如被钉住。那人吃完了，端起碗来，伸出舌头将碗底舔舐干净，然后将手撑地，翻身站起，乱发一甩，虽涂满污垢也可辨认，那是长着萧梦虎面孔的周梦熊！

庄梦蝶眼眶红了："跟我回家吧。"

一户瓦垄上，坐着一个黑衣人，正跷着二郎腿看着这边，手里托着一只硕大阴阳太极球，形若满月，滴溜溜旋转。

周梦熊偶然抬头，忽然一怔："那是个月亮么？"

庄梦蝶闺房。喜字贴窗，喜烛高烧，喜香缭绕。周梦熊梳头洗脸，换了大红喜服，眼前紫雾氤氲，衬得满室皆春。庄梦蝶蒙着红盖头娇怯怯坐在床上。周梦熊揭开盖头，目睹那如花容颜，如在梦中。

初冬的夜，很冷很冷，星星冻得直眨眼。一名家奴气喘吁吁跑进萧家："公子不好了！庄小姐和周梦熊今晚成亲！"

长着周梦熊面孔的萧梦虎大惊失色："什么？"拔剑往外便冲。忽听门外蹄声骤起，人声鼎沸，咣当一声，大门破开，一对军卒打着火把冲入府中。为首一人太监打扮，捻出黄绫圣旨："奉天承运，皇帝诏曰：襄阳府尹萧南焱，身为朝廷命官，勾结蛮夷，私贩汉女，致令阴阳不谐，盗匪横生，辜负圣恩。证据确凿，罪不可恕。现革职查办，缉拿有司。钦此。"

左右兵丁如狼似虎，揪出萧南焱，五花大绑。萧南焱大呼冤枉。

萧梦虎一愣之下，也被缚住。他身负武功，崩断绑绳，易如反掌，但他知道，若这样定成钦犯，必死无疑。急得大呼："你们弄错了！我不是萧梦虎，我是周梦熊，与萧南焱绝无干系。在圆梦山庄，药王奶奶并未给我易容，她嘱咐我，只要佯作失忆，学着萧梦虎的动作习惯，不出一年，必能享受荣华富贵。我一时猪油蒙心，信了他的鬼话。请大人明辨啊！"

那太监将嘴一撇，根本不予理睬。

萧梦虎歇斯底里狂吼："我不是萧梦虎，我是周梦熊。现在庄北溟府上成亲的周梦熊，才是萧梦虎，你们快去抓他呀，抓他呀！"

那太监大怒："咄，欺负咱家不会绕口令吗？左右，掌嘴！"

初冬的清晨特别冷，水沟里结了一层薄冰。万点寒鸦盘桓凄鸣，似乎要向人讨要食物。如今年荒岁歉，乌鸦接食的奇景再难重现了。

一人踏着青霜脆草，慢吞吞步上板桥，这人衣裳褴褛，开花帽钻出一缕打绺儿青丝，破靴子露出十根通红脚趾头。胸前补子上那个"捕"字变成了"甫"字。但瞧他脸生女相，不可方物，只是清癯憔悴，惹人怜惜。许是走得冷了，他从腰畔解下酒囊，边走边饮。

眼前一片竹林，簇拥着坡上一座凉亭。亭内石桌上摆着一张棋盘，黑白交错，阴阳龙战。一人端坐凳上，左手捻黑，右手执白，正在自弈。

路上人踽踽而行，来到亭下。亭中人忽然开口道："梦痕，别来无恙。"却是男声。

鱼梦痕不觉驻足，讶然道："梦邪？"

亭中人忽变女声，嘻嘻笑道："是我呀！"

鱼梦痕拾阶而上，来至亭中。姬梦邪微笑抬头，顿时吓了一跳——但见姬梦邪左半边头戴鱼尾道冠，身穿玄黑八卦仙衣，剑眉虎目，英气勃勃。右半边头戴九莲道巾，身穿月白道袍，蛾眉杏眼，薄施脂粉。整个人好似把男女两位道士从中劈开，各取一半，强行粘合一处，说不出的别扭。

"你真是梦邪？"

姬梦邪男声道："梦痕不认识我了？"姬梦邪女声答道："是啊，因为有了我嘛。"

鱼梦痕厉声喝道："姬梦邪，你搞什么鬼？"

姬梦邪男声呵呵大笑："梦痕，还记得在圆梦山庄，我进入了高唐州吗？"

"记得。"

"高唐州，云雨巫山，我遇到了我最爱也最爱我我永远不会背叛也永远不会背叛我的人。"

"谁？"

姬梦邪女声道："是我呀！"

"你？你究竟是一个人，还是两个人？"

"我当然是一个人！"姬梦邪哈哈大笑，振衣而起，三下五除二，除去衣冠，露出内里蟒袍玉带。抹去妆容，现出本来面目，虽然眉眼间轻浮依旧，却没有那么别扭了。

鱼梦痕愣住了。

姬梦邪嘻嘻笑道："奇怪吗？我入了高唐州，才明白我最爱也最爱我我永远不会背叛也永远不会背叛我的人，在这世上只有我自己。于是在梦中，好心的药王奶奶便让我美梦成真，把我变成了半男半女的怪人。可惜啊，我醒来后便后悔了，在这世上，我并非无人可爱，梦痕就很可爱嘛。"

鱼梦痕死死盯着他，依旧不动。

"喂，不至于这么激动吧？"

"你、你是遇知音？你锁骨上的太极文身？"姬梦邪偶尔俯身，不慎春光大泄，露出牙雕般锁骨。

"是我啊，怎么？很奇怪吗？你看了我的身子，我也看了你的身子，你说我们是不是夙缘前定？"

"你是女的？怪不得从小你阴阳怪气，不和我们厮玩。你这身蟒袍玉带？"

姬梦邪嘻嘻笑道："当年嘉靖帝初登大宝，求子武当，行罗天大醮，并将一个女儿扮作男孩，作为真武帝君的转世，供奉在紫禁城，每日代父祈祷子嗣兴旺。这个女孩便是我——金铃公主。"

春梦酣然，万般千种相怜相惜。只是，再美的梦，也有醒来的时候。窗外鸡鸣五鼓，曦光叩窗，周梦熊伸个懒腰，拥被而起。回身看去，被暖衾温，只是枕畔人不知了去向。

周梦熊披衣下床，叫道："蝶儿，你在哪里？"无人回答。他瞪眼细瞧，香闺金帐，喜字红烛，历历在目，绝非梦幻。急忙穿衣蹬靴，推门而出，叫道："蝶儿，你在哪里？"

前面月亮门处有人嘻嘻笑道："我在这呢！"周梦熊方要抬头，蓦地寒光一吐，瘆人寒意直袭眉峰。周梦熊不及细想，急忙甩头晃颈，脚弹琵琶，向外急闪，使的正是萧梦虎绝学"踏莎行"。

不等周梦熊反应，那寒光直若怒蛟排空，劲气四射，织成硕大一茧，裹住周梦熊。周梦熊手无兵刃，且先机已失，束手束脚，顿时左支右绌，狼狈不堪。

轰轰轰！假山影壁井栏围墙纷纷绞入茧中，相继碎成瓦砾。周梦熊倚仗轻功，四下乱窜，好似风口之烛，摇摇欲坠。眼见寒光飙射咽喉，避无可避，忽听有人叫道："接剑！"紧接着一物飞来，周梦熊下意识接在手中，把柄中熟悉的感觉重新回来：梦寐以求剑！立时嗔声大喝，抱剑当胸。

笃！寒光射中剑脊，凝作一柄枪尖：春梦无痕！春梦无痕枪点中剑脊，倏地弯弹，绕过剑脊，斜挑周梦熊耳鼓。周梦熊想也未想，捧剑中宫直进，攻敌必救，正是梦寐以求剑中一招："谐阴理阳"。

春梦无痕枪蓦然回撤，倏地抢出，一招"水火共济"点他前心。周梦熊将梦寐以求剑霍霍展开，剑气飞旋，兜头罩下。天风海雨般剑气中，一道枪影若搅海飞龙，不屈前行。

噗！血流绽放如花。两道人影乍合倏分，东西对峙。

周梦熊血染前胸，缓缓抬头："鱼梦痕！"

一身褴褛的鱼梦痕冷冷看着他："萧梦虎！"

周梦熊急辩道："梦痕，我是周梦熊！"

鱼梦痕仰天狂笑："你的梦寐以求剑如此纯熟，如臂使指，你怎会是周梦熊？我什么都想起来了！在金顶中，我被雷电击中，跌落悬崖，侥幸未死。醒来后忽然灵台通明，往事种种历历在目，俱都想起来。污辱刘家三姐妹的就是你！那日我守在密室门外，忽然你翻墙进来，请我喝酒。小时我身子羸弱，常遭同学欺负，是你为我出头，所以在我心中，你是我恩人。见是你，我未作提防，你我就在密室前对饮，酒过三巡，我头晕欲睡，临晕之前，你盗走我的钥匙，开了密室，淫辱三女。等我醒来，正巧看到你从密室出来。我提枪追你，在舍身崖上，失足坠下，伤了头部，失去了记忆。"

周梦熊张眼一望，鱼梦痕身后站着打扮成阴阳双脸的姬梦邪，还有面色狰狞的庄梦蝶，以及匆匆赶来的庄北溟和家丁。

周梦熊冷笑道："梦痕，你在痴人说梦吧！我已失去了记忆，我会使梦寐以求剑，难道就是萧梦虎吗？蝶儿还会你的春梦无痕枪，她为什么不是鱼梦痕呢？"

姬梦邪阴阳怪气道："这是你的诡计而已。庄姑娘误以为梦痕是采花贼，害了他三表姐，又见你们贫富不均，是以立志平天下，给每个人一个公平。请出药王奶奶掌刀，将梦痕修脸变性变为庄梦蝶；将你和周梦熊易容互换。可她不知道，你暗中早就拜药王奶奶为师了。那时候，武当周围少女频频被卖，我三番五次派人上告京师，皇帝决定派钦差私访。而此绝密消息被你从江南飞鸽堂买走。钦差一来，你父勾结夷人贩卖少女的勾当必定大白于天下，到那时，你也难逃牢狱之灾。而此时，恰好药王奶奶把庄梦蝶的计划全盘告知你，于是一个一箭双雕的绝妙诡计在你心中形成。你要借助庄梦蝶的诡计顺水推舟，变身为周梦熊，逃过此劫。到时真的周梦熊便替你入狱，永难翻身。鱼梦痕又变成了女人。我变成了不男不女的怪人，咳，即使不变，庄姑娘也不喜欢我。到那时，你再装作可怜兮兮的，庄姑娘别无选择，只能和你成就夫妻。这样你既逃命又娶美妻，天下乐事莫过于此。但是你自觉自己样貌比周梦熊强，若真变脸成周梦熊，你又不愿，于是你和药王奶奶商量，将庄梦蝶的诡计稍加改变告知周梦熊，告诉他佯装失忆，但是学了你的洁癖和踏莎行轻功，并显露给别人，引起别人怀疑，到时管保有招让他变身萧梦虎，享受泼天富贵，娶到庄梦蝶。周梦熊利欲熏心，自然求之不得。庄梦蝶被蒙在鼓里，以为鱼梦痕变身了，你们也变了，岂知只有鱼梦痕自己变了，你根本没变。但你相貌是萧梦虎没变，虽然习惯改变，别人也难以相信你是假的萧梦虎。于是，关键处就落在鱼梦痕头上了。鱼梦痕变成了庄梦蝶，一定疑虑重重，虽然庄梦蝶预先写了那本《如梦令》书，改变他屋子格局，让他相信自己就是庄梦蝶，从而安心快乐。但以他绝顶聪明，你断定他醒后，必然怀疑自己并非庄梦蝶，而是被人动了手脚，必要追查自己真实身份。你所要做的只是暗中推波助澜。你料定鱼梦痕必然会找韦天师和大慈悲宫宫主，于是你飞鸽传书二人，请他们说出事实，当然，随信你各寄去了三千两银票。于是，结局顺理成章，鱼梦痕当众指出自己变性真相，连带你们也成功转换身份。真的很绝妙的诡计！只是大难临头各自飞，萧南焱生了这么个逆子，不知道是什么滋味。"

周梦熊冷笑道："我本是姨娘所生，不为父亲所喜，好吃的好玩的都让给两个哥哥，我只能要剩下的，若非那两个是短命鬼，萧家哪还有我的份？他用心不公，进了大狱也是天罚。"

姬梦邪笑道："这么说，你承认是你是萧梦虎，那三女是你害的了？"

周梦熊——真正的萧梦虎仰天狂笑："是，我是萧梦虎，那三女也是我害的，你能如何？"

庄梦蝶怒喝一声，掣出腰间痴人说梦环，被姬梦邪一把扯住。

萧梦虎邪邪一笑："我告诉你们实话吧，那三女见我相貌知我财势，心甘情愿被我玩弄。并且按我所指，嫁祸给梦痕。你们以为她们是无辜者么，她们只是一群贱货。我萧梦虎小时候曾与她们一起玩耍，她们骂我是婊子养的。可等我有了财势，便另眼相看，如同狗见主人。有此结果，是天理循环报应不爽！从那时开始，我就告诉自己要变富，只要你富有四海，女人便会像狗一样的摇尾乞怜。梦痕，别做你的白日梦了，什么天下为公，阴阳和谐。这天下哪有公平，哪里不是弱肉强食，黑白颠倒！还有你，蝶儿，你也是我的人了，只怕昨夜春风一度，如今已是珠胎暗结。你愤怒么？不甘么？可是那有什么用，我只知道，你生的儿子不会姓鱼，也不会姓周，只会姓萧！哈哈哈！还有在圆梦山庄梦痕剥开你的束缚，脸现淫亵，那是因为我偷偷在他身上下了淫药韩寿香。"

庄梦蝶气得小脸煞白。

姬梦邪嘻嘻笑道:"萧梦虎,你快醒醒吧,昨夜你不过是中了我的梦魇大法,还妄想和美人共度良宵呢,真真可笑!还记得你当时偶尔抬头,看到了一只阴阳太极球吧?那就是我拿的球,那球叫噬梦珠。一旦观望,便会产生幻觉。你昨夜入洞房当新郎只是你的幻觉,一场春梦而已。"

萧梦虎嗤笑道:"不可能,洞房花烛牙床锦被都在,你何必自欺欺人呢?"

姬梦邪嘻嘻笑道:"骗你作甚,这是我的安排,你入梦之后,我便下来将前因后果告知蝶儿,又给你布置了洞房花烛,你人虽不堪,毕竟我们曾有过同窗之谊,临死送你一个美梦,也算对得起你了。"

萧梦虎半信半疑,右手在后偷偷摸出一个瓷瓶,拔下塞子,一缕淡淡白雾悄然溢出。他淡淡道:"梦痕,可否借一步说话,我要告诉你一个天大秘密。"

鱼梦痕跨步上前:"说。"

萧梦虎道:"你看着我的眼睛,我是坏人吗?"

鱼梦痕听他一说,不自觉看他眼睛,但见萧梦虎两眼泛起一片妖异的血红,宛若两只风暴眼,绽开层层漩涡。鱼梦痕眼光一触,登时陷入其中,神情呆滞,眼神恍惚:"你、你不是坏人。"

与此同时,一片轻纱似薄雾悄然蔓延,吞噬了半个院落。

姬梦邪见状大急:"梦痕,小心他的造梦大法。"倏地抛出噬梦珠,噬梦珠滴溜溜飞旋,飞到两人中间。与此同时,飞身上前,扯回鱼梦痕,鱼梦痕哎呀一声,如梦初醒。

噬梦珠飞旋,那薄雾忽如飞蛾投火,乳羔奔母,敛作一缕,钻入其中,消失不见。

庄梦蝶将手一抖,痴人说梦环飞旋而出,套向萧梦虎脖子,萧梦虎被噬梦珠所惑,闪避不及。眼见环上锯齿便要割断脖颈,旁边鱼梦痕忽然捻枪斜挑,拨开了痴人说梦环。

萧梦虎得隙,逾墙而逃。

庄梦蝶怒道:"你干吗拦我?"

鱼梦痕道:"萧梦虎虽非好人,也并非大奸大恶,也许你应该问问你那三个表姐。"

逐 梦

时近冬月，武当迎来第一场暴雪。村翁农夫们哀叹着，这老天爷还让不让人活了。

这日雪后，武当金顶。鱼梦痕凭栏而立，望着皑皑群山，呆呆出神。

换了女装的姬梦邪——金铃公主悄然来到他身后，伸手蒙住他的眼睛："梦痕，你额头好烫？大概是伤风了，阴气入体，伤了阳气，我开个药方调理一下吧。"

鱼梦痕掰开她手指："需要你开药方的不是我，是这老天爷！"

金铃公主一时无语，过了一会儿，方道："当年师父教我们《道德经》，便是要我们修真养性，克制劣根。师父之所以给我们取名都带一梦字，那是因为师父为了纪念一本祖传秘籍《梦神宝经》。《梦神宝经》内载万千梦术，神奇无比却又邪异绝伦。师父不忍让它祸乱人间，临死陪葬在仙蜕之中。萧梦虎心思乖巧，被他探出口风，后来偷偷盗出，按书修炼了造梦神术。其实造梦神术说白了就是巫术加医术来惑人心智。他炼出了引梦眼，能用眼睛将你催眠，听他指令，那采花帖便是你被催眠后按他指示所写。庄家的采花帖也是你被他催眠之后送去的。人身以六阳魁首为重，统领周身，百会穴里有归梦十二重楼，分管记忆失忆妄想癔症诸多症候。萧梦虎按造梦神术所示，炼出冰魄神针，因你对他无所防备，所以他暗中以神针刺入你脑中，封存了你的部分记忆。后来你闯上金殿，被雷火殛顶，闪电融化了你脑中的冰魄神针，所以你恢复了记忆。"

鱼梦痕道："为什么你知道这么多？"

公主笑道："因为我是公主，有权有势，连师父也不敢瞒我。而且他为了巴结我，把传家之宝噬梦珠都给了我。"

　　鱼梦痕道："你既然什么都知道，为何不早告诉我，让我提防？"

　　公主道："我看你天天为蝶儿写诗作词，心里就来气，况且你几时理过我？"

　　鱼梦痕长吐一口浊气："那么我是否真的患有夜游症？"

　　公主道："食色性也，男女大欲，原本禁止不得。男女失衡，强暴满街，淫徒之罪只占三成，贩卖我少女的夷人富贾才是罪魁祸首。当时我禀告父皇，怎奈父皇当时迷信黄白之术，根本无暇顾及。不得已，我只能以杀止暴。但我武功不强，你才是最好的杀手人选。于是我利用《梦神宝经》所载梦游神术，对你施法。噩梦山庄的构想图纸，都是我用造梦之法引诱你写出来的，你的一切都在我的监视之下。不过你不要怪我，若非你心中积累恨怨，术法对你不会灵。"

　　鱼梦痕恍然大悟，原来这一切都是别人的游戏而已。怪不得很多疑点不可解释，比如换掉自己邻居，地契改名等。皇帝女儿办这些事岂不易如反掌？于是淡淡道："算了，此法虽违律法，不犯天道。"

　　金铃公主眼望莽莽群山："我武当古名太史，阴阳协调为太史，只有贫富协调，旱涝协调，男女协调，我大明才能万古永存。梦痕，你要努力啊！"

　　鱼梦痕冷笑道："所谓协调，也是你的协调，我何尝协调过！天下百姓何尝协调过！"忽然想到一点："我跳下金顶，将引雷通电的大梦已觉枪扔了，梦蝶却见金殿门口有具焦尸，误认是我，可曾查到那焦尸是何人？"

　　金铃公主疑道："这确实是个疑点，武当并未有人失踪。还有你的眼睛为何变成色盲，梦蝶并无此症。我们也未做手脚，不知是你得了眼疾还是有其他人捣鬼。我听庄北溟说过，当时你说视物黑白，他急中生智胡诌说梦蝶有色盲症，这才搪塞过。"

　　金殿中。鱼梦痕捻香一炷，上奉真武帝君。金铃公主嘻嘻笑道："梦痕，你应该给你自己也上一炷香。"

　　"我？"

　　"就是周公啊。当年父皇请仙师卜筮，占得我是真武转世，你是周公转世，梦蝶是桃花女转世，周梦熊和萧梦虎是水火二将转世。我五人分属五行，五人齐聚，同心同德，阴阳既济，五行顺行，才能镇住武当，佑我国邦。师父暗接圣旨，方才将我们聚齐，同门传道。你与周萧二人官、商、民，争一个庄梦蝶，而我便是这场官司的判官，我要协调四方，平衡阴阳。我汉人多有一个毛病，内残外忍，便如耍太极一般，外圆内方。武当太极拳太过注重以柔克刚，后发制人，功力不足时常为外敌所制。所以师父虽然是武当宗师，教我们的却不是太极功夫。从今我要革新太极，内圆外方，漫天画圈子之外，更要加入凶猛的杀招。治国也是一样，如今天下离坎相交，阴阳和谐。我们可要好好守住这难得的清明啊！"说着拍掌而歌："五行依轮转，阴阳禀自然。乾坤炉里炼，水火鼎中煎。木产长生汞，金烹续命铅。有人逆天道，宇宙翻几番。"

鱼梦痕听她歌中含义，不禁痴了。忽然狂笑一声："说得好听！什么天道地道，阴阳自然？我鱼梦痕秉持天道，最后落得什么？男人变成女子？"

身后有人道："梦痕，我错了，我们成亲如何？"

鱼梦痕暴跳如雷："庄梦蝶，你将我阉割成女身，如今还假惺惺来做什么！"

公主道："蝶儿对你不好，我对你却好，况且天香楼中我们已有了肌肤之亲白头之约。"

鱼梦痕仰天狂笑："你既对这些事洞若观火，却任其发生，罪魁祸首就是你！我鱼梦痕和尔等不共戴天！"说罢，一步抢出门外。

门外，雪又开始下了。近处，松梢坠雪冻鸟翻空。远处，蜿蜒神道重叠楼阁，蛰伏不动。再远处，日月潜踪，昊天茫茫，分不清黑白昼夜。

鱼梦痕仰天长啸，吐尽胸中浊气。蓦地拔出春梦无痕枪，飞身跃上金殿飞檐，振臂一挥，跳下悬崖。

大雪中，他疯狂疾奔，他不知道自己要去哪里，要做什么？也许他要追逐什么已经失去的东西。但是失去的东西，我们还能追得回吗？

待得公主二人飞身跃上，但见崖下白雪皑皑，哪里还有一点人影。唯有一阵苍茫的歌吟逗下了一个尾声："一鼓乾坤入洞。便把虚无拈弄。离坎自交宫，澄湛寂然无梦。无梦。无梦。别我魔军大恸。"

公主黯然垂头，忽然咯咯一声，漫天飞雪中，一只碧羽鹦鹉破空而来，敛翼落在她肩头。

"绿绿？"

"公主号（好）！公主号（好）！不平爱死（来信）给你。"说着金鸡独立，伸嘴一叼，将足上所缚密信啄下递出。公主接信在手，绿绿再不多言，展翅摇翎飞入漫天雪中。

公主叫道："绿绿，你等等。"

绿绿叫道："窝（我）没空，窝（我）没空。还有信，呜呜，不平坏。"

公主展开信瓤："公主金安，见信如面：梦痕是我第二个朋友，就算倾尽天下，也要他恢复男身！风信子客栈消息：梦痕净身后的宝贝还在雪龙窟保存。你也不想他真变成女人吧？事后，请庄姑娘莲驾移步秦皇陵，有要事相议，切切。"

圆梦

　　"啊！"鱼梦痕从噩梦中醒来，心跳气促，翻身坐起，忽有尿意，伸手一摸，啊，下体何物？顿时惊醒，我不是女人么？怎么？低头一看，自己只穿犊鼻短裤，上身赤裸，胸膛扁平，一无余物。这是怎么回事？难道我在做梦？

　　揉揉眼睛，所视依旧是黑白，并无色彩。自己所处正是自己家中，一切都是那么熟悉亲切，焦黑墙壁挂着雨渍痕迹，地下榆木桌上放着春梦无痕枪。鱼梦痕穿衣下床，揽镜一照，镜中人惨淡蹙烟眉，朦胧似梦眼，正是久违的自己！自己怎的又恢复容貌了？

　　正惊愕莫名间，忽然帘栊一挑，一人腰系围裙，端了碗小米粥款款步入，却是庄梦蝶。

　　"梦痕，你醒啦！"庄梦蝶雀跃而来，险些打破了碗。鱼梦痕不知所措，茫然接过碗来。

　　"梦痕，恭喜你啊！"门扉一响，一股春天的气息破门而入。姬梦邪笑嘻嘻迈步而入，后面跟着庄北溟、周梦熊、萧梦虎。

　　鱼梦痕又如陷梦中："这是怎么回事？梦熊不是被抓了？梦虎也逃走了么？"

　　姬梦邪笑道："梦痕，你又说梦话了。上回和采花贼一战，你头部受伤，一直昏晕了一年半，梦中总说梦话，现在才醒。"

　　庄北溟也道："鱼捕头，你昏厥以来，蝶儿端屎端尿，照顾你可够辛苦的，你小子要敢负她，我和你没完。"

　　萧梦虎笑道："梦痕，蝶儿真正喜欢的人是你，我和梦熊都愿意成人之美。"周梦熊连连点头。

庄梦蝶娇羞难抑，跑出门外。

鱼梦痕简直如白日做梦："梦邪，你是男人还是女人？"

"梦痕，你真睡糊涂了，我是男人啊！"

鱼梦痕将他拉到一旁，伸左手在他胸膛上一触，平平无物。

鱼梦痕迟疑道："梦邪，我做了个梦，梦见我变成了女的，而你却是女扮男装。"

姬梦邪嘻嘻一笑："我还以为你变成了女的，嫁给我了呢。"

鱼梦痕道："梦邪，你说我做的那些梦是真的还是假的？"

姬梦邪邪邪一笑："是梦非梦，又有谁说得清。"

鱼梦痕忽然仰天狂笑，手舞足蹈："哈哈哈！我知道了，现在我正在做梦！哈哈哈！"手中碗失手落地，啪的一声，崩了一地碎片。

邯郸道中，黄粱店里。窗外风雪交加，室内温暖如春。灶膛里火光熊熊，黄米饭香气四溢。酒客只有两位，大冢灵花跷着二郎腿，据案大嚼烧鸡，吃得满嘴流油，连声赞叹。肖不平靠在地下的笼子里，饿得眼冒金星。

大冢灵花打着饱嗝，乜斜一眼："相公，你要不说这《如梦令》到底讲的是谁，明天还得闻味解馋，让我多心疼。"

肖不平实在忍不住了："好吧，我说。其实我不说你不也猜得出来么？既然叫《如梦令》，讲的自然是做梦的事情，这世上最爱做梦的除了我的好兄弟鱼梦痕还有谁？"

大冢灵花递给肖不平一只鸡腿："不出我所料，果然是他。你这好朋友太惨了，惨遭宫刑做了女人。这还不算太惨，若再遇人不淑？啧啧。你也不想办法营救？"

肖不平怒道："我倒想救，但被你关在笼子里，怎么救？"

"修改故事结局也行嘛。"

"鬼谷女的书丢了，想修改也修改不了了。"

大冢灵花眼珠乱转："鬼谷女喂你吃饭之后，书就丢了，是不是你偷了？"

肖不平一脸无辜："你趁我睡觉之时检查多遍，哪有？"

大冢灵花一脸邪恶："那是搜查的不彻底，今天我扒光你的衣服，《僭天书》必然无法遁形。"

肖不平哼道："那却好，你打开笼子吧。"

大冢灵花眼珠一转："打开笼子你若跑了得不偿失，隔着笼子又扒不了你的衣服。算了，就算书在你那里，你也是为我作嫁。你给他们改结局，人家未必会相信。而我有琥珀塔，你聚齐众人，我将宝物一一相赠，得了实惠的大侠们必然对我感恩戴德。到时，嘿嘿……"

肖不平冷笑道："大侠们知恩图报不假，但若以叛国相逼，必然失小节而全大义。"

大冢灵花嘻嘻笑道："自以为是的家伙。"忽而想起一事，"自从我的红红见了你的绿绿，就没影了。见色忘友的家伙。"

肖不平道："也许两只鸟也像你我一样，表面亲热，暗中也在尔虞我诈吧，唉。"

大冢灵花笑道："尔虞我诈，真真假假，便如这故事一般百转千折，才有趣嘛。书里后面还有二十几个故事，我们该去哪个故事的发生地瞧瞧热闹？"

肖不平道："书中三十三个故事，从我接到《窃天书》开始，到最后一个故事结束，历时一年，均摊到每个故事中，平均十来天左右，每个故事发生的地域各有不同，路途遥远，我实在分身乏术。如今离最后故事的结束时间不足三月。为做到万无一失，我打算去最惨的故事《天命凶猛》发生地，实地阻止惨剧发生。这本书最后一个故事叫《密码天书》，故事只有一个楔子，楔子里讲七个人分别接到了一页天书，书页里言明写书人就在他们七人之中，七页合璧，就能解开写书人的秘密。这个故事和我们所经历的故事特别像，是否在暗示写书人就隐藏在这个故事里？如果时间允许的话，我要参与这个故事。"

大冢灵花击掌道："英雄所见略同。"

肖不平道："其实这三十三部书中都有一些疑点难以解释，我推断这些都是写书人搞的鬼。比如《如梦令》中曾说，某某某读书成痴，这个人我猜应该是庄梦蝶。曾读《阴宅血咒》一书，将自己当成书中人史天骄，这本《阴宅血咒》庄梦蝶是如何得到的？会不会和写书人有关？这些疑点，我们顺藤摸瓜，也许写书人便会露出破绽。"

"嗯。"

"不过写书人以神秘莫测的命运之神姿态俯瞰我们，让我们读书改书，究竟有何阴谋？"

"你不是说过他要向你挑战么？"

"绝非挑战那么简单。不过我不是他手中的提线木偶，我也不会做他的书中人，我要他做我的书中人，他的命运由我去书写。"

大冢灵花嘻嘻笑道："你能做到的，因为《僭天书》就在你怀中。"

云横太行山，雪拥邯郸道。风雪中，一间店门棉布帘子倏然卷开，两骑步履蹒跚，冲入漫天飞雪中。